W9-BMK-327

LA POLITIQUE EN QUESTIONS

La politique en questions

par

Les professeurs de science politique
de l'Université de Montréal

Les Presses de l'Université de Montréal

Catalogage avant publication de Bibliothèque et Archives nationales du Québec et Bibliothèque et Archives Canada

Vedette principale au titre:

La politique en questions

Comprend des réf. bibliogr.

ISBN 978-2-7606-2115-2

1. Science politique.
2. Science politique – Recherche – Québec (Province) – Montréal.
I. Département de science politique de l'Université de Montréal

JA67.P64 2008 320 C2008-941711-9

Dépôt légal: 3e trimestre 2008
Bibliothèque et Archives nationales du Québec

Les Presses de l'Université de Montréal reconnaissent l'aide financière du gouvernement du Canada par l'entremise du Programme d'aide au développement de l'industrie de l'édition (PADIÉ) pour leurs activités d'édition.
Les Presses de l'Université de Montréal remercient de leur soutien financier le Conseil des Arts du Canada et la Société de développement des entreprises culturelles du Québec (SODEC).

RÉIMPRIMÉ AU CANADA EN FÉVRIER 2009

Nous dédions cet ouvrage aux collègues qui ont construit notre département ainsi qu'à tous les étudiants dont les passions et l'exigence, toujours renouvelées, incitent au dépassement.

Présentation

Peut-on faire de la politique une science ? Poser cette question appelle le plus souvent une moue ennuyée suivie d'un haussement d'épaules qui trahit l'absence d'inspiration. Si on insiste, l'interlocuteur prend l'air du brigadier qui réprimande le piéton imprudent pour rappeler l'évidence : les phénomènes politiques sont beaucoup trop complexes et imprévisibles pour cela. On ne met pas la société en équation. Jamais on ne pourra, ambition folle de professeurs en mal de gloire, énoncer de règle. La politique défie les lois. La preuve en est vite faite : nos prévisions sont tout aussi éloignées de la réalité que celles de nos collègues économistes. Misère !

La politique s'intéresse à la guerre, aux conflits, au pouvoir et aux rapports de domination, bref, aux manifestations les plus terribles de la nature humaine. Avec les sociologues et quelques autres « logues », nous étudions les pathologies de la société, sans que jamais l'état de sa bonne santé ait été défini autrement que dans le monde de Rousseau et autres utopies révolutionnaires et catastrophiques. Sun Tzu enseigne dans *L'art de la guerre* les rudiments de la stratégie : comment tromper l'adversaire, l'affaiblir, choisir le terrain à son avantage, user de la surprise, tout cela dans le but d'anéantir l'ennemi. Transposés à la cour des Borgia, les conseils de Machiavel au Prince sont du même calibre. Difficile de fonder une discipline scientifique sur la rouerie, le mensonge et le cynisme…

Mais il y a urgence. Le recours à la violence est permanent, les conflits s'éternisent et les appels à la vengeance font échec aux efforts d'apaisement et de réconciliation. Il est indispensable de bien comprendre les conflits et maîtriser les sorties de crise. Rien n'est possible sans une rigoureuse connaissance des causes et des conséquences de la violence et du conflit.

La politique est, avec la morale, au cœur des choix individuels et collectifs et influence les décisions qui, quotidiennement, ont un impact sur nos vies. Que sont la justice et les lois sinon un mélange ingénieux de valeurs et de pouvoir? Puisqu'on n'y échappe pas, aussi bien s'en occuper.

Pluralité dans la discipline

Une autre question entraîne la somnolence instantanée de l'auditoire. Doit-on parler de la science politique, ou *des* sciences politiques? Succès assuré! La réponse, en fait, n'a pas grande importance, sinon pour nous aider à comprendre un peu mieux la manière dont la connaissance progresse.

Le singulier laisse supposer une unité d'objet et de méthode qui n'existe pas au premier examen. En effet, l'étude des idées politiques semble être aux antipodes de celle des comportements électoraux. En toute logique, c'est le pluriel qu'il faut alors préférer. Cependant, les stratégies électorales, les comportements des acteurs, les rapports de pouvoir, les systèmes de représentation, le fonctionnement des institutions semblent, quels que soient l'époque ou le lieu, répondre à des règles semblables. C'est pourquoi il existe des auteurs «classiques», Platon, Machiavel, Montesquieu, Tocqueville, Weber et autres, dont les analyses traversent les spécialisations.

Il y a eu, et il existe encore, des institutions d'enseignement qui distinguent les relations internationales de la science politique. Cela est en partie l'héritage des liens étroits qui existent entre l'étude de la politique et celle du droit; le droit international encadre la politique internationale.

La tendance actuelle met davantage l'accent sur l'unité entre la politique internationale et la politique intérieure. Les déterminants, les intérêts et les acteurs se confondent. Il n'y a pas un ministère qui n'ait son service international, et même les villes ont des activités de type diplomatique. À l'Université de Montréal, le Département de science politique a choisi le singulier, ce qui, comme le lecteur pourra le constater, n'interdit pas la diversité des objets et des perspectives.

Cela conduit à considérer la question du pluralisme dans un contexte universitaire. Rien n'y est plus précieux que le respect et la cohabitation des préférences politiques, des convictions idéologiques et des approches méthodologiques. La liberté universitaire assure que la frontière de l'interdit est la plus éloignée possible. Un milieu intellectuel stimulant et productif doit compter sur une pluralité de points de vue et sur la plus grande diversité possible d'arguments. Les idées exprimées dans ces pages viendront confirmer ou contredire les opinions du lecteur. Mais nous souhaitons surtout qu'elles servent à approfondir la réflexion. Les auteurs n'ont pas hésité à prendre la mesure de leurs divergences et à assumer celles-ci en regroupant leurs textes dans un ouvrage collectif. Il faut un certain temps pour s'y habituer. À l'université, les certitudes des uns sont, pour les autres, au mieux, des hypothèses à confirmer et, au pire, des erreurs (de jeunesse ou de vieillesse) qui seront montrées comme telles un jour ou l'autre…

À quoi sert une science de la politique ?

Les étudiants sont nombreux à ricaner quand le professeur parle de l'objectivité du chercheur et de l'importance de la démonstration empirique. Eux le savent bien : « On fait dire aux chiffres ce que l'on veut. » La déduction est fuyante, la démonstration incomplète sinon carrément biaisée, les raccourcis aberrants. L'hypothèse, invariablement confirmée, est toujours inspirée des préférences ou des opinions du chercheur. Fin de la discussion.

Pourtant, les mêmes étudiants suivent spontanément les « règles » de la politique. Ils adoptent pour défendre leurs revendications les comportements les plus convenus tels que prescrits dans les manuels de l'action collective. Ils se réunissent en association, définissent un quorum, élisent leurs représentants, participent aux instances de décision, à l'occasion forment des coalitions, alertent l'opinion et mènent des actions de mobilisation plus ou moins spectaculaires. Chaque génération réinvente son initiation à la vie politique, définit ses règles, gère ses conflits et construit son système de prise de décision. Comment expliquer cette récurrence en l'absence de règles qui régissent la vie en communauté, sans une connaissance, au moins intuitive, de la vie politique ?

C'est un cliché que d'affirmer que les citoyens conçoivent la démocratie comme allant de soi. C'est la preuve que le système, pourtant si fragile et imparfait, est accepté sans arrière-pensée. Luxe suprême, on se permet d'être négligent, de ne pas prendre le temps de s'informer, de ne pas participer aux débats et, faute suprême, de ne pas voter. Si parmi nous plusieurs sont désabusés, ils sont nombreux, ailleurs, qui souhaitent importer ce modèle, qui, toute réflexion faite, s'avère bien être le moins mauvais de tous.

De même, on ne conçoit pas prendre de décisions qui engagent des ressources collectives et qui ont des impacts sur la vie des communautés, par exemple une réforme des institutions ou un tout nouveau programme gouvernemental, sans entreprendre un processus souvent long de consultations. C'est pourquoi il faut connaître les facteurs de succès et d'échecs, mettre au point des mesures d'évaluation et raffiner les processus de prise de décision.

La résolution de conflit suscite, avec raison et pas seulement en science politique, beaucoup d'intérêt. On est loin d'avoir trouvé les réponses qui guériront les blessures, éviteront les répétitions, et assureront la réconciliation et la paix. Les techniques de résolution des conflits relèvent d'aptitudes autres que celles qui sont associées à la science politique. Mais, comme dans toutes négociations, il faut comprendre les enjeux, connaître le contexte, apprécier les rapports de forces et, une fois armé de toutes ces connaissances, savoir proposer des voies de règlement. Les conflits, qu'ils soient locaux ou internationaux, font tous appel, pour leur résolution, aux compétences acquises en science politique.

Le monde est à nos portes. Tirons profit de cette richesse d'expériences accessibles. De manière plus fondamentale, c'est notre connaissance des autres qui est la meilleure mesure pour apprécier notre propre situation. La distance sert de révélateur, les différences s'estompent pour ramener à l'essentiel, les expériences lointaines dans le temps ou dans l'espace sont autant de points de repère qui nuancent les jugements faciles que nous portons sur les situations qui nous sont proches. C'est pourquoi dans ces pages, dépouillées de tout exotisme, apparaissent, à différentes époques la Chine, l'Europe, la Russie, et l'Amérique latine.

Quand les chercheurs deviennent des « trouveurs »

Les 27 auteurs des textes réunis dans ce livre sont professeurs au Département de science politique de l'Université de Montréal. En nombre d'années, la somme de leur expérience en enseignement universitaire et en recherche totalise plus de 500 ans. L'ouvrage propose un condensé de leurs savoirs réunis. Vues sous cet angle, les réalisations présentées pourront paraître minces, à moins que ce ne soit la tâche qui s'avère particulièrement difficile. En fait, ces cinq siècles compilés constituent un critère bien relatif qui doit servir à rappeler la grande humilité que nous devons avoir devant les défis de la connaissance.

Comme pour toute recherche, au départ de chaque texte, il y a une question. Quelle est la grande question de recherche qui vous anime, avons-nous demandé à nos collègues. Après toutes ces années de réflexion, quelle réponse proposez-vous ? Voilà le défi qui leur a été présenté avec en plus l'exigence de se faire comprendre dans un espace restreint. Bref, l'objectif de cet ouvrage est de montrer que notre connaissance progresse, que notre compréhension des phénomènes politiques s'affine et que notre science a quelques éléments de réponses à offrir.

La science politique est abordée ici sans détour, sans préalable théorique, sous la forme de 27 réponses à autant de questions. De cette manière, l'ouvrage veut présenter un état des lieux qui reflète sans l'épuiser la grande diversité des sujets à propos desquels notre discipline a une contribution originale à apporter.

Du projet au livre

Le Département de science politique de l'Université de Montréal célébrera ses 50 ans au cours de l'année universitaire 2008-2009. C'est pour souligner cet anniversaire que ce projet collectif a été conçu. Pour la fêter, nous avons choisi de montrer la science politique comme elle se pratique aujourd'hui. Si dans le contexte de la Révolution tranquille, dans lequel le Département a été fondé, les cours sur le colonialisme, le marxisme et le nationalisme étaient ceux qui attiraient le plus grand nombre d'étudiants, ce sont aujourd'hui les cours sur les relations internationales et la mondialisation qui sont les plus fréquentés. Si les thèmes changent, les enjeux demeurent les mêmes : représentation, reconnaissance, affirmation identitaire et équilibrage des rapports de forces. C'est l'observation de ces régularités qui anime les politologues.

Nous vous proposons des textes regroupés selon les affinités thématiques de leurs questionnements. Vous pourrez les consulter au gré de vos envies et, une fois n'est pas coutume, commencer par la fin. Le thème d'ouverture regroupe des questionnements qui concernent la discipline elle-même. Les auteurs exposent ce que signifie selon eux faire de la politique une science. Nous abordons ensuite les intemporelles de la science politique. Mieux qu'un *best of* éphémère, nous avons voulu construire sur les éléments de stabilité. Le premier incontournable est la question de la représentation politique. Qui parle au nom de qui et pourquoi ? Après le dire, il y a le faire et la question du gouvernement des sociétés. Là encore, il s'agit d'un thème traditionnel de la science politique. Comment ça fonctionne ? Pourquoi à certains endroits ou à certaines époques la gestion publique paraît-elle si chaotique ou, à l'inverse, si adéquate ? Les deux derniers regroupements renvoient à la dimension normative des questionnements qui nous habitent. D'abord, la démocratie suppose des choix, toujours remis en cause et réaffirmés au terme de débats permanents autour de valeurs profondes comme la participation politique et la protection des droits des minorités. Vivre en démocratie ne signifie donc pas la fin des luttes politiques. Enfin, il y a le conflit dans ses diverses incarnations et dont le paroxysme est atteint avec la guerre ; frontière au-delà de laquelle la politique, mise en échec, se dissout dans la violence.

Les certitudes sont rares, et plusieurs questions demeurent sans réponse. Certains textes se terminent en soulevant une série de nouvelles questions, faisant la preuve que la réflexion n'est jamais terminée. La politique est un sujet passionnant, les débats qu'elle soulève nous concernent tous. Pour mieux comprendre, il faut maîtriser le vocabulaire, établir les liens, chercher à discerner l'essentiel d'une situation, et accepter de dialoguer avec ceux qui ne partagent pas nos interprétations. Une constante dans ces pages est que la science politique n'est pas vue comme une discipline abstraite réservée à une élite, mais plutôt comme une approche qui sert à interpréter les réalités diverses et complexes, parfois légères mais souvent tragiques, du monde.

En bons pédagogues, nous nous sommes donné le défi d'être clairs et concis. Ce livre s'adresse aux citoyens curieux qui souhaitent des réponses structurées, averties et sincères aux grandes questions que soulève la vie en société ainsi qu'aux étudiants qui souhaitent s'engager dans l'étude des phénomènes politiques. Au passage, peut-être réussirons-nous à convaincre les derniers sceptiques que la politique est un objet de réflexion et de recherche passionnant.

Le comité de rédaction :
Pascale Dufour, Philippe Faucher,
André Blais et Denis Saint-Martin
mai 2008

1

Faire de la politique une science ?

Une science de la politique, dites-vous ?

André-J. Bélanger

Si la science dite politique peut se targuer d'être la plus ancienne des sciences sociales, elle n'en est pas pour autant la mieux nantie. Elle se cherche encore. Et son existence véritable est loin d'être assurée puisqu'elle n'est jamais parvenue à produire une démarche qui lui soit propre. Mais voilà ce qui fait néanmoins son charme : elle se présente comme un défi posé à elle-même. Elle est pour ainsi dire encore à faire. Mais comment ?

Misère de la science politique

Deux sirènes la sollicitent. Et il faudrait qu'attachée à sa rigueur comme Ulysse à son mât, elle se contente de les entendre sans jamais leur succomber. Or ces sirènes sont très puissantes : l'une vient du sens commun à la recherche d'essences qui nous révéleraient la vraie nature de la chose publique ; l'autre relaie les appels des mass médias qui la réclament souvent là où elle n'a pas grand-chose à dire. Et les deux réunies deviennent, faut-il croire, irrésistibles.

Le sens commun nous laisse volontiers penser qu'il existerait une vraie nature des choses dont la découverte reviendrait à quiconque sait réfléchir convenablement. C'est en ces termes qu'on cherchera, mais en vain, le vrai sens de la politique, ou encore mieux *du* politique, expression qui fait encore plus savant. On sera alors en quête de ce que serait *le* phénomène politique ; le vrai, bien sûr. Et sur cette pente limoneuse suivront, dans le même esprit, les définitions assurées de ce qu'est ou devrait être la nation, puis l'État, la démocratie, etc. De là, par exemple, la référence à la « saine démocratie », comme s'il en existait de malsaines. Tout cela demeure séduisant en comparaison des plates définitions qu'exige le discours analytique. C'est dans ce contexte qu'apparaît le *pouvoir*, terme séducteur par excellence. Indéfini et presque indéfinissable, il a pour effet d'enchanter le monde par sa puissance d'évocation. N'y a-t-il rien de plus envoûtant que cette entité qu'on sollicite à tout propos sans l'avoir jamais vraiment conceptualisée ? Le sociologue Max Weber l'a aperçue comme toute chance de faire triompher sa volonté au sein d'une relation sociale ; et d'ajouter que le concept, en plus de ne désigner qu'une virtualité, était sociologiquement amorphe. Mais rien n'y fait : le pouvoir continue, comme concept évocatoire, à constituer une référence qui devrait, selon certains, fonder la science politique. À la vérité, il demeure la belle Arlésienne de la discipline : on en parle toujours mais on ne le voit jamais.

À cette séduction de la vraie nature des choses viennent s'ajouter les attentes du public et plus précisément des médias. Non seulement peut-on penser que la science politique est en mesure de dire le vrai, mais également peut-on croire qu'elle est capable de prévoir le déroulement des événements. En d'autres mots, la science politique est alors mise en demeure d'en révéler le sens véritable, les enjeux fondamentaux, et finalement l'aboutissement prévisible. Elle est constamment mise en situation par les médias de se prononcer sur la conjoncture, et surtout d'en tracer l'évolution future ; car aujourd'hui, probablement plus qu'hier, le journalisme consacre une bonne part de son énergie à deviser sur l'avenir. Plus qu'autrefois, le regard se porte sur des personnes, et, ce faisant, sur leur devenir ; manière pour les chroniqueurs comme pour les lecteurs de vivre par procuration des existences apparemment plus excitantes que les leurs. Il en va de même du politologue, qui risque de sublimer dans l'exercice de sa profession le désir insatisfait ou peut-être même refoulé d'être de la partie. Dans tel cas, il joue le jeu politique sans en assumer les coûts, mais sans en toucher non plus les bénéfices ; excepté, bien sûr, l'avantage qu'offre une exposition médiatique toujours excitante. En d'autres mots, les attentes de l'opinion véhiculées par les médias risquent de fixer l'agenda de recherches du politologue. Il ne reste plus alors à l'autorité gouvernementale qu'à l'entériner par l'intermédiaire des programmes de subventions bien ciblés.

Voilà une situation vécue par bien d'autres disciplines : les sciences sociales en général, et même la médecine. La différence tient à la résistance que ces mêmes disciplines peuvent offrir en s'appuyant sur la reconnaissance de leurs compétences. Là, la science politique n'est pas des mieux pourvues. Elle ne dispose d'aucun corpus qui lui soit propre alors que les sciences économiques peuvent se réclamer de modèles reconnus (pour le meilleur comme pour le pire) et la sociologie, de méthodes dites éprouvées. La science politique, quant à elle, oscille entre les deux, se prétendant, selon les écoles, tantôt plus économiste que sociologique, tantôt plus sociologique qu'économiste. Position fort peu enviable. D'où vient-elle donc ?

Mystère de la science politique

Les premières réflexions sur la société en Occident ont porté presque tout spontanément sur la quête de justice dans la Cité. Telle a été la nature du questionnement des philosophes de la Grèce antique. Autant l'affirmer sans ambages, le politique a été d'abord défini par la philosophie qui a imposé son point de vue jusqu'au XIXe siècle, alors que le droit s'est mis de la partie. Longtemps la science politique s'est contentée de réfléchir, d'une part, sur ce que doit être la gouverne : les idées politiques, et d'autre part, sur l'organisation de cette même gouverne dans son ensemble : les institutions politiques. On peut affirmer, en grossissant le trait, que la discipline ne s'est vraiment mise à la tâche de fixer (en toute autonomie apparente) les paramètres de son champ d'observation qu'après la Deuxième Guerre mondiale.

Toute vieille qu'elle soit par ses racines profondes, la science politique est finalement jeune si on la compare à la science économique dont les assises reposent sur des postulats posés au XVIIIe siècle, ou encore à la sociologie qui date du tournant du siècle dernier. Il n'y a donc pas à s'étonner si elle a été longtemps tributaire de ses consœurs dans le choix des démarches à suivre.

Impériale dans les années 1950 et 1960, la sociologie s'est imposée en science politique comme le modèle à reproduire. Si bien qu'en cette dernière matière, quiconque ne parlait pas alors de systèmes, de structures ou de fonctions était tenu pour le plus béotien des êtres. Les emprunts à la cybernétique, avec ses boucles de rétroaction, venaient conférer un dernier cachet de scientificité qui aurait pu manquer au propos. Aujourd'hui, toutes ces notions savantes d'*inputs* et d'*outputs* n'ont plus tellement cours. On en est bien revenu, tout gagné, cette fois, par l'exemple de la science économique, qui, avec la montée du néolibéralisme, a tenu le haut du pavé à partir des années 1970.

L'individualisme méthodologique, dont l'école des choix rationnels est l'expression, est en passe, croient certains, de s'imposer comme le paradigme dominant de la science politique. Adossée au départ à la science économique, elle a emprunté à cette discipline des manières de penser qui ont eu pour effet de rendre possible un discours, parfois très abstrait, dont la logique tente souvent de s'imposer à la réalité suivant des prescriptions de conduite. Exemple : on convient, selon cette école, qu'il est irrationnel d'aller voter puisque les chances d'avoir un quelconque poids au final tendent, la plupart du temps, vers le zéro ; or, il s'avère que ce sont les plus instruits, et donc les mieux informés, qui se pressent aux bureaux de scrutin ; il y aurait donc là paradoxe. Paradoxe qui, on l'aura compris, fait le tourment de l'école et la délectation de ses détracteurs.

Quoi qu'il en soit, la science politique, comme la sociologie d'ailleurs, tente de plus en plus d'établir des passerelles analytiques entre les phénomènes compris dans leur globalité et les unités qui les composent. Ce pourront être, d'une part, les relations internationales vues dans leur ensemble et, d'autre part, les unités étatiques qui en sont les parties prenantes. Ou encore, cette fois en politique intérieure : les unités étatiques et leurs composantes internes engagées (partis politiques, groupes, individus) dans un débat déterminé. Dans ces cas de figure, on voit apparaître la notion de relation sociale qui, elle, demande d'être précisée et mérite d'être exploitée.

Politique : une affaire de relations sociales

Le sens commun, comme on l'a évoqué, nous porte à croire qu'en définissant correctement certains concepts-clés, c'est-à-dire en établissant leur vraie nature, il nous serait possible par la suite d'en parler « doctement ». Or il n'en est ainsi dans aucune science actuelle. Il nous faut, au contraire, construire des concepts de manière telle qu'ils nous permettent de mieux saisir la réalité qui nous entoure. Par exemple, le concept de

« force », que l'on apprend dans les premières leçons de physique, est une abstraction qui sert à mesurer une réalité qu'on aurait bien du mal à définir avec précision, comme d'ailleurs les concepts de temps ou d'espace : on croit savoir ce qu'ils sont, on peut les mesurer, mais sans être en situation de dire ce qu'ils sont vraiment. Dans l'observation des phénomènes sociaux, il devient de plus en plus évident qu'il y a avantage à les circonscrire en termes de relations et non d'entités sociales. Il est vrai que les entités sociales comme la famille, l'école, la ville, etc. nous semblent plus concrètes, et donc plus faciles d'accès ; mais c'est un leurre. La science économique a vite compris qu'on devait investir la notion d'échange, de relation sociale, plutôt que d'aborder les entités premières qui s'offraient au regard, comme la manufacture, le magasin, la boutique. À quelle relation sociale peut alors s'intéresser la science politique ? À plusieurs. Mais encore faut-il les voir comme des phénomènes et non des réalités toutes faites qui s'imposeraient à l'observateur.

On reconnaîtra d'emblée qu'un phénomène intéressant à observer est celui de la représentation des intérêts. De nos jours, et cela depuis plus d'un siècle, l'exercice de l'autorité publique s'opère dans des arènes que sont certes les institutions politiques mais également les mass médias et parfois tout simplement la rue, surtout la rue captée par les médias... Déjà l'autorité publique, à quelque niveau qu'elle se situe, de l'État central jusqu'aux municipalités, prétend représenter l'intérêt général. La classe politique s'applique, on ne le sait que trop, à clamer son dévouement pour la cause publique. Autour d'elle gravitent des gens qui se disent, eux, les représentants d'intérêts, cette fois, spécifiques : actionnaires, syndiqués, paysans, étudiants, féministes, environnementalistes, etc. Tout ce jeu des intérêts en présence donne lieu à une dynamique intéressante à observer parce qu'on peut présumer qu'elle n'est pas soumise aux seules lois du hasard. Certes, il y a toujours la part d'incertitude, mais c'est la part du prévisible, si petite soit elle, qu'il y a lieu de tenter de connaître. Peut-être qu'à l'usage, se révélera-t-elle plus grande qu'on ne le croyait à l'origine. Voilà en somme un programme possible à l'intention de la science politique. C'est-à-dire l'observation de la représentation des intérêts depuis l'autorité étatique jusqu'aux citoyens réunis, à quelque titre que ce soit, pour faire valoir leur point de vue.

Or ce jeu implique un ensemble d'autres relations sociales, car la représentation des intérêts, en tant que relation sociale, s'exprime de trois manières : par l'influence, le contrôle et le conflit. En d'autres mots, elle peut d'abord tenter d'influencer l'autorité étatique, des groupes bien spécifiques ou encore l'opinion publique en général. Elle peut, par ailleurs, être en situation de contrôler les accès à la prise de décision : certains groupes ont leurs entrées reconnues dans les ministères et parviennent ainsi à monopoliser en quelque sorte l'expression de certains intérêts. Enfin, la représentation des intérêts ne parvient que rarement à se soustraire à une relation de conflit avec la représentation d'autres intérêts. De là, le jeu des stratégies de toutes sortes pour contrôler les accès à l'influence auprès des décideurs. Ces mêmes décideurs (présidents, ministres, députés, maires, conseillers municipaux, etc.) auront pour fonction, par la suite, de fixer des règles en vue d'imposer, d'autoriser ou d'interdire des contrôles déterminés. Ainsi, dans nombre de sociétés, les parents ont l'obligation d'envoyer leurs enfants à l'école : contrôle imposé ; ils peuvent cependant avoir la faculté de déterminer l'école de leur choix, école privée ou publique : contrôle autorisé ; en revanche, il ne leur sera généralement pas permis d'intervenir dans le choix des manuels scolaires : contrôle refusé.

C'est dans cet esprit que la science politique va s'intéresser à la manière dont les contrôles sont aménagés dans une société donnée ; et ce, en vue de répondre à la question : qui contrôle qui ou quoi, quand, et comment ? Vieille interrogation qui résume assez bien le champ d'observation qui revient à la discipline.

Dans l'ensemble, la science politique privilégie l'observation du conflit : conflit à l'intérieur d'États, comme conflit entre États. Conflit autour de l'obtention de contrôles ou, au contraire, autour de la suppression de contrôles. Or, cette relation sociale de caractère particulier permet une théorisation abstraite tout comme une observation concrète. On peut imaginer des entités qui, dans l'abstrait, sont en quête d'une maximisation de leurs intérêts dans un rapport conflictuel, tout comme on peut, au contraire, vouloir rendre compte du déroulement d'un conflit bien déterminé, comme une guerre. Dans les deux cas, il s'agit d'une tentative de mettre en évidence une dynamique soit virtuelle, soit réelle. Et c'est cette dynamique, comme séquence dans le temps, qui fait actuellement l'objet de beaucoup d'attention.

Il y a lieu de reconnaître d'abord que tout conflit repose sur une information imparfaite de la part d'au moins une des parties en présence.

Qu'est-ce à dire ? Il y a conflit parce que les protagonistes ne s'entendent pas sur l'issue probable d'un différend. Il ne viendrait à l'esprit de personne de s'y engager avec l'assurance d'une défaite certaine ou d'une perte sèche ; à moins de le faire pour l'honneur, ou encore pour servir de victime en vue d'un gain lors d'un combat à venir (le sacrifice a alors pour fonction de mobiliser pour l'avenir). Mais voilà que ce dévoilement de l'information ne peut que se faire dans le temps.

Alors que la relation d'échange en science économique est vue comme immédiate dans le temps, la relation de conflit, pour sa part, prend place dans la durée. Un conflit se déroule toujours suivant un parcours temporel, un processus. Et c'est la dynamique de ce parcours qui, en science politique, fait l'objet de l'analyse. Tout un programme ! Il faut en convenir. Ce pourra être une guerre, une révolution, un soulèvement ou, plus pacifiquement, un débat public, une campagne électorale, etc. Le registre est étendu et les instruments d'analyse se doivent d'y être adaptés. D'où la variété des champs de spécialisation.

Politique et temps

Le conflit donne lieu, dans un premier stade, à un exercice de légitimation : les protagonistes doivent justifier leurs prétentions, donner les raisons qui fondent leur combat. Quel qu'en soit le bien-fondé, leur action doit s'appuyer sur des idées qui, plus développées et partagées, deviennent des idéologies. Là sont définis, dans un discours, les grands axes qui rendent compte des enjeux : projets de société qui tentent de déterminer l'identité des parties en présence, celle de l'adversaire et celle du « nous ». Ce sont des considérations dont les origines remontent à la Grèce antique. Voilà déjà un champ de spécialisation, celui des idées politiques, qui, se situant forcément dans le temps, est partie prenante de l'analyse politique. Il jouxte certes la philosophie politique au point qu'il est possible de les confondre. Et qui dit philosophie, dit également histoire.

Non seulement la philosophie ne peut se comprendre sans l'histoire, mais il en est de même du phénomène politique qui, on s'en rend de plus en plus compte, ne peut se comprendre sans la référence au temps. Tout conflit, se déroulant dans la durée, s'insère dans une histoire plus ou moins longue. Les débats actuels sur le rôle de l'État dans ce qu'on convient d'appeler, avec emphase, la « mondialisation » (terme fourre-tout), ou sur l'environnement, les identités sexuelles, ou encore l'insertion des immigrés dans les sociétés occidentales, se déroulent tous dans la durée et sur un fond historique, lui-même sujet à débats. L'évocation du passé est rarement innocente et fait partie des stratégies de mobilisation susceptibles d'expliquer ou de légitimer l'action. Tous les mouvements sociaux y ont recours pour identifier l'adversaire et se définir eux-mêmes. Il en est de même des idéologies, et la thèse néolibérale l'illustre fort bien. Elle a recours à une stratégie d'exposition qui consiste à inscrire les mesures de l'État providence dans un grand récit aux conséquences désastreuses ; et cela, en opposition à un autre grand récit, celui du marché libérateur qui, intemporel, c'est-à-dire hors de l'histoire, prétend être conforme à la réalité immuable des choses.

C'est dire que la tendance va dans le sens d'une compréhension diachronique du phénomène politique. L'analyse politique, quel qu'en soit le champ de spécialisation, ne peut plus feindre de l'ignorer. Qu'il s'agisse d'études de l'opinion, des comportements de toutes natures, électorale ou syndicale, ou bien de différends internationaux, l'élément durée est devenu un paramètre essentiel à l'observation méthodique.

Et finalement ?

Si la science politique se cherche encore, elle ouvre néanmoins sur un grand nombre d'objets légitimes puisque le phénomène de la représentation des intérêts implique une variété d'expressions. Entre une révolution et une campagne électorale ou un débat législatif, il y a toute une gamme d'actions possibles susceptibles de solliciter des instruments d'analyse différents. Et dès lors que le regard se porte vers les relations internationales, une perspective encore plus grande s'offre à l'analyse. Certes, les instruments d'observation ne sont peut-être pas encore à la mesure des phénomènes retenus ; et, il faut bien le reconnaître, l'imagination analytique n'est pas toujours au rendez-vous. Autant de bonnes raisons de relever le défi… D'autant plus qu'il y a tout lieu de se demander si, à l'instar de l'échange en science économique, le champ n'aurait pas avantage à s'ouvrir à l'ensemble des rapports d'influence, de contrôle et de conflit dans les relations sociales ; que ce soit dans la famille, à l'université, au travail, etc. Alors là ! c'est, comme on dit, une autre paire de manches. Au charbon !

Pourquoi et comment comparer ?

Mamoudou Gazibo

« Vérité en deçà des Pyrénées, erreur au-delà ! », disait Blaise Pascal, qui entendait souligner ainsi le caractère relatif des lois humaines d'un lieu à un autre. Cette proposition, que l'on peut aisément appliquer aux mœurs, aux religions, aux modes d'organisation politique ou encore aux sources de la légitimité, subsume à maints égards les raisons pour lesquelles la comparaison est importante, voire indispensable. Dans l'existence quotidienne, c'est par son usage que nous sommes capables de nous décentrer, de prendre conscience des autres et d'avoir une meilleure compréhension de ce qui nous rapproche et nous fait différer d'eux. De ce point de vue, comparer est un acte à l'usage de tous.

La comparaison ne se limite pas cependant à un usage profane. Comparer est surtout une technique de recherche généralement associée à la démarche des sciences sociales telles que la science politique par opposition à celle des sciences dites dures comme la physique. C'est en ce sens que l'un des pères fondateurs de la sociologie et de la science politique moderne, Émile Durkheim, a formulé la proposition selon laquelle la comparaison est, en sciences sociales, le substitut de l'expérimentation directe en usage dans les sciences naturelles.

Nous proposons ici de discuter des usages pratiques et scientifiques de la comparaison sur la base de phénomènes comme la démocratisation et le développement, qui constituent deux des enjeux principaux occupant les comparatistes. L'objectif est de montrer, d'une part, que la comparaison est indispensable, car elle permet d'organiser la vie quotidienne ; et, d'autre part, qu'elle est en science politique ce que les politologues français Bertrand Badie et Guy Hermet ont appelé un « état d'esprit hors spécialités », c'est-à-dire un outil transversal utilisé par les chercheurs, toutes spécialités confondues.

De la comparaison comme outil du profane…

Bien des étudiants sont sceptiques quant à la nécessité d'enseigner la méthode comparative, car après tout, font-ils observer régulièrement, nous comparons tous et tout le temps ! À première vue, ce scepticisme est justifié. Dans la mesure où comparer relève d'une structure de pensée universellement partagée, nous avons tous en la matière, à un certain degré, la science infuse. Cette structure de pensée se manifeste notamment à travers la tendance, dans toutes les sociétés, à classer les objets, à établir des catégories rassemblant ceux qui se ressemblent afin de les contraster avec d'autres catégories rassemblant des objets différents : animaux, pratiques sociales, groupes ethniques, pays… Cette habitude de dresser des catégories (qu'on appelle la construction de *typologies* dans le langage scientifique) est motivée notamment par la nécessité d'organiser notre existence.

Nous comparons en premier lieu pour nous donner des repères dans un monde complexe. C'est par la comparaison que nous organisons quotidiennement notre existence, à commencer par l'acte consistant à nommer les personnes et les choses, à les classer par groupes. Par exemple, parler des hommes ou des animaux et, à l'intérieur de ces groupes, faire d'une part la distinction entre les Africains, les Américains, les Asiatiques, les Européens ; et de l'autre entre les reptiles, les mammifères et les volatiles, procède de ce besoin de simplifier le monde pour en avoir une meilleure maîtrise. Cette activité comparative à travers la construction de catégories nous guide constamment, que ce soit lorsque nous allons faire nos courses dans un supermarché où nous cherchons généralement le produit présentant le meilleur rapport qualité/prix, dans notre vie professionnelle où nous tentons d'obtenir le meilleur emploi et le meilleur salaire possibles ou dans nos rapports aux autres que nous fondons sur des qualités et des défauts reconnus ou reprochés aux uns et aux autres. Ces activités sont celles que les profanes font quotidiennement sans penser constamment et méthodiquement à comparer. Néanmoins, comme nous le verrons plus loin, la césure entre l'activité du profane et celle du comparatiste au sens académique du mot n'est pas absolue. En effet, la seconde se base souvent sur la première pour forger des méthodes et des théories.

En second lieu, comparer permet de poser les bases du progrès. Parce que comparer consiste aussi à poser un regard sur les autres à partir de notre propre vécu, il s'agit d'une activité qui permet de relativiser nombre de certitudes et d'idées reçues, ce qui est parfois le point de départ de grandes transformations politiques et sociales. Un des meilleurs exemples de cette possibilité est offert par l'expérience de modernisation du Japon. Comme plusieurs auteurs l'ont montré, pour comprendre le processus qui a permis au Japon de passer d'un pays de type « féodal » à un État moderne représentant la seconde puissance économique mondiale, il faut remonter à l'ère Meiji (l'équivalent des lumières en Europe). L'ère Meiji commence à la fin des années 1860, mettant fin à deux siècles et demi de pouvoir des Tokugawa (du nom du fondateur de cette famille régnante) qui instaurent l'ère Edo (actuel Tokyo qui leur servait de capitale) dominée par le shogunat. Sous l'empire de ces hommes d'armes, le Japon s'est fermé à toute influence extérieure pour préserver ses valeurs d'une contamination « barbare », les Shoguns considérant les Japonais comme un peuple supérieur. Mais en 1852, une flotte américaine aborde les rives japonaises pour demander l'ouverture de routes commerciales à la stupéfaction des Japonais et pour cause : eux qui se croyaient supérieurs voient arriver une flotte symbolisant une maîtrise plus grande des mers et dotée de canonnières traduisant leur avance technologique. La présence de ces étrangers bousculait ainsi le complexe de supériorité des Japonais qui ne pouvaient manquer de comparer leurs technologies respectives, l'efficacité limitée de leur sabre sacré par rapport à celle des canons, la supériorité offerte par la possession d'une flotte... En se comparant à leurs visiteurs, ils prirent conscience de la vanité de leurs certitudes et surtout de leur vulnérabilité. C'est cette situation qui explique en grande partie le déclenchement de l'ère Meiji en 1868, avec la restauration du pouvoir de l'empereur sur celle des seigneurs isolationnistes et le lancement du processus de modernisation pour combler l'écart entre le Japon et l'Occident. C'est en tirant les leçons de la confrontation avec les autres que le Japon lança tous azimuts un travail titanesque de rattrapage. La ville de Kagoshima, dans l'île méridionale de Kyushu, porte de sortie des premiers jeunes pionniers symbolisant les milliers de personnes envoyées aux États-Unis, en France, en Prusse et ailleurs pour acquérir le savoir-faire nécessaire à ce rattrapage, porte encore la marque de cette époque. S'il y a eu un miracle économique japonais, il n'a été possible que grâce à cet effort de décentration que seule la comparaison permet. Du reste, cette décentration informée par l'observation des expériences des autres est encore courante dans le domaine du développement. Hier, observant aussi bien le Japon que l'Occident, d'autres pays asiatiques se sont à leur tour lancés avec succès dans la même voie de la modernisation. Aujourd'hui, les Africains observent ainsi avec envie la montée en puissance spectaculaire de la Chine et, avant elle, des dragons asiatiques et se posent des questions : comment des pays vivant une situation économique et sociale similaire à la leur il n'y a pas si longtemps ont-ils réussi à décoller aussi vite ? Cette expérience peut-elle être reproduite afin que les Africains voient eux aussi leur niveau de vie s'élever ? Comment procéder pour sortir de la pauvreté ?

On le voit, nous sommes déjà loin ici de la simple démarche de l'acheteur profane du supermarché qu'on peut qualifier de « comparatiste qui s'ignore ». L'effort, orienté ici vers des fins pratiques, est conscient. Mais dans un cas comme dans l'autre, un aspect est sous-jacent à la démarche : on compare toujours sur la base de critères. En retour, ces critères mènent généralement – mais pas exclusivement – à forger des catégories. Ce sont là des aspects centraux de toute comparaison, l'existence de critères en constituant même une condition préalable. Généralement implicites dans la démarche du profane, ils sont explicitement construits dans la démarche scientifique, cet effort délibéré de construction étant ce qui permet de qualifier la démarche de scientifique.

À la comparaison comme outil scientifique

En tant qu'outil scientifique, la comparaison peut aboutir sur des considérations d'utilité pratique (comment atteindre le développement), mais elle vise d'abord à comprendre et à expliquer indépendamment de la pratique.

Ce que les comparatistes tentent de comprendre et d'expliquer

En général, les comparatistes s'accordent pour dire que leur travail consiste à mettre à jour les similitudes et les différences entre des objets étudiés. Ces objets varient selon la spécialisation disciplinaire du chercheur (généralement politique pour nous), mais peuvent provenir de temps et d'espaces des plus variés. On comprend là pourquoi la comparaison est si importante et pourquoi l'ambition pratique est subordonnée à la qualité de la démarche: comment en effet comparer l'Empire romain à l'époque d'Auguste et les États-Unis d'aujourd'hui sans tomber dans le piège de l'anachronisme? Comment comparer la démocratisation en Espagne, en Ukraine et au Bénin sans, en plus de l'anachronisme, tomber dans le piège de l'amalgame posé par les différences contextuelles? Seule la méthode comparative offre des outils permettant d'appréhender ensemble ces phénomènes placés dans des temps et des espaces si différents. Il y a bien entendu des limites à la comparaison. Mais la comparabilité n'est pas objective, c'est-à-dire qu'elle n'est pas donnée à l'état brut. Elle dépend de la capacité du chercheur à forger des critères permettant d'échapper à l'incomparabilité apparente imposée par les discontinuités spatiotemporelles. Après tout, nous disait Saussure, c'est le point de vue qui crée l'objet! En cela, la méthode comparative est la source principale des progrès théoriques et méthodologiques dans les disciplines en sciences sociales et sans elle, les chercheurs pataugeraient dans une multitude d'études de cas. Ils ne pourraient pas établir de passerelles entre eux afin d'isoler des propriétés communes et des traits spécifiques. Un illustre comparatiste dit même en ce sens que «celui qui ne connaît qu'un cas n'en connaît en fait aucun».

Comment comparer et pour quels résultats ?

Les comparatistes cherchent à mettre en exergue soit des similitudes, soit des différences entre des cas. Ces cas peuvent être pris dans des espaces ou dans des temps très différents pour autant que des critères de comparaison pertinents soient construits pour justifier le rapprochement opéré entre eux et que les techniques méthodologiques de recherche soient respectées. Cela dit, venons-en à la question de savoir plus précisément quels types de connaissance l'usage de la méthode comparative peut permettre d'obtenir. En général, loin de se contenter de rapprocher et de contraster des cas, les comparatistes tentent de faire ressortir les facteurs qui sont à la base des similitudes et des différences entre les cas observés. En un mot, il s'agit de trouver des variables explicatives. Selon les variables explicatives qu'ils privilégient, les comparatistes, qui ne sont pas unanimes, se regroupent en approches théoriques différentes. Lorsqu'ils sont appelés à se pencher sur deux cas similaires divergents sur un même problème, ou bien à expliquer pourquoi un même phénomène se produit dans des cas différents, chaque comparatiste fait appel aux variables qui, à ses yeux, sont les plus pertinentes. En science politique, ils ont recours en général soit à l'histoire, soit à la culture, soit aux institutions, soit aux acteurs, soit à l'économie. Ces variables sont chacune propres à une approche théorique différente en politique comparée.

Un thème qui illustre bien l'utilisation de ces diverses variables par les politologues est l'analyse comparée de la démocratie et notamment, des processus de démocratisation qui ont été menés tour à tour en Europe du Sud dans les années 1970, en Amérique latine dans les années 1980, et en Afrique et en Europe de l'Est dans les années 1990. On le voit bien, il s'agit d'un même phénomène, mais qui prend place dans des zones géographiques différentes et sur une période s'étalant sur une vingtaine d'années. Comment alors subsumer l'ensemble de ces cas ? Comment expliquer la régularité de certains aspects de la démocratisation et les spécificités d'autres aspects selon les régions et les pays ? Comment expliquer que certains de ces pays très différents connaissent des trajectoires similaires ou comment, à l'inverse, des pays très semblables connaissent des trajectoires différentes ? Pour y parvenir, les comparatistes partent d'angles d'analyse permettant d'échapper à l'incomparabilité apparente. Ils ne les comparent pas sous tous leurs aspects, mais délimitent leur recherche en se concentrant sur un ou des aspects précis. Ayant ainsi précisé leur angle d'analyse, ils peuvent ensuite expliquer les similitudes et les différences que les données empiriques laissent voir.

La mise en relation des cas montre par exemple des différences significatives dans les processus de déclenchement de la démocratisation d'une région à une autre. Les premiers auteurs ayant travaillé sur la question en Amérique latine et en Europe du Sud avaient remarqué que les transitions vers la démocratie étaient généralement survenues à la suite d'une crise au sein du régime autoritaire entre les « durs » et les « modérés ». Lorsque ces derniers prévalent, ils tendent à former une alliance avec les modérés de l'opposition. Ensemble, ces modérés de camps opposés lancent alors un processus d'ouverture appelé la libéralisation politique. L'Espagne, le Portugal ou le Brésil sont des cas emblématiques de ce processus d'ouverture qualifié de « transition par le haut » puisqu'il est le produit des arrangements entre élites. En revanche, les transitologues qui ont travaillé plus tard sur l'Afrique, et qui l'ont aussi étudiée à la lumière des expériences précédentes, ont remarqué qu'en fait, les transitions africaines sont au contraire, des « transitions par le bas », c'est-à-dire généralement impulsées à la suite de mobilisations populaires acculant les régimes autoritaires au changement. Comment expliquer ces différences (spécificités) régionales ?

Une des variables utilisées pour expliquer les similitudes entre les pays d'une même aire régionale et les différences d'une aire à l'autre renvoie à la nature des institutions politiques existantes avant la transition. En Amérique latine ou en Europe, il y avait généralement des régimes dits « bureaucratiques autoritaires », alors qu'en Afrique, les régimes étaient dits « néopatrimoniaux ». Ces configurations institutionnelles ont des implications différentes pour le processus du changement en raison de la manière dont elles modèlent les acteurs supposés le conduire. Dans les premiers régimes, les clivages sont de nature politique et les élites peuvent se diviser sur des lignes politico-idéologiques comme la nécessité ou non de la réforme, ce qui explique le mode de transition par le haut. Dans les seconds régimes, par contre, les lignes de clivages opposent les *insiders* profitant du régime aux *outsiders* qui en sont exclus, y compris, voire surtout, au plan économique. Les gouvernants s'accrochent au pouvoir et ne l'abandonnent que sous la pression populaire car, en raison de la confusion entre les sphères politiques et économiques en situation néo-patrimoniale, quitter le pouvoir revient à tout perdre.

Ces différences régionales n'empêchent cependant pas des pays appartenant à chacune de ces régions de prendre des trajectoires multiformes, qui peuvent se rejoindre ou diverger considérablement. Le Brésil, la Pologne, l'Espagne, le Bénin ont réussi à consolider leur démocratie en dépit de leur appartenance à des aires différentes. Inversement, le Venezuela (un des cas exemplaires d'une transition par le haut), le Burkina Faso et la Russie, eux aussi de régions différentes, offrent des signaux mixtes. On observe aussi des régions qui semblent encore complètement fermées à tout début d'ouverture démocratique, notamment dans le monde arabo-musulman. Face à ces différentes trajectoires, les comparatistes sont capables de fournir des explications sur la base des variables privilégiées dans leur approche. À propos des pays ayant réussi leur démocratisation, les comparatistes qui se réclament de l'approche stratégique expliquent que leur réussite est due à la capacité des acteurs politiques à faire les bons choix, à gérer les crises, à négocier. Les tenants des approches historique ou économique auront tendance à évoquer respectivement leur histoire et leur bonne performance économique. De même, dans le cas des pays où aucune expérience de démocratisation n'est encore engagée, les comparatistes qui ont choisi l'approche culturelle n'hésitent pas à dire que c'est le facteur culturel qui constitue la clé de l'explication.

Une double question se pose ici avant de terminer. Y a-t-il des facteurs explicatifs plus pertinents que d'autres et comment les choisir ? Même si certaines variables sont parfois plus adaptées à certains objets, la réponse à la première interrogation est négative, car tout dépend en fait de la qualité de la recherche. La seconde réponse est subordonnée à la première. Le choix des variables dépend surtout de la construction de la comparaison et de prédispositions théoriques qui nous viennent de notre formation, de nos lectures et des influences intellectuelles que nous subissons. La comparaison impliquant par essence la relativisation, les comparatistes ont plutôt une vision œcuménique de leur champ. De ce point de vue, il n'y a pas d'objets qui soient incomparables dans l'absolu, pas plus qu'il n'existe de mauvaises variables en tant que telles. Mais on peut prendre de mauvais angles d'analyse. La qualité de la comparaison est donc avant tout dans la construction de la démarche.

Pour aller plus loin :

BADIE, Bertrand et Guy HERMET, *Politique comparée*, Paris, Presses Universitaires de France, 2000.

DURKHEIM, Émile, *Les règles de la méthode sociologique,* 16e édition, Paris, Presses Universitaires de France, 1967 [1894].

GAZIBO, Mamoudou et Jane JENSON, *La politique comparée : fondements, enjeux et approches théoriques*, Montréal, Les Presses de l'Université de Montréal, 2004.

Faut-il étudier les femmes en science politique ?

Jane Jenson

La science politique doit-elle encore s'intéresser aux femmes ? En ce début de XXIe siècle, l'actualité politique peut laisser penser que ce champ d'études n'a plus lieu d'être. Jean Charest n'a-t-il pas nommé, en 2007, un Conseil des ministres respectant la parité – 50 % des ministères allant à des femmes ? Ségolène Royal n'a-t-elle pas, la même année, affronté Nicolas Sarkozy dans le duel pour l'élection présidentielle française, et Hillary Clinton n'a-t-elle pas eu à sa portée l'investiture du Parti démocrate pour les élections présidentielles américaines de 2008 ? Les temps ont sans aucun doute changé depuis les années qui virent la première nomination d'une femme au Conseil des ministres à Ottawa (1957) ou la première élection d'une femme à l'Assemblée nationale (1961). On peut donc légitimement se demander si les femmes et les rapports entre les sexes présentent encore un intérêt pour la science politique.

La réponse que nous apportons dans ce texte est claire : les inégalités et les enjeux qui furent à l'origine de l'intérêt des politologues pour la question des femmes n'ont pas été éliminés, pas plus qu'ils n'ont perdu leur importance analytique et politique. La reconnaissance égale des droits de la personne pour les hommes et les femmes : voici un principe universel depuis 1948, réaffirmé par 171 États à travers la Déclaration et le programme d'action de Vienne adoptés par la Conférence mondiale sur les droits de l'homme en 1993. Et pourtant, cette égalité de principe est loin d'être effective. Aussi l'étude scientifique des relations de genre n'est-elle pas un sujet simplement digne d'intérêt : elle est absolument essentielle. Si les politologues veulent pouvoir comprendre les fondations politiques des relations économiques et sociales, et dans la mesure où celles-ci sont modelées par les institutions et les actions politiques aux niveaux locaux, nationaux, et – de plus en plus – transnationaux, la question de genre ne peut pas être mise de côté.

L'analyse scientifique de la participation politique des femmes et la connaissance des moyens permettant de contrôler ou d'influencer le comportement des femmes par les politiques publiques ne datent pas d'hier. L'une des premières études importantes sur le comportement électoral des femmes a été publiée par le politologue français Maurice Duverger dès 1955. D'un autre côté, les décideurs publics ont, tout au long du XXe siècle, cherché à influencer le comportement des hommes et des femmes: les politiques sociales soutenant «l'homme pourvoyeur» et les législations régulant l'accès à la contraception et à l'avortement ont été mises au point pour influer sur les formes et les pratiques des familles, et pour encadrer le comportement reproductif des femmes.

Au Québec, la seconde moitié du XXe siècle a été marquée par la naissance, avec la Révolution tranquille, d'une puissante seconde vague féministe – vague qui déferlait alors dans plusieurs autres pays. À partir de ce mouvement, la Fédération des femmes du Québec (FFQ, créée en 1966) a pu exercer une pression sur le gouvernement du Canada, avec l'appui d'associations et de groupes anglophones, pour obtenir la création d'une Commission royale d'enquête sur la situation de la femme au Canada, mandatée pour évaluer et faire des recommandations à ce sujet. Créée en 1967, la Commission royale a rencontré, lors d'une tournée pancanadienne, des groupes du nouveau mouvement de libération de la femme aussi bien que des organisations traditionnelles de femmes. Les recherches entreprises par la Commission royale ont fourni certaines des premières données sur les conditions sociales, économiques et politiques des Canadiennes. Un rapport a été rendu en 1970, qui insistait notamment sur la création d'un noyau de recherche à l'intérieur de l'État, à la fois dans les provinces et au palier fédéral. Ainsi, plusieurs institutions importantes ont été créées au début des années 1970 sous la pression du mouvement des femmes, notamment, à l'échelon fédéral, le Conseil consultatif canadien sur la situation de la femme, et au Québec, le Conseil du statut de la femme (CSF).

La création de ces institutions de recherche au Canada n'a pas été un acte isolé. En 1975, première Année internationale de la femme, l'ONU a fait du 8 mars la Journée internationale des femmes, et a initié une série d'importantes conférences mondiales, reconduites tous les cinq ans. De ce fait, l'ONU est devenue un nouvel espace politique pour les femmes. Ces nouveaux espaces politiques nationaux et internationaux ont d'ailleurs permis d'institutionnaliser de nouveaux lieux d'analyse des rapports sociaux de genre.

Quel est le thème central de ces analyses ? Comment les rapports de genre ont-ils été conceptualisés dans ces institutions ? Ce court chapitre tâchera de répondre à ces questions en distinguant deux problématiques. La première est celle de la place des femmes en politique, et particulièrement dans le jeu électoral et dans la politique des partis ; la seconde touche aux conséquences des politiques publiques sur les femmes et de leurs effets structurants sur les rapports entre les sexes.

Les femmes en politique : élections et représentation

L'une des premières questions ayant attiré l'attention des politologues est la participation politique des femmes. Les premières études du comportement électoral ont révélé deux grandes différences : les femmes avaient tendance à être plus conservatrices que les hommes ; les femmes avaient tendance à moins voter que les hommes.

Cependant, ces deux différences ont rapidement évolué dans les pays occidentaux. Dès les années 1980, les politologues remarquent que les femmes votent autant, sinon plus, que les hommes. Ils expliquent ce retournement à la fois par la pénétration massive des femmes sur le marché du travail et par les revendications féministes pour une autonomie économique ainsi que pour un accès égal aux responsabilités politiques et aux services publics. Ils révèlent également que la préférence des femmes ne se porte plus sur les partis de droite : les femmes votent plus à gauche que les hommes. Ce déplacement a pu être attribué aux positions des partis sur des questions de politiques sociales, de droits reproductifs, de paix et sécurité, et de politiques macro-économiques.

Dans la mesure où les taux de la participation électorale des femmes ont égalé ou surpassé ceux des hommes, les politologues se sont ensuite intéressés au problème de l'accès des femmes aux mandats électifs. Sur ce point, les variations entre les pays sont importantes. Dans les pays nordiques, la présence des femmes à des fonctions électives ou ministérielles s'est rapidement accrue. Au Canada, aussi bien au fédéral qu'à l'échelle provinciale, on a pu constater des différences entre les partis politiques dans leur volonté d'ouvrir leurs groupes aux femmes afin d'atteindre la parité. Si, à l'Assemblée nationale du Québec, 31 % des députés sont des femmes, le pourcentage à la Chambre des communes d'Ottawa est inférieur de dix bons points. Selon l'Union interparlementaire, cela place le Canada à la 47e position d'une liste de 189 pays pour l'année 2007. Qui plus est, la tendance est à la baisse : en 1997, le Canada occupait la 23e place de cette même liste. La France et les États-Unis sont moins bien classés, se situant respectivement aux 55e et 65e rangs. En France, les deux chambres ont encore une composition très masculine – 81 % des députés et 83 % des sénateurs sont des hommes – et ce, malgré l'amendement constitutionnel de 1999 qui a accompagné les lois sur la parité qui promettaient une représentation à 50/50. Il ne fait guère de doute que la promesse de l'égalité n'a pas encore été tenue.

Le Rapport mondial sur le développement humain de 1995 intitulé *La révolution de l'égalité entre les sexes* a de plus révélé que, dans 55 pays, aucune femme ne siégeait au parlement ou que la présence des femmes était inférieure à 5 % de l'ensemble des membres. Certains de ces pays sont pauvres, comme le Bhoutan ou l'Éthiopie, mais d'autres connaissent un développement économique rapide, comme la Grèce ou la République de Corée. Ces deux derniers pays ont amélioré leur situation en 2007, mais avec respectivement 16 % et 13 % de femmes dans leurs chambres basses, la Grèce était encore derrière le Turkménistan et la Corée à la traîne du Malawi, toujours selon le classement fourni par l'Union interparlementaire.

Ces variations, stagnations ou retours en arrière, qui interviennent en dépit des nombreux discours prononcés et promesses annoncées durant les 40 dernières années, montrent que la question des femmes en politique reste cruciale, et qu'elle est de celles qui demandent à être mieux étudiées et comparées. Le rôle de « cerbères » des partis politiques, qui restreignent l'accès à la candidature des femmes, la présumée disponibilité des femmes pour concourir à des postes électifs au regard de leurs responsabilités traditionnelles et les effets structurants des régimes électoraux (comme la représentation proportionnelle) sont autant de facteurs qui doivent encore être disséqués et débattus par les politologues afin de comprendre pourquoi certaines institutions sont, mieux que d'autres, parvenues à une meilleure ouverture à « l'autre moitié du monde ».

Femmes et politiques : les politiques publiques et les rapports de genre

Les politologues, contrairement aux acteurs politiques, ont mis du temps pour comprendre que les relations de genre pouvaient être influencées par les politiques publiques. Toutefois, l'émergence au milieu des années 1980 du néo-institutionnalisme, de la *new Canadian political economy*, et de nouvelles approches en administration publique a conduit les chercheurs à prendre en compte cet aspect des politiques publiques.

Aussi existe-t-il aujourd'hui un grand nombre d'études portant sur la manière dont les institutions de gouvernance façonnent, à travers leurs interventions, les rapports entre les sexes. Une description de ce type d'analyses, fournie par l'Union européenne, peut être utile aux scientifiques comme aux décideurs publics : « "Intégrer la dimension de genre", c'est tenir compte de cette dimension dans toutes les étapes des processus politiques – élaboration, application, suivi et évaluation… Il s'agit en conséquence d'évaluer la manière dont les politiques influent sur la vie et le statut des femmes et des hommes. »

Le rôle joué par les femmes dans la construction des politiques publiques, à la fois à l'extérieur et à l'intérieur de l'État et des organisations internationales, a été au cœur de plusieurs travaux. Les *insiders*, également appelées fémocrates, sont des fonctionnaires féministes qui se comportent souvent comme des alliées des mouvements de femmes. Les *outsiders* sont les militantes qui composent les associations de femmes et leurs alliés, comme les syndicats et les mouvements sociaux : leurs stratégies ont aussi fait l'objet de travaux de recherche. Dans les deux cas, les politologues ont été attentifs à des sujets variés : l'activité économique des femmes et leurs revenus, les services à la petite enfance, le droit à l'avortement et la démocratisation des structures régionales, nationales et supranationales.

On trouve par ailleurs dans ce courant d'analyse une position plus subtile que celles théorisées par les études traitant des femmes *en* politique, qui mettent de l'avant le seul objectif d'une présence égale des femmes et des hommes. En effet, certains travaux qui adoptent le point de vue « femmes *et* politiques » rappellent que, au début, de nombreuses féministes radicales ne faisaient pas confiance à l'État ou aux organisations internationales comme les Nations Unies ou la Banque mondiale, qu'elles décrivaient comme patriarcales ou « mâles ». Elles craignaient que ces institutions ne cherchent à récupérer les efforts des femmes pour mieux les contrôler. Elles redoutaient que certains projets féministes (appartenant, par exemple, aux domaines des soins de santé ou de la violence conjugale), projets qui avaient mûri de façon autonome, ne soient absorbés par l'État ou par les organisations internationales et vidés de leur substance dès lors qu'ils seraient financés par des fonds publics.

Une autre position sur le lien entre les rapports entre le genre et l'État a toutefois été mise au point depuis. Elle est bien synthétisée ici par Dominique Masson dans la revue *Recherches féministes* en 1999 :

> La question, on l'aura compris, n'est plus d'être « pour ou contre l'État », mais de déterminer sur quels terrains plus particuliers les femmes veulent s'engager collectivement, à propos de quelles questions et avec quels objectifs [...] S'il y a des inégalités dans ces rapports de forces, si elles doivent compter avec les discours hégémoniques et le poids des représentations et pratiques déjà institutionnalisées, si, en bref, « tout n'est pas possible », les limites à l'action politique des femmes, bien qu'elles soient souvent imposantes, ne sont pas données ni fixées une fois pour toutes. Elles sont le produit de l'histoire et du politique, et donc ouvertes à la contestation.

Les développements historiques récents, dominés par le néolibéralisme, ont des conséquences paradoxales sur les relations entre les politiques publiques et les rapports de genre. D'une part, l'idéologie néolibérale prescrit une limitation du rôle de l'État et une réduction des dépenses publiques et affiche une préférence pour la « responsabilisation » du privé, y compris des associations à but non lucratif. Sous l'influence de cette idéologie, plusieurs États et de nombreuses organisations internationales proposent le transfert des responsabilités et des services vers le tiers secteur, l'économie sociale et le secteur communautaire en général. Cette stratégie entraîne un certain soutien aux associations qui offrent de l'aide aux femmes, par exemple dans leur recherche d'emploi ou pour le microcrédit. D'autre part, ces transferts de responsabilité interviennent précisément au moment où les dépenses publiques sont drastiquement réduites. Le paradoxe est dès lors que les nouveaux espaces d'action pour les associations de femmes s'ouvrent alors qu'elles ont moins de financement pour agir.

De même, parce qu'elle implique des changements économiques, politiques, culturels et idéologiques, la mondialisation a des effets contradictoires sur les droits des femmes et sur les relations de genre. D'un côté, la mondialisation des communications et la montée en puissance des mouvements sociaux transnationaux ont permis aux femmes de travailler en solidarité aux niveaux nationaux, régionaux et internationaux. La Marche mondiale des femmes, initiée par la Fédération des femmes du Québec en 2000, est un exemple patent du potentiel de ces actions transnationales de solidarité sociale.

Mais de l'autre côté, les femmes paient aussi le prix de la mondialisation. Les associations internationales de femmes sont nombreuses à souligner que les accords de libre-échange régionaux et bilatéraux contreviennent souvent à la lettre des conventions internationales sur les droits de la personne, les droits du travail et les droits des femmes. Dans de nombreux cas, les droits sociaux, représentés par les services publics et l'éducation, par exemple, sont réduits. Le retrait de l'État social, sous l'influence néolibérale, a caractérisé non seulement les pays d'Europe et d'Amérique du Nord mais également les États du Sud sous l'influence du consensus de Washington, et a signifié une stagnation, sinon un recul, des acquis sociaux et économiques des femmes et des filles. De plus, les fondamentalismes religieux et les conflits militaires qui traversent la planète valorisent souvent des rapports extrêmement inégalitaires, et encouragent souvent explicitement la domination des femmes par les hommes.

Enfin, il y a eu une conséquence inattendue de la modernisation, liée à la mondialisation, des modèles sociaux : la transformation des régimes de citoyenneté s'est opérée en mettant davantage l'accent sur les enfants et sur les « futurs citoyens ». Ce tournant oriente l'action des gouvernements nationaux, des institutions supranationales comme l'Union européenne, et des organisations internationales comme la Banque mondiale ou les Nations Unies. Or l'un des effets de ce tournant est que les inégalités persistantes entre les femmes et les hommes face au chômage ou à l'accès aux services publics sont de moins en moins visibles. De tels changements ont donc des répercussions prévisibles sur la possibilité que les femmes accèdent un jour à une citoyenneté à part entière.

C'est dire l'importance, sur le plan scientifique, de continuer à analyser la façon dont les changements dans les conditions sociales et économiques, ainsi que dans les politiques publiques, structurent les rapports de genre. Il est d'autant plus important de poursuivre cet effort que, si les analyses portant sur les femmes et les politiques publiques pouvaient, il y a une trentaine d'années, se concentrer sur les institutions nationales, ce n'est plus le cas aujourd'hui. En effet, les accords économiques régionaux, qu'ils aient été signés dans les Amériques ou ailleurs, et les initiatives des organisations internationales ont une portée considérable sur la capacité des femmes à obtenir une citoyenneté pleine et entière et sur la promotion de l'égalité dans les rapports de genre.

Il nous semble enfin que ce devoir scientifique se double d'un impératif citoyen. L'égalité des hommes et des femmes est un des droits fondamentaux sanctionnés par la Déclaration universelle des droits de l'homme de 1948, dont l'article 7 stipule que « tous sont égaux devant la loi et ont droit sans distinction à une égale protection de la loi. Tous ont droit à une protection égale contre toute discrimination [...]. » Ce droit à l'égalité et la promotion d'une citoyenneté pleine et entière sont également présents dans la Charte québécoise des droits et liberté de la personne, ainsi que dans la Charte canadienne des droits et libertés. On a vu les dangers que font peser sur ces textes les accords commerciaux régionaux ou encore les nouveaux paradigmes de politiques publiques à l'œuvre dans les institutions nationales et supranationales. Si la critique citoyenne doit rester vigilante face aux inégalités, et il ne fait aucun doute qu'elle le doive, le rôle des scientifiques est d'éclairer cette critique par l'analyse des causes et des conséquences des inégalités entre les sexes.

Pour aller plus loin :

DUFOUR, Pascale et Isabelle GIRAUD, « Globalization and political change in the women's movement. The politics of scale and political empowerment in the World March of Women », *Social Science Quarterly*, vol. 88, n° 5, 2007, p. 1152-1173.

JENSON, Jane et Mariette SINEAU, *Mitterrand et les Françaises. Un rendez-vous manqué*, Paris, Presses de Sciences Po, 1995.

LÉPINARD, Éléonore, *L'égalité introuvable. La parité, les féministes et la République*, Paris, Presses de Sciences Po, 2007.

Une discipline peut-elle être indisciplinée ?

Laurence McFalls

« [Il] y a des sciences auxquelles il a été donné de rester éternellement jeunes », fait remarquer Max Weber dans un célèbre essai de 1904, *L'objectivité de la connaissance dans les sciences et la politique sociales.* Qu'en est-il de la science politique ? Après la prostitution, elle est sans doute l'un des plus vieux métiers du monde. Des connaissances pratiques de la maîtrise des conflits à l'intérieur des communautés humaines et entre elles se sont accumulées depuis l'aube des temps. Il y a 2500 ans, en Grèce antique, des savoirs théoriques, appuyés sur des observations empiriques systématiques, se sont articulés pour faire de la connaissance rationnelle de la vie politique l'une des sciences les plus anciennes. Longtemps soumise à des visions du monde métaphysiques et religieuses, la science politique est devenue autonome et autoréflexive il y a déjà 500 ans, grâce à l'audace de Nicolas Machiavel, qui a osé penser et évaluer l'action politique en ses propres termes. Et pourtant, malgré ce droit d'aînesse, la science politique est peut-être la moins mûre de toutes les sciences sociales et humaines ; elle semble vouée à demeurer une discipline indisciplinée. Du moins, devrait-on l'espérer.

Selon la vision désormais classique du positivisme, chaque discipline scientifique se définit par rapport à l'objet de connaissance qui lui est spécifique. Cette vision atomiste repose sur la supposition métaphysique – contestable d'un point de vue holiste – que la complexité infinie de la réalité peut être analytiquement décomposée en autant d'éléments particuliers entretenant entre eux des relations de cause à effet, et soumis à des logiques, voire à des lois de fonctionnement. Ainsi, par exemple, l'astrophysique s'occupe du mouvement des corps célestes alors que l'astrologie (laissons de côté la question de sa validité scientifique pour l'instant) s'intéresse aux effets du positionnement de ces mêmes corps célestes sur la vie des hommes. À cause de la spécificité de son objet, chaque science doit développer des instruments (par exemple le télescope), des outils (par exemple le sondage d'opinion) et des méthodes (par exemple, l'expérimentation ou la comparaison) adaptés à son objet. Toute science doit néanmoins respecter certains principes tels que la non-contradiction logique et la conformité de ses postulats et prédictions avec la réalité (le respect de ce dernier principe n'est pas si évident, mais il semblerait que c'est ce qui disqualifierait l'astrologie...). Selon cette vision de la science, qui correspond à celle du sens commun, du moins dans notre culture moderne, la première étape de la création et de la consolidation d'une science serait donc l'identification claire, pour ne pas dire « objective », de son objet.

Devant la grande confusion qui règne quant à ce que pourrait bien vouloir dire « politique », on pourrait rapidement, et un peu trop facilement, conclure que la science politique est vouée à l'immaturité. Moi-même, je me suis rendu compte de cette imprécision quand, après plus de vingt ans d'études et d'enseignement de la science politique, j'ai eu à donner un cours d'introduction à cette matière. Pour la première fois, je me sentais obligé de dire sur quoi *exactement* portait la science que j'étais censé pratiquer, et j'ai dû constater que je n'en avais pas une idée très précise. Les manuels et ouvrages de référence n'étaient pas d'un grand secours : on y avait recours à la tautologie (« la science politique s'intéresse à l'ensemble des relations politiques entre les humains »), au flou artistique de l'abstraction (« l'allocation autoritaire des valeurs collectives ») ou à la fuite en avant (« la politique repose sur le pouvoir, qui à son tour repose sur les capacités et la volonté, qui à leur tour... »).

Je me suis donc mis à la rédaction de mon propre manuel, dans lequel je me suis amusé à distinguer l'action politique des autres formes de relations sociales. Sans reprendre la démarche ici, je me contenterai de répéter ma conclusion voulant que « le politique » soit un type d'action sociale qui ne vise pas un autre agent social (comme lors d'un échange économique ou une manipulation idéologique), mais plutôt son action propre, en cherchant à l'infléchir vers une relation sociale déterminée. C'est du « faire faire » plutôt que du « faire », ou encore « de l'action sur l'action», «la conduite des conduites», comme disait le philosophe Michel Foucault pour définir le pouvoir politique. Il s'agit d'un type d'interaction indirecte et stratégique qui prend fin quand les acteurs impliqués se retrouvent dans une relation directe et stable. Quoique quelque peu abstraite, cette définition élémentaire de l'action politique m'a ensuite permis de construire une typologie des relations politiques allant des formes les plus simples jusqu'à la structure hautement complexe qu'est l'État bureaucratique moderne. Je ne cherche pas ici à défendre la validité scientifique de ma démarche, mais plutôt à souligner que la complexité et la confusion des phénomènes politiques ne les rendent pas nécessairement étrangers à une décomposition analytique. Ainsi pourrait-on par exemple expliquer comment des manifestations pacifiques à l'automne de 1989 ont finalement fait tomber le mur de Berlin en reconstruisant les milliers de petits gestes individuels et collectifs qui ont convergé pour délégitimer le régime en place et empêcher le recours à la répression armée.

Il n'y aurait donc pas de raison pour laquelle la science politique ne devrait pas en fin de compte devenir une discipline sérieuse comme, disons, la physique nucléaire. Les physiciens se disputent encore, certes, sur la nature fondamentale de la matière, mais cela n'a pas empêché l'accumulation des connaissances suffisantes pour construire des bombes atomiques. Or, la science politique semble être encore loin de produire son Hiroshima, même si certains verront en Marx l'inventeur de la terreur stalinienne. De fait, l'exemple de Marx soulève un problème particulier des sciences humaines et sociales: elles participent à la réalité qu'elles sont censées éclairer ou expliquer. La physique a bien sûr permis l'invention de la bombe nucléaire, mais celle-ci explosera sans égard pour ce que les physiciens auront compris ou pas de la fission ou de la fusion nucléaire. Par contre, à partir du moment où un scientifique ou quiconque prétend énoncer une «vérité» à propos du monde social, celui-ci en prendra compte de manière réflexive et en sera changé à un degré qui variera, notamment en fonction de l'autorité et du prestige social de l'énonciateur (à preuve: l'effet social de ce texte sera infinitésimal alors qu'un mot d'Oprah Winfrey peut provoquer un tsunami social).

On peut cependant débattre de l'importance des effets de la connaissance sociale et culturelle sur la réalité sociale et culturelle. C'est d'ailleurs ce qui distingue en sciences sociales les structuralistes des constructivistes.

Les premiers pensent que des forces profondes et réelles incitent l'action sociale indépendamment de la conscience que les acteurs peuvent en avoir, alors que les seconds imaginent que la réalité sociale découle des représentations (scientifiques, symboliques, mythologiques, peu importe) que les acteurs impliqués s'en font. La présence même de ce débat déjà ancien au sein de la science politique pourrait à elle seule expliquer le manque de discipline de la discipline : on n'est même pas d'accord sur la nature de la réalité, ni sur le rôle de la connaissance.

Toutefois, ces dissensions ontologiques et épistémologiques endémiques aux sciences sociales n'empêchent pas forcément qu'une discipline « se discipline », dans les deux sens du terme : en se soumettant à des contrôles incitatifs et punitifs, un mode de connaissance se donne des critères de validité à la fois sociaux et épistémologiques. C'est justement parce que certains discours scientifiques ont une efficacité sociale qu'ils peuvent prétendre au statut de discipline établie et valable. Prenons, par exemple, l'économie, une discipline voisine, que bon nombre de politologues jalousent. Que les lois du marché soient une force structurante inhérente à l'ordre naturel du monde ou le produit des attentes construites à travers une théorie historiquement contingente, l'ensemble de la vie des sociétés modernes s'organise autour du (supposé) fonctionnement du marché (et par conséquent les économistes touchent de plus gros salaires que les politologues quelle que soit leur productivité scientifique…). La science économique serait donc ce que Foucault appelle un savoir-pouvoir, une connaissance qui décrit et permet à la fois l'action sociale. En effet, toute l'œuvre de Foucault révèle en quoi la société moderne est disciplinaire, dans les deux sens du mot. La disciplinarisation des sciences, notamment sociales, c'est-à-dire la prolifération de discours scientifiques propres à une multiplicité d'objets sociaux particuliers, a été consubstantielle d'une ouverture de nombreux champs d'action sociale soumis à une réglementation et une normalisation accrues. Plus vulgairement, on peut dire que le sujet moderne peut, pour le bien et pour le mal, se considérer et se comporter comme un agent économique, juridique, politique, sexuel, esthétique, religieux, scientifique, etc., parce qu'une pléthore de discours disciplinaires et « disciplinants » l'étudie, l'habilite et le contraint à ce faire.

Pour être une discipline ou un savoir-pouvoir dans le sens foucaldien, il faudrait donc que la science politique ait un effet disciplinaire, c'est-à-dire qu'elle habilite les mêmes pratiques qu'elle éclaire. Depuis Machiavel, la science politique a nourri cette ambition de produire un discours véridique sur l'action politique et, par le fait même, d'établir les conditions de possibilité de l'action politique effective. En dégageant la logique propre à l'action politique, en la soumettant à sa propre finalité, Machiavel a déclenché un discours qui a, entre autres, abouti à la doctrine de la « raison d'État » et aux dispositifs institutionnels de l'État bureaucratique moderne. De ce point de vue, la science politique est un savoir-pouvoir disciplinaire depuis quelques siècles ; les politologues sont simultanément savants du politique et acteurs politiques. La science politique a sans doute contribué à l'articulation du discours politique de la modernité et, par conséquent, à la construction de la réalité politique que nous vivons aujourd'hui.

Par ailleurs, plusieurs politologues revendiquent l'autorité de faire traduire leur discours savant en élément constitutif des pratiques politiques quand, par exemple, ils prescrivent des formules de démocratisation, généralement à des pays qui ne sont pas le leur. Dans le contexte d'une orientation de la recherche vers l'applicabilité et la légitimité pratiques, d'autres veulent contraindre la discipline à se concentrer sur des programmes de recherche circonscrits à des champs d'application pratiques et socialement utiles (pour ne pas dire à la mode), comme aujourd'hui celui de la « bonne gouvernance ». Ce genre de tentative de discipliner la discipline en le subordonnant à un intérêt politique particulier a sans doute toujours été présent. De fait, il s'agit du vieux rêve autoritaire d'évacuer le politique de la politique, de remplacer les vicissitudes de la démocratie avec les certitudes de la technocratie.

La version la plus récente et la plus insidieuse de ce rêve est justement le discours de la « gouvernance » qui, au nom de la « transparence », de l'« imputabilité et de la « citoyenneté », cherche à faire assimiler et appliquer, par ceux-là mêmes qui en subissent les effets, les « meilleures pratiques » déterminées par… l'expertise scientifique. Ainsi, un institut universitaire spécialisé en « gouvernance » a récemment préconisé un renforcement des pouvoirs des conseils d'administration des établissements de santé, aux dépens du contrôle tutélaire du ministère de la Santé, afin de rendre les conseils plus responsables et plus proches du milieu concerné et de ses problèmes particuliers, mais à condition que la majorité des membres des conseils soient « des experts qualifiés ».

Cette volonté récurrente de la science politique de se réduire à une technique administrative, de se mettre au service des puissants, bref, de se transformer en discipline dans le sens le plus péjoratif du terme n'a heureusement toujours pas tout à fait réussi à s'imposer, et cela pour deux raisons, l'une générale aux sciences, l'autre spécifique à la science politique. Comme tout autre champ disciplinaire, la science politique est un lieu de combat à cause non seulement des ambitions et des vanités de ses praticiens, mais aussi du doute et de la critique inhérents à la pratique scientifique même au sein des disciplines où une orthodoxie normative étouffe presque toute contestation (par exemple les sciences de la gestion, vouées entièrement à la recherche de rentabilité des entreprises privées). On pourrait être tenté de croire que la science politique serait plus indisciplinée que les autres sciences (sociales) puisque ses praticiens apportent leurs préférences explicitement politico-idéologiques aux luttes intestines de leur champ. Cependant, bon nombre d'étudiants sont déçus de découvrir que les départements universitaires de science politique sont des lieux étrangement dépourvus de débats politiques (au sens courant) ouverts. La véritable source de l'indiscipline inhérente à la science politique ne réside pas, à mon avis, dans la subjectivité politique des politologues, mais dans son objet.

Il faut donc se pencher à nouveau sur le caractère propre du politique. Je reviens donc à ma définition du politique comme un type d'action sociale qui, dans sa forme la plus simple et abstraite, n'est pas constituante d'une relation sociale (échange, domination, communication, manipulation), mais vise plutôt à infléchir l'action d'au moins un autre acteur social dans le but de le faire entrer dans une relation sociale stable. De fait, le politique correspond plutôt à une relation bilatérale ou multilatérale, indirecte, stratégique, et instable, ou à un « moment », dans les sens temporel et qualitatif, soit un laps de temps d'indétermination sociale qui rend possible le changement social d'une manière qui n'est jamais parfaitement prévisible. Il s'agit d'un moment de liberté, pas forcément au sens d'une réalisation transcendante de l'esprit humain, mais dans le sens banal et contingent de l'absence de prédétermination. Aussi longtemps qu'il y aura des malentendus et des conflits d'intérêts, de valeurs et de sens entre les êtres humains, le surgissement d'un moment politique demeurera une potentialité au sein des relations sociales. À moins qu'un jour des politologues bien disciplinés ne réussissent, à l'instar des dystopies d'Orwell ou de Huxley, à faire de la science politique un savoir-pouvoir indépassable, elle restera une discipline indisciplinée, éternellement jeune et résistante à la maturation. Et il est bon qu'il en soit ainsi.

Pour aller plus loin :

FOUCAULT, Michel, « Deux essais sur le sujet et le pouvoir », dans H. DREYFUS et P. RABINOW, *Michel Foucault. Un parcours philosophique*, Paris, Gallimard, 1984, p. 297-321.

MCFALLS, Laurent, *Construire le politique. Contingence, causalité et connaissance dans la science politique contemporaine*, Québec, Presses de l'Université Laval, 2006.

WEBER, Max, *Essais sur la théorie de la science*, Paris, Plon, 1965.

2

Comment sommes-nous représentés ?

Mon vote peut-il faire la différence ?

André Blais

Se peut-il que mon vote « fasse la différence », c'est-à-dire qu'il décide qui sera élu ? Nous savons tous intuitivement que c'est très douteux. En fait mon vote ne peut faire la différence que si le candidat que j'appuie est élu alors qu'il aurait perdu si je n'avais pas voté. À partir d'un examen systématique de toutes les élections fédérales tenues au Canada depuis 1945, j'ai estimé la probabilité moyenne à une chance sur 25 000. Il est donc extrêmement improbable que, dans une élection provinciale ou fédérale, mon choix décide de l'élu de ma circonscription. En toute logique, je dois conclure que, vraisemblablement, mon vote ne fera pas la différence.

Ce chapitre voudrait répondre à trois questions : Les électeurs sont-ils conscients que leur vote ne fera pas la différence ? Cela les incite-t-il à ne pas voter ? Est-il rationnel de voter quand on sait que son vote ne changera rien ?

Les électeurs comprennent-ils que leur vote ne fera pas la différence ?

La question est simple, mais la réponse l'est moins. En fait, il faudrait savoir si les gens se posent (ou se sont déjà posé) la question. On peut supposer que beaucoup n'y ont pas vraiment réfléchi. Quand on demande

Ce chapitre s'inspire d'une recherche du même auteur dont les principaux résultats sont présentés dans *To Vote or Not to Vote ? The Merits and Limits of Rational Choice Theory* (référence en fin de texte).

aux gens s'ils ont déjà pensé à la possibilité que l'élection dans leur circonscription se décide par un seul vote et que leur vote détermine qui est élu, environ le tiers répond « oui ». Les réponses sont difficiles à interpréter ; certains ont pu penser à la question mais conclure que ce n'était pas possible, pour d'autres, l'idée a pu leur effleurer l'esprit une fraction de seconde, et ainsi de suite.

J'avancerai deux choses à ce sujet. D'abord, je serais prêt à parier qu'une infime fraction de la population a consacré plus de deux minutes de réflexion à cette épineuse question... Il reste à déterminer si ces personnes changeraient de comportement s'ils prenaient (comme moi !) le temps d'y penser. J'y reviendrai tantôt. La deuxième affirmation que je ferais est que la très grande majorité des gens « savent » que les chances que leur vote fasse la différence sont très faibles. Ils savent qu'il y a beaucoup d'électeurs dans leur circonscription et qu'il est très rare qu'une élection se décide par un seul vote. Quand j'explique aux étudiants que la probabilité que leur vote soit décisif est infinitésimale, personne ne le conteste. Au fond, ils le savent bien. Mais il y a « savoir » et « savoir ». Comme on l'a dit, les gens y pensent peu, et la connaissance dont il est question ici est superficielle.

Il faut d'ailleurs souligner que certains électeurs semblent parfois « oublier » que leur vote ne peut faire la différence. Le cas le plus patent est ce qu'on appelle le vote stratégique. L'exemple typique d'un vote stratégique est le suivant. Mon candidat préféré est C, mais il n'a que très peu d'appuis et il n'a donc aucune chance de gagner dans ma circonscription. Il y a par contre une lutte serrée entre les candidats A et B, le candidat B étant celui que j'aime nettement le moins et dont je souhaite fortement la défaite. Alors je vote « stratégiquement » pour le candidat A, mon second choix, pour ne pas gaspiller mon vote pour un candidat qui n'a aucune chance. Plusieurs études ont démontré qu'un tel vote stratégique existe, même s'il est moins fréquent qu'on le suppose parfois.

Ce qu'il faut comprendre c'est que lorsque je vote de façon stratégique, je suppose que mon vote pourrait faire la différence, c'est pour cette raison que je ne le gaspille pas en appuyant un candidat qui n'a aucune chance de gagner. Donc le fait qu'un certain nombre d'électeurs votent de façon stratégique démontre qu'il y a des gens qui pensent que leur vote peut être décisif. Les gens « savent » qu'il y a peu de chances que leur vote fasse la différence, mais ils aimeraient croire le contraire, ils y pensent le moins possible, et parfois ils agissent comme s'ils croyaient le contraire.

Est-on moins susceptible de voter quand on « sait » que son vote ne fera pas la différence ?

Ma réponse est que cela ne joue que peu. La principale raison pour laquelle certaines personnes ne votent pas est tout simplement qu'elles se désintéressent de la politique, qu'elles ne suivent pratiquement pas les affaires publiques et qu'elles n'ont donc pas vraiment de préférence entre les candidats ou partis. Ne sachant pas pour qui voter, elles ne votent pas.

Dans mes recherches, j'ai examiné si ceux qui n'ont jamais pensé à la possibilité que leur vote pourrait faire la différence, ou qui estiment que les chances que leur vote soit décisif sont très faibles, sont plus portés que les autres à s'abstenir, toutes choses étant égales par ailleurs. Je n'ai trouvé aucune corrélation significative, ce qui suggère que la lucidité n'est pas responsable de l'abstention ou du déclin récent du taux de participation aux élections. Notons d'ailleurs que les individus les plus scolarisés (et possiblement plus lucides) sont beaucoup plus susceptibles de voter que ceux qui le sont le moins.

Je crois toutefois que le sentiment que notre vote ne changera rien joue un peu. À la marge, quelqu'un qui se demande s'il doit aller voter même si cela ne le tente guère sera moins porté à y aller s'il pense au fait que son vote ne fera pas la différence.

Une expérience menée avec mon collègue Robert Young il y a quelques années permet d'illustrer ce point. Au cours de l'élection fédérale de 1993, nous avons fait une étude dans 10 classes de nos universités respectives (Montréal et Western Ontario). Dans 5 de ces classes, nous avons fait une présentation de 10 minutes sur le paradoxe du vote. Selon la théorie des choix rationnels, il apparaît non rationnel de voter, puisque les bénéfices sont trop petits, étant donné la très faible probabilité que son vote soit décisif. Nous avons vérifié si la propension à voter avait été plus faible dans les classes sensibilisées au fait que le vote d'un individu est très peu susceptible de faire la différence. Nous avons trouvé qu'effectivement la participation au vote avait été légèrement plus faible dans ces classes.

Je conclus donc que le sentiment que notre vote ne fera pas la différence joue quelque peu, mais que ce n'est pas une des raisons principales de l'abstention.

Mais alors, pourquoi la plupart des gens continuent-ils de voter (même si la participation électorale a diminué, elle demeure autour de 70 % dans la plupart des pays) s'ils sentent bien (même si c'est vague) que leur vote ne changera rien et s'ils se montrent (généralement) cyniques à l'égard de la classe politique ?

Trois raisons principales peuvent être avancées. La première est qu'il est très facile de voter. Cela ne prend que quelques minutes et si vous n'êtes pas libre le jour de l'élection, vous avez la possibilité de voter par anticipation.

Il ne fait pas de doute que la facilité aide. Mais cela ne donne pas de raison positive pour voter. Et on constate que les mesures qui ont pour objectif de faciliter le vote ont des effets limités, pour une raison fort simple : la facilité enlève une excuse pour ne pas voter, mais il faut au départ avoir une raison pour voter.

La deuxième raison est que dans une campagne électorale, la plupart des gens, pour autant qu'ils suivent minimalement cette campagne, viennent à penser qu'un des partis, ou des chefs de partis, ou des candidats locaux dans la circonscription, est « meilleur » que les autres. Ils ont leur « équipe » favorite, comme dans les sports, ou leur « candidat préféré », comme dans les émissions de télé-réalité. Et quoi de plus normal que d'exprimer ses préférences quand il est si facile de le faire ?

Selon une troisième perspective, que je privilégie personnellement, il existe une autre raison encore plus fondamentale pour laquelle une fraction des citoyens décident de voter pratiquement à chaque élection, même si souvent la politique ne les intéresse guère et s'ils se méfient de tous les politiciens, y compris de ceux pour qui ils votent. Cette raison, c'est qu'ils conçoivent le vote non seulement comme un droit mais également comme un devoir moral.

Pour certaines personnes, ne pas voter équivaut à manquer à son devoir de citoyen, comme on y manque quand on ne s'arrête pas à un feu rouge ou lorsque l'on jette un papier dans la rue. Pour ces personnes, le « bon citoyen » vote ; elles auraient l'impression de mal agir en ne le faisant pas.

Il est difficile de déterminer combien de personnes appartiennent à cette catégorie, d'autant plus que le sentiment du sens du devoir peut être plus ou moins fort. J'estime personnellement que c'est une fraction importante de ceux qui votent aux élections, mais les données actuelles ne permettent pas de jauger avec précision le poids réel de ce facteur.

Il resterait à déterminer d'où vient ce sentiment que voter est non seulement un droit, mais aussi une obligation morale. On sait très peu de choses à ce sujet. On peut supposer qu'à l'école, à l'église, dans les médias, et peut-être aussi dans les chaumières, les « autorités » véhiculent le message que le bon citoyen exerce son droit de vote. C'est là une occasion (peu coûteuse) pour plusieurs d'entre nous d'affirmer notre appartenance à la collectivité et notre foi en la démocratie. On peut par ailleurs supposer que dans une période où les gens sont moins portés à la déférence, la notion du devoir citoyen a moins de prise. Ce serait une raison qui expliquerait la tendance au déclin des taux de participation électorale, particulièrement chez les plus jeunes.

J'en viens donc à la conclusion double que la prise de conscience lucide que notre vote ne fera pas la différence n'incite que très faiblement à l'abstention, et que le principal facteur qui incite à la participation est le sentiment plus ou moins diffus et réfléchi que le bon citoyen se doit d'aller voter.

Est-il rationnel de voter ?

De là, il n'y a qu'un petit pas à faire pour déduire que la décision de voter ou de ne pas voter ne relève pas d'un calcul rationnel des bénéfices et des coûts. Ce paradoxe a été soulevé par Downs il y a plus de cinquante ans, et comme je l'ai montré dans l'ouvrage qui est à l'origine de ce chapitre, les nombreuses solutions proposées pour résoudre l'énigme (et certaines sont fort imaginatives) s'avèrent toutes insatisfaisantes.

En somme, on vote ou l'on s'abstient pour des raisons qui ont peu à faire avec la rationalité, tout au moins telle qu'entendue dans un sens strict. Beaucoup d'entre nous votons tout de même, tout en sachant (avec plus ou moins de lucidité) que notre vote ne changera pas le résultat de l'élection. Mais dans le fond, peut-être n'est-il pas si irrationnel de voter si l'on considère que la politique est une activité fascinante à observer, et si l'on a une « équipe préférée » que l'on aimerait voir gagner, puisque le coût de cette participation est minime. Pour autant que l'on ne s'illusionne pas sur la probabilité qu'un vote fasse la différence…

Pour aller plus loin :

BLAIS, André, *To Vote or Not to Vote? The Merits and Limits of Rational Choice Theory*, Pittsburgh, University of Pittsburgh Press, 2000.

DOWNS, Anthony, *An Economic Theory of Democracy*, New York, Harper and Row, 1957.

Le pouvoir vient-il de la rue ?

Pascale Dufour

Depuis le milieu des années 1980, l'action collective de masse, en particulier l'action manifestante, a retrouvé ses lettres de noblesse dans les démocraties du Nord. Cette forme d'action politique dite « non conventionnelle » est en effet de plus en plus utilisée par les groupes sociaux, au point que plusieurs auteurs qualifient nos sociétés de « sociétés de mouvement ». Ainsi, le recours à la manifestation a augmenté de façon substantielle depuis le milieu des années 1980, et certains de ces événements sont devenus des marqueurs de l'histoire contemporaine. À titre d'exemple, le 15 février 2003 a eu lieu la plus importante manifestation mondiale pour protester contre le déclenchement de la guerre en Irak. Plusieurs millions de personnes ont manifesté dans plus de 600 villes. À Montréal, quelque 150 000 personnes ont défilé dans les rues du centre-ville, faisant de ce rassemblement le plus important dans l'histoire du Québec.

Selon une vision classique de la participation politique, cette hausse de la manifestation comme forme d'expression politique pose problème, parce qu'elle court-circuite l'exercice « légitime » du pouvoir par les gouvernements, dûment élus par le peuple. Elle présenterait aussi un risque élevé d'immobilisme politique, puisqu'il serait moins coûteux pour un gouvernement de ne rien faire, plutôt que de risquer d'affronter l'ire des manifestants, ou de reculer sur certaines décisions politiques.

Dans un contexte de baisse de participation aux élections, il est tentant d'interpréter ces transformations comme le passage du pouvoir des urnes au pouvoir de la rue. Les « électeurs-citoyens » seraient ainsi en train de perdre du pouvoir au profit des « citoyens-manifestants ». Il faudrait également s'inquiéter de cette situation, qui révélerait une crise de la représentation politique et du bon fonctionnement de nos démocraties.

À y regarder de plus près, il ne s'agit pas tant d'une question de transfert de pouvoir des électeurs vers les manifestants, mais bien plus d'une diversification des modes d'exercice de la citoyenneté et d'une transformation de l'usage de la manifestation comme forme d'action protestataire. Pour bien comprendre le pouvoir de la rue dans la vie politique contemporaine, il est nécessaire de revenir sur certaines idées reçues. Avant tout, voyons comment fonctionne l'argument selon lequel la contestation de la rue empêche l'exercice légitime du pouvoir.

Une vision idéalisée de la démocratie

Dans une vision idéale de la démocratie représentative, les citoyens sont des électeurs qui choisissent au moment des élections générales, organisées à intervalles réguliers, des représentants qui siègent à l'Assemblée nationale ou à la Chambre des communes. Le pouvoir des urnes consiste alors à choisir, dans une offre politique fluctuante, à quel député et à quel parti politique nous déléguons notre pouvoir. Puisque les citoyens représentent le peuple souverain, leur vote et la délégation de pouvoir qui en résulte expriment le pouvoir légitime en démocratie représentative. Dans l'exercice de son mandat, le député doit alors servir au mieux les intérêts de ses électeurs. Ce n'est qu'à l'élection suivante qu'il aura à rendre des comptes, le vote devenant le moyen de cautionner ou sanctionner le travail effectué par le député et son parti. Le citoyen-électeur, quant à lui, est supposé se retirer de l'action politique directe entre deux élections et laisser les professionnels de la politique exercer leur mandat.

Dans les démocraties libérales, comme au Canada, les intérêts des électeurs peuvent également s'exprimer par l'intermédiaire des groupes d'intérêts qui exercent des pressions sur le gouvernement et le personnel politique par le biais de représentation auprès des députés ou de contacts privilégiés avec des ministres ou leur entourage. Selon la vision pluraliste de la démocratie libérale, les actions des groupes d'intérêts n'interfèrent pas avec le bon déroulement du travail des députés et du gouvernement parce que les pressions diverses exercées par ces groupes auront tendance à s'annuler à cause du nombre infini d'intérêts sur la base de laquelle les groupes peuvent se former. Selon cette théorie, un citoyen qui se considérerait lésé par le poids de certains groupes d'intérêts sur les décisions politiques aurait toujours la possibilité de lui-même créer un groupe pour avoir également accès au pouvoir et influencer à son tour le processus politique. Cette situation de compétition permanente assure la pluralité de la représentation.

Dans cette perspective, l'action collective des citoyens-électeurs n'est envisageable que dans le cadre plus ou moins réglementé de la formation de groupes d'intérêts. L'utilisation d'actions protestataires, comme les manifestations, constitue en revanche une entrave au bon exercice du pouvoir politique pour deux raisons principales. Premièrement, elles se superposent à des procédures bien contrôlées et font irruption dans la vie politique, brisant le cours «normal» du processus politique. C'est pourquoi les manifestations sont considérées comme des actions non conventionnelles. Deuxièmement, elles ne répondent pas à la même logique démocratique puisqu'en manifestant, le citoyen prend directement la parole dans l'espace public, sans passer par son mandant légitime, le député, et sans passer par un groupe d'intérêt censé permettre l'agrégation des intérêts dans une société. Cette entrave au bon fonctionnement de la démocratie représentative est néanmoins reconnue par la loi. Les droits de manifester et de se regrouper sont en effet reconnus par la majorité des constitutions des pays démocratiques. La reconnaissance juridique ne signifie pas, pour autant, que la manifestation soit considérée comme une action légitime aux yeux des gouvernements. D'ailleurs, toute action manifestante entraîne une réaction des forces de l'ordre qui peut aller de la présence policière passive au moment du déroulement de la manifestation à la répression sévère et à l'incarcération.

Cette vision normative de l'action politique qui fait de l'action manifestante un problème potentiel présuppose: 1) que les revendications des citoyens-manifestants peuvent aller à l'encontre des intérêts des citoyens-électeurs, et en particulier de la majorité ayant porté le gouvernement au pouvoir; 2) que les actions de protestation telles que les manifestations exercent potentiellement un blocage du système politique, empêchant certaines décisions politiques de se prendre; 3) que les citoyens-manifestants ont la capacité d'exercer ce pouvoir. Ces présupposés sont discutables.

Les citoyens-électeurs et les citoyens-manifestants sont souvent les mêmes

Qui manifeste aujourd'hui ? Selon les travaux récents en sociologie politique, ce sont les classes moyennes salariées qui forment, depuis le début des années 1980, le gros des bataillons des manifestants. Or, ces citoyens sont également ceux qui ont tendance à voter de manière régulière aux élections. À côté des ouvriers syndiqués, qui constituaient la base manifestante des premiers grands conflits de travail, on retrouve des enseignants, des étudiants, des fonctionnaires. Le profil sociologique du manifestant-type des années 1990 et 2000 est donc bien loin de la population marginale ou révolutionnaire associée à la manifestation dans les pays européens au début du siècle passé. Aujourd'hui, électeurs et manifestants partagent un niveau d'éducation relativement élevé, ce sont généralement des personnes jouissant d'une bonne insertion économique et qui entretiennent de nombreux réseaux sociaux. Les exemples récents du Québec le confirment, que l'on considère les manifestations anti-guerre, les manifestations étudiantes, les manifestations pour la protection de l'environnement (contre la centrale thermique du Suroît de 2004 ou contre la privatisation du Mont-Orford de 2006) ; la manifestation n'est plus l'apanage des militants qui prenaient la rue pour abolir le pouvoir en place.

De plus, la très grande majorité des manifestations ne sont pas spontanées ; elles sont préparées, planifiées et encadrées par des organisations (des syndicats, des fédérations étudiantes, des groupes militants pour la paix, des groupes de défense collective des droits, même des partis politiques), qui appellent à la manifestation et qui organisent les mobilisations. Évidemment, des citoyens non affiliés à ces organisations peuvent également se joindre aux cortèges ; plus la manifestation est importante en nombre, plus il y a de chance qu'elle inclue une proportion importante de personnes n'adhérant à aucune des organisations ayant appelé à manifester. Il reste que même dans ce cas, l'action collective manifestante est directement liée à la mobilisation de groupes organisés. Il n'est pas rare, par ailleurs, que ces mêmes groupes soient également, mais à d'autres moments, des interlocuteurs « légitimes » de l'État. Ainsi, un groupe peut très bien participer à une table de concertation avec le gouvernement le lundi, et passer le reste de la semaine à mobiliser ses militants en vue d'une manifestation le samedi.

La manifestation n'est donc pas, dans ces formes les plus courantes, une forme radicale d'action politique, mais plutôt une stratégie d'expression de revendications utilisée, en grande partie, par ces mêmes citoyens-électeurs qui, en plus d'utiliser le pouvoir des urnes, utilisent de temps en temps le pouvoir de la rue. Bien sûr, tous les électeurs ne sont pas des manifestants (et inversement), mais l'idée selon laquelle les citoyens-électeurs verraient leurs intérêts desservis par l'action protestataire des citoyens-manifestants ne tient plus, dans la mesure où voter et manifester font aujourd'hui partie d'un continuum d'actions politiques et non d'un choix exclusif opposant l'une à l'autre.

La manifestation est une action politique de plus en plus normalisée

La manifestation est devenue une action politique normalisée, c'est-à-dire utilisée de manière quasi routinière par un ensemble croissant d'acteurs sociaux bien ancrés dans le système politique (en particulier, la classe moyenne dont nous avons parlé). C'est aussi une action politique qui se déroule dans la plupart des cas sans répression violente de la part de l'État.

Dans plusieurs pays européens, le dispositif législatif qui encadre la manifestation a évolué au point que la manifestation est classée parmi les libertés publiques, sous la forme d'un droit constitutionnel. Dans certains pays, comme en France, il est nécessaire d'obtenir un « permis de manifester » auprès des pouvoirs municipaux et les modalités de la manifestation sont négociées avec les forces de police. Ce règlement a facilité le développement de pratiques de cogestion des manifestations entre policiers et dirigeants de mouvements sociaux. Très souvent les manifestants coopèrent avec la police, s'assemblent sur le lieu prévu, défilent le long d'un itinéraire négocié, et se dispersent pacifiquement.

Au Canada, le droit de se rassembler et de manifester est inclus dans la reconnaissance de la liberté d'expression (article 2 de la Charte canadienne et l'article 3 de la Charte québécoise). Au Québec, il n'est pas nécessaire d'obtenir un permis de la municipalité pour manifester. Cependant, les forces de police jouissent d'un pouvoir discrétionnaire important vis-à-vis des manifestations grâce à la Loi fédérale sur l'attroupement illégal. L'article 63 stipule « qu'un attroupement illégal est la réunion de trois individus ou plus qui, dans l'intention d'atteindre un but commun, s'assemblent, ou une fois réunis se conduisent de manière à faire craindre pour des motifs raisonnables à des personnes se trouvant dans le voisinage de l'attroupement : a) soit qu'ils ne troublent la paix tumultueusement ; b) soit que, par cet attroupement, ils ne provoquent inutilement et sans cause raisonnable d'autres personnes à troubler tumultueusement la paix ». Cette définition de l'attroupement illégal permet aux forces de police de criminaliser éventuellement toute personne présente sur les lieux, indépendamment de ses actes. Pour plusieurs observateurs, cet article de loi contrevient à la Charte des droits et libertés et à des textes internationaux signés par le Canada.

D'ailleurs, plusieurs auteurs ont montré que la répression d'une partie des manifestations, même si elle est minoritaire au regard du nombre de manifestations qui se tiennent en sol canadien par année, existe bel et bien. En fait, cette répression, particulièrement visible dans la ville de Montréal ces dix dernières années, touche un type particulier de manifestation et de manifestants (voir notamment les recherches de Francis Dupuis-Déry). Ce sont en effet les manifestations contre la mondialisation économique qui ont, de plus en plus, été l'objet de répression policière un peu partout dans le monde (voir Della Porta *et al.*). Réputé avoir été lancé à Seattle en 1999, ce cycle de protestation – qu'on désigne soit comme le mouvement antimondialisation, soit comme le mouvement altermondialiste – a popularisé une nouvelle pratique contestataire, la pratique du contre-sommet (voir le chapitre de Dominique Caouette). Il s'agit d'organiser un contre-événement au moment de la réunion de chefs d'État dans le cadre d'accords commerciaux internationaux (libre-échange nord-américian, conférence de l'Organisation mondiale du commerce, G8…). La pratique des contre-sommets a largement contribué à faire de la manifestation une activité politique en très forte hausse dans les pays occidentaux. Elle a également modifié le rapport que les États entretenaient jusque-là avec les manifestations comme forme tolérée d'expression politique puisqu'une partie des manifestations sont devenues des questions de menace à l'ordre public et donc objet de répression.

Ainsi, l'action manifestante est, d'un point de vue global, une action de plus en plus « normale » pour un ensemble d'acteurs sociaux et politiques qui n'hésitent plus à prendre la rue pour faire avancer leurs revendications. Elle fait partie intégrante du répertoire d'action collective (voir Tilly) et la qualité d'une démocratie se mesure aussi à la capacité des États à assurer la tenue pacifique des événements protestataires et de permettre la participation politique par la manifestation. Cependant, on note une différenciation grandissante entre les « types » de manifestations, certaines étant mieux tolérées que d'autres par les États occidentaux.

La capacité limitée d'exercer le pouvoir dans la rue

Pourquoi manifeste-t-on? Pour interpeller l'État afin d'obtenir une reconnaissance, une mesure favorable, le retrait d'un projet ou d'une mesure jugée néfaste, pour mettre sur la place publique des enjeux qui ne sont pas à l'agenda politique dans le système de représentation traditionnelle, pour se faire voir et se faire entendre comme groupe unifié et nombreux.

Comme nous l'avons précédemment mentionné, la manifestation n'est souvent qu'une stratégie parmi d'autres pour un acteur collectif d'arriver à ses fins. Il est rare que le recours à la rue en tant que tel suffise à renverser une décision gouvernementale ou à obtenir la satisfaction d'une revendication. Le succès d'une mobilisation est généralement lié à un ensemble de facteurs qui inclut bien sûr les actions politiques qui sont menées (dont la manifestation n'est qu'un élément), mais aussi la force ou la faiblesse du gouvernement au moment où ces actions se déroulent. Par exemple, une manifestation qui pourrait être qualifiée de succès au regard du nombre élevé de manifestants qui se sont déplacés, ne signifie pas que les revendications des participants seront satisfaites; tout dépend de l'attitude du gouvernement à son égard. Comme le définit Fillieule, la manifestation est « l'expression en acte d'une opinion politique ». Plus qu'une source directe de pouvoir sur le processus politique, elle donne *de fait* la parole aux citoyens, qui ont ainsi la possibilité d'exister politiquement et publiquement, en dehors du système conventionnel faisant intervenir groupes d'intérêts et partis politiques au sein des institutions de représentation.

Non seulement cette prise de parole directe ne se traduit que rarement par l'exercice d'un pouvoir direct et immédiat sur le processus politique, mais au fur et à mesure que le recours à la manifestation devient « normal », elle perd de son efficacité politique, tout comme les grèves ont perdu au fil du temps leur pouvoir révolutionnaire. La recherche sur les mouvements sociaux a montré que l'efficacité d'une action politique non conventionnelle – c'est-à-dire une action qui utilise la confrontation avec l'État comme stratégie première d'action – était directement liée à son degré de radicalité. Plus l'action protestataire est identifiée comme radicale par le pouvoir en place, plus elle a de chance d'attirer l'attention du public (médias et opinion publique) et plus le gouvernement sera contraint de considérer les demandes exprimées. Quand de plus en plus de personnes expriment leurs revendications par le biais des manifestations, l'action manifestante quitte le terrain de la politique non conventionnelle pour devenir un événement politique parmi d'autres auquel il est possible de ne pas porter attention. Il revient alors aux militants d'inventer de nouvelles formes de participation politique qui seront en mesure de faire irruption dans l'espace public pour à nouveau interpeller les détenteurs du pouvoir.

✦

L'action manifestante, comme toute autre forme de participation politique, a une histoire qui traverse les démocraties du Nord. Associée à la rébellion et la révolte au XIXe siècle et au début du XXe siècle, elle a progressivement évolué vers une forme pacifiée d'expression politique, jusqu'à devenir d'usage courant pour les acteurs politiques et sociaux. En ce sens, elle apparaît aujourd'hui comme complémentaire et non concurrente d'autres formes de participation. Le « pouvoir de la rue », qui demeure, comme nous l'avons montré, très limité, n'apparaît pas comme un danger pour la démocratie représentative, ni comme un symptôme d'une crise de nos systèmes politiques. Et si les citoyens descendent plus facilement dans la rue aujourd'hui, et en plus grand nombre, c'est peut-être parce qu'aujourd'hui, manifester c'est vraiment voter avec ses pieds !

Pour aller plus loin :

DELLA PORTA, Donatella *et al.*, *Globalization from Below. Transnational Activists and Protest Networks*, Minneapolis, University of Minnesota Press, 2006.

FILLIEULE, Olivier, *Stratégies de la rue. Les manifestations en France*, Paris, Presses de Sciences Po, 1997.

TILLY, Charles, *From Mobilization to Revolution*, Reading, Addison-Wesley, 1978.

Pourquoi des peuples sont-ils séduits par des leaders autoritaires ?

Luc Duhamel

Nous croyions qu'après le renversement du régime soviétique, la Russie arriverait rapidement à un État de droit, mais elle est allée dans une autre direction. Le pays, à certains égards, est même plus loin en 2008 de la démocratie qu'en 1991. Une majorité de Russes montre une nostalgie pour le passé soviétique et ne fait pas confiance au parlement et aux partis politiques auxquels elle préfère l'armée, les services de sécurité et l'Église orthodoxe. C'est même une tendance lourde que révèlent un sondage après l'autre depuis 1993. Un tel état d'esprit déçoit les occidentaux, voire les irrite. Un article paru dans la revue *Current History* au milieu des années 1990 a comme titre évocateur : « Le peuple russe est-il normal ? » En fait, les idées d'État de droit et d'économie privée sont discréditées par ceux qui s'en font les artisans. Les eltsiniens ne jurent que par la démocratie, mais permettent des élections à la condition de ne pas pouvoir les perdre. Une dizaine d'oligarques, après avoir confisqué le pouvoir économique, ont financé la campagne électorale d'Eltsine aux présidentielles de 1996. La chute du niveau de vie dans les années 1990 contribue aussi à ce que les idées démocratiques acquièrent une image péjorative.

Nous pouvons avancer que c'est en grande partie par son autoritarisme que Poutine a pu séduire le peuple russe. Son ascension politique commence à l'été 1999 : Poutine réagit alors fermement, et même brutalement, aux attaques à la bombe d'appartements à Moscou et à l'incursion tchétchène au Daghestan. Il donne l'ordre à l'armée russe de réoccuper la Tchétchénie. Habillé en militaire, il se rend plus d'une fois encourager ses troupes en Tchétchénie. Son langage n'est pas toujours *politically correct*, mais quand il s'engage à tuer les terroristes, à les traquer même dans les chiottes, la population applaudit. À ceux qui lui demandent de faire preuve de retenue et d'accepter des compromis sur la question tchétchène, il répond que l'intégrité territoriale de la Russie n'est pas négociable.

Les positions de Poutine semblent payantes, alors que les sondages le hissent à des sommets de popularité – plus de 70 % des Russes soutiennent son attitude. Cette intransigeance n'est pas sans similitude avec le comportement des hommes forts que la Russie a eus dans son passé – tant à l'ère soviétique que sous le tsarisme. Poutine a su prendre des mesures qui répondent à ce que veulent la masse des Russes même si on observe un recul inquiétant de la démocratie dans son pays. Il a gagné des appuis dans les milieux les plus divers. Poutine poursuit une politique étrangère de grande puissance qui renoue avec le passé soviétique. L'État a repris sous son contrôle les secteurs névralgiques de l'économie. En général d'ailleurs, l'État a repris la place considérable qu'il a tenue dans l'histoire de la Russie jusqu'en 1991. Certains oligarques ont été traduits devant les tribunaux, histoire de leur rappeler qu'ils ne sont plus au-dessus du souverain et doivent désormais payer leurs impôts. Il ne faudrait surtout pas oublier que Poutine est responsable du retour en force des organisations les plus nationalistes et les plus influentes dans l'histoire de la Russie. L'armée a pu reprendre ses étendards et ses symboles rendant hommage à ses exploits durant la période soviétique. L'autoritarisme dans les garnisons fait un retour en force avec les pratiques d'abus et de sévices physiques contre le conscrit et le simple soldat. Le retour des popes à l'école et les lois brimant les droits des autres religions traduisent un traitement de faveur pour l'Église orthodoxe qui, en retour, a apporté un soutien indéfectible à la politique de répression sanglante menée contre la population tchétchène.

Poutine, comme leader charismatique, a de nombreux disciples et soutiens, dont certaines personnalités illustres ralliées à lui comme l'ex-dissident Roy Medvedev, le cinéaste Nikita Mikhalkov, le dernier dirigeant soviétique Mikhaïl Gorbatchev ou Mintimer Shaymiyev, un des chefs de file les plus respectés de la Russie musulmane. Il ne manque pas de libéraux qui l'appuient, convaincus qu'en période de transition la Russie a plus besoin d'un leader charismatique que d'un dirigeant démocrate. Les aspects autoritaires de Poutine sont jugés comme un mal nécessaire. Plusieurs universitaires en Russie considèrent que le règne de Eltsine a déconsidéré le modèle de démocratie occidentale et l'économie de marché pour plusieurs années. Les Russes apprécient avant tout la stabilité que leur procure Poutine après le chaos des années 1990.

Le leadership de Poutine semble en filiation avec les dirigeants russes les plus populaires du passé qui avaient un penchant prononcé pour l'autoritarisme. Les Russes ne se formalisent pas qu'il y ait personnalisation du pouvoir, que leur président soit l'objet d'un culte de la personnalité ; au contraire cela les rassure et les sécurise. Il ne leur paraît pas souhaitable d'avoir un président qui serait entravé dans ses actions par des partis politiques ou un parlement. Ils ne veulent pas de médias qui pourraient projeter une image un tant soit peu péjorative de leur président. Bref, ils veulent voir en Poutine un chef aux qualités extraordinaires auxquelles ne saurait porter ombrage aucun État de droit. Ce type d'autorité le rapproche des grands leaders russes qui n'ont jamais eu de compte à rendre à des institutions politiques.

Un certain nombre de facteurs expliquent la fascination exercée sur le peuple russe par les leaders autoritaires. Tout d'abord, le facteur géopolitique exerce une influence considérable sur le leadership en Russie. La prise en compte de la donnée géopolitique consiste ici à évaluer comment les rapports de la Russie avec ses voisins ont stimulé l'autoritarisme. L'État russe s'étend sur un territoire qui s'est agrandi considérablement dans l'histoire au détriment de ses voisins. Il a eu souvent maille à partir avec eux. La Russie est le seul pays qui est aux prises avec des différends frontaliers tant à ses frontières en Asie qu'en Europe. Aucun autre pays, du moins sur ces deux continents, n'est autant l'objet de visées irrédentistes. Souvent ces tensions mènent les populations russes des zones frontalières à s'en remettre à des politiciens soucieux en priorité de veiller sur leur sécurité. Ce sentiment d'insécurité est accentué par le fait que dans ces zones habitent souvent des minorités qui, à plusieurs points de vue, possèdent des traits qui peuvent difficilement les identifier à la culture russe.

Dans le Caucase du Nord, les musulmans forment la majorité et parlent des langues souvent fort différentes de la langue slave. C'est sans leur consentement que la plupart de ces minorités font partie de la Russie. Les Russes entretiennent un rapport de méfiance et des relations parfois orageuses avec ces nations dont la culture a beaucoup d'affinités avec celle des peuples qui se trouvent de l'autre côté de la frontière – Turcs et Iraniens.

Durant les années 1990, les conflits ethniques en Russie ont atteint leur paroxysme en Tchétchénie. Pour le commun des Russes, les résistants tchétchènes ont réussi à vaincre l'armée russe en 1996, et à réaliser des prises d'otages et des attaques à la bombe par suite du manque de leaders forts au Kremlin durant cette période.

Mais il n'y a pas que les musulmans qui inquiètent les Russes, les Chinois aussi les préoccupent, quoique pour des raisons quelque peu différentes. Les Russes s'inquiètent de la présence chinoise en Sibérie et en Extrême-Orient (ainsi que des prétentions japonaises sur certaines îles du Pacifique). Les problèmes éprouvés face notamment à la migration des Chinois les mènent à désirer un leader fort à Moscou pour défendre leurs intérêts.

Nous touchons ici à un des facteurs qui explique le mieux l'attrait des Russes pour le leader autoritaire. L'État russe est dans une certaine mesure une création artificielle en ce qu'il repose moins sur un consensus de ses habitants que sur un pouvoir central fort incarné par un chef. Renoncer à l'autoritarisme au profit de l'État de droit signifie souvent mener des réformes allant dans le sens de la décentralisation, d'un plus grand pouvoir des régions et des minorités, à l'encontre des droits des Russes. Cela implique aussi un leadership assumé par des institutions plutôt que par des individus. Les Russes sont convaincus qu'une telle évolution s'effectuera à leur détriment pour la raison majeure que les minorités soutiennent les réformes non pour l'intérêt national de la Russie, mais comme des occasions de faire sécession ou au minimum d'affaiblir le pouvoir central. Les minorités nationales sont soupçonnées de vouloir détruire la Russie en portant atteinte à son intégrité territoriale.

Un second facteur causant l'autoritarisme est l'influence énorme exercée par l'armée, les organes policiers et l'église orthodoxe sur les valeurs et les normes qui dominent dans le système politique. Les Russes vouent une prédilection pour un leader qui tire sa force de l'appui des militaires et des policiers. Ce sont les deux organisations dont le chef a le plus besoin pour assurer sa domination. Alexandre III prétendait d'ailleurs que son pays n'avait que deux alliés: son armée et sa marine[1]. En Russie, ces piliers du pouvoir central reçoivent une part considérable

1. Nicolas Ier avait déclaré un jour que la bureaucratie était le véritable maître de la Russie.

des ressources de l'État même si cela va à l'encontre des intérêts de leur peuple, ce qui ne les empêche pas d'être populaires dans leur société. Les nombreuses guerres menées par la Russie, en particulier celles qui ont été victorieuses, expliquent le prestige dont jouissent les hommes en uniforme. L'Église orthodoxe constitue une autre force sur laquelle les leaders politiques peuvent compter. Elle exerçait du temps des tsars un monopole sur l'éducation des Russes, et son retour en force depuis la chute de l'URSS est indéniable. Or cette institution, comme l'armée et la police, a toujours pris position pour un État fort et centralisé. L'obsession de ces organisations pour l'autoritarisme ne s'est jamais démentie. D'ailleurs, elles montrent l'exemple en ce que leur fonctionnement interne est aux antipodes de toute idée démocratique. Ces organisations façonnent la mentalité du peuple, lui inculquant une relation de soumission au chef; le leader prendra souvent dans ces circonstances des positions empreintes d'autoritarisme. Cela le conduit à adopter en retour des politiques qui accordent une influence maximum à ces organisations.

La poursuite d'une politique étrangère expansionniste en est une conséquence notable. La Russie n'aurait pas étendu autant son territoire au cours des siècles sans une armée redoutable. Les succès remportés en la matière par le Kremlin ont encore accru l'importance de ces organisations. La notion de pouvoir impérial avait des appuis chez le peuple, et a contribué à lui inculquer une mentalité colonisatrice. Cet aspect a nourri l'essor d'un nationalisme virulent dont certains de ses maîtres à penser figurent parmi les représentants les plus illustres de l'intelligentsia: Dostoïevski, Gogol, Soljenitsyne, etc. Leur hostilité à l'Occident était manifeste comme en témoigne l'affirmation de Dostoïevski à l'effet que le suffrage universel est la plus grande idiotie politique du XIXe siècle (affirmation reprise par plusieurs écrivains russes, dont Soljenitsyne).

La faiblesse du capital social constitue un troisième grand facteur expliquant l'enracinement de l'autoritarisme en Russie. Par ailleurs, l'existence d'un capital social antimoderne encourage le maintien de l'autoritarisme puisque, comme on l'a vu, trois organisations dominent la société civile, en y faisant la promotion des valeurs non démocratiques. Le peuple russe a une vision très différente du pouvoir politique si on compare avec celle des populations en Occident. Les Russes font confiance historiquement aux chefs du Kremlin. Plusieurs siècles de tradition les ont convaincus que le chef tenait son pouvoir de Dieu. Comme cette vision conservatrice était celle de l'éducation prodiguée par l'Église orthodoxe, il n'était guère possible de s'y opposer. La faiblesse des institutions et la soumission des Russes au chef ont fabriqué une société de masse, dans laquelle les individus, isolés et vulnérables, vivent avec un sentiment d'impuissance et de résignation. Les Russes ont appris à ne s'en remettre à personne d'autre qu'à Dieu ou son représentant en Russie, le tsar. Parce que celui-ci a besoin des nobles (les boyards) pour gérer l'État, le tsar voit aussi en eux des rivaux et, pour cette raison, il lui arrive de les réprimer. Parfois, il fera des nobles les boucs émissaires de ses échecs politiques, parfois il voudra se débarrasser d'un gouverneur (souvent aussi un membre de la noblesse) devenu une menace à son autorité. Dans de telles situations, le tsar peut prendre des mesures favorables à son peuple aux fins d'utiliser celui-ci contre la noblesse. Non seulement le peuple russe est soumis au chef, mais il le soutient inconditionnellement : les jacqueries paysannes qui ébranlent à certaines occasions la société sont souvent menées au nom du tsar. Pougatchev, cosaque analphabète qui a dirigé la plus grande révolte populaire sous le règne des Romanov, prétendait d'ailleurs être le vrai descendant des tsars et accusait Catherine II d'être une usurpatrice. La fascination pour les tsars, en particulier pour les plus autoritaires, se retrouve dans la période soviétique. Le peuple accuse rarement le secrétaire général du parti communiste, il s'en prend plutôt à ses représentants dans les ministères et les régions.

Le peuple aime ses tsars, mais certains ont sa préférence. Les mieux considérés sont ceux qui ont accumulé beaucoup d'autorité, qui ont accru la puissance du pays ; on pense à Pierre le Grand (guerre contre la Suède), à la grande Catherine II ou à Alexandre Ier (guerre contre Napoléon). Par contre, les tsars qui ont été libéraux ou qui ont connu des défaites militaires n'ont pas une aussi bonne réputation. Sous le régime soviétique, le contraste est encore plus frappant entre modernistes et conservateurs. Khrouchtchev et Gorbatchev sont les leaders les plus réformateurs de l'URSS et aussi ceux qui sont les plus mal vus.

Les Russes sont donc pour la plupart en faveur d'un leader autoritaire et cela encore aujourd'hui. Cela n'a pas empêché des Russes, des intellectuels surtout, de prôner des changements radicaux dans le système politique, dont certains vont dans le sens d'un État de droit. Même à l'ère soviétique, des leaders ont voulu instaurer un État décentralisé à l'extrême, à commencer par Lénine qui, en octobre 1917, prônait la fin de l'État central. Les forces de changements, en 1917 comme en 1991, comptent beaucoup de représentants des minorités ethniques, moins intégrés à la société russe et plus favorables à l'avènement d'un État de droit. Ces responsables issus des minorités forment une composante décisive du camp eltsinien au cours des premières années du post-soviétisme. Nombre d'entre eux souhaitent un État libéral, mais les premières années de pouvoir ne tournent pas à leur avantage. Ils sont vite mal vus dans la population. Le fait qu'ils appartiennent souvent à des minorités ethniques peut expliquer en partie que leurs politiques remportent peu de succès dans une opinion publique marquée par le nationalisme. L'armée, les forces judiciaires et l'Église, qui façonnent ce nationalisme, ont souvent eu du succès dans leur combat contre la pénétration de l'idéologie libérale dans le pays.

Le comportement des champions des réformes, face à une résistance opiniâtre, emprunte graduellement une tangente autoritaire. Ils ne sont enclins ni aux compromis, ni au partage de leur pouvoir. Ils ne veulent pas seulement vaincre leurs opposants, mais aussi les éliminer. Eltsine adopte pour sauver son pouvoir des politiques de moins en moins démocratiques, manifestes dans la constitution de 1993, qui constituent un retour en arrière avec l'écrasante suprématie accordée au pouvoir exécutif. C'est un retour à la personnalisation du pouvoir, comme aux temps des régimes soviétique et tsariste. On peut avancer une explication pour comprendre pourquoi la dérive autoritaire guette les leaders démocrates après qu'ils ont pris le pouvoir. Les leaders qui œuvrent à des changements démocratiques en Russie se butent, jusqu'à nos jours, à un obstacle difficilement surmontable : leurs réformes dégénèrent en un processus de désintégration du pays, comme cela s'est produit après 1985 sous Gorbatchev, puis sous Eltsine.

L'autoritarisme de Poutine est une réaction au libéralisme de Eltsine durant les années 1990, qui est vu dans la mémoire collective russe comme une catastrophe nationale. Mais Poutine n'est pas seulement un anti-Eltsine, il est aussi un leader aimé par son peuple pour l'amélioration sensible des conditions de vie que le pays connaît depuis 2000. Enfin, le peuple est aussi séduit par un chef qui renoue avec les grands leaders russes du passé avec qui il semble avoir des affinités certaines. C'est un autoritarisme marqué par la reconstruction d'un pouvoir central fort, la restauration du contrôle de l'État dans les domaines stratégiques de l'économie et des politiques qui réservent une place privilégiée aux hommes en uniforme et à l'Église orthodoxe.

Par ailleurs, il y a en Poutine des aspects réformistes qui relativisent son autoritarisme. Poutine a affirmé que son modèle politique n'était non pas un tsar mais Franklin Roosevelt. Les Russes aiment avant tout les politiques économiques de Poutine qui sont empreintes d'un certain libéralisme et qui, dans l'ensemble, ont été bien accueillies par les dirigeants du Fonds monétaire international. Les prises de position de son successeur Dimitri Medvedev montrent une inclinaison pour un rapprochement avec l'Occident et une volonté de diminuer l'influence des services de sécurité et des forces armées dans le système politique.

Pour aller plus loin :

RIASANOVSKY, Nicholas, *A History of Russia*, 5e édition, Oxford, Oxford University Press, 1993.

ROSE, Richard, « When Government Fails : Social Capital in an Antimodern Russia », dans Edwards, Bob *et al.*, *Beyond Tocqueville : Civil Society and the Social Capital Debate in Comparative Perspective,* Hanover, University Press of New England, 2001.

SPENCER, Martin E., « What is Charisma ? », *The British Journal of Sociology*, vol. 24, nº 3, sept. 1973, p. 341-345.

Pourquoi les partis ont-ils recours à la publicité négative ?

Denis Monière

Pour s'attirer le soutien des électeurs, les partis peuvent recourir à deux types d'arguments : ils peuvent soit mettre en valeur leurs offres de politique, leur équipe ou leur chef, soit dénoncer les politiques des autres partis. Critiquer l'adversaire pour mieux se mettre en valeur n'est pas un phénomène nouveau. Cette logique promotionnelle est inhérente au choix démocratique qui suppose une comparaison entre plusieurs candidats, partis ou visions du monde. Ce qui est nouveau toutefois, c'est le dosage ou l'intensité des campagnes négatives. Aux États-Unis, on a constaté que les messages négatifs ont connu une progression fulgurante depuis la fin des années 1980. S'il y avait 5 % de messages négatifs dans les années 1960, cette proportion serait passée à 50 % dans les années 1980 et 1990. Une des campagnes les plus féroces fut celles de 1988 où M. Dukakis a fait diffuser 23 messages négatifs et G. Bush 14, dont le célèbre message de la « porte tournante » (sur le laxisme supposé du candidat démocrate en matière carcérale).

L'effet de contamination sur la politique canadienne fut immédiat puisque la tendance à la négativité s'est affirmée à l'élection fédérale canadienne de 1988 qui se déroulait simultanément à l'élection américaine. Pour vérifier cet effet de mimétisme, nous avons établi quelle était la proportion de phrases contenant des attaques contre l'adversaire : 18 % des messages du parti gouvernemental contenaient des critiques de partis d'opposition, alors que 43 % des messages diffusés par les partis d'opposition attaquaient le gouvernement. En 1993, cette proportion est passée à 32,5 % pour le parti gouvernemental et à 41 % pour les partis d'opposition.

Mais le style des messages publicitaires canadiens se démarque du modèle américain. Le discours publicitaire canadien utilise une logique argumentative différente en misant sur la combinaison chef-équipe, alors que les messages américains sont plus centrés sur la personne du candidat. Cette différence s'explique par la nature du système parlementaire, qui implique le principe de la responsabilité gouvernementale. Au Canada, on vote surtout pour faire élire un parti, alors qu'aux États-Unis, on vote pour faire élire une personne. La dualité culturelle et linguistique implique aussi que les partis conçoivent deux campagnes publicitaires différentes pour rejoindre les attentes des anglophones et des francophones. Cette dualité publicitaire est pratiquée depuis 1968 par le Parti libéral et depuis 1984 par le Parti conservateur.

Les partis canadiens utilisent rarement la publicité négative dans le but de susciter une réaction de rejet en ternissant la réputation de l'autre ou en lui prêtant des intentions malveillantes. Ils préfèrent faire usage de la publicité comparative pour mettre en relief les effets désastreux des politiques de leurs adversaires et pour vanter les mérites de leurs positions ou de leur chef. Ce type de publicité semble mieux correspondre aux attentes de l'électorat qui réagit plutôt mal aux messages qui attaquent les personnes. Le Parti conservateur en fit l'amère expérience en 1993 en diffusant en anglais seulement un message qui mettait en doute les aptitudes de Jean Chrétien à diriger un gouvernement en dénigrant ses traits physiques et ses défauts d'élocution. Cette tactique fut employée en fin de campagne, alors que le parti gouvernemental était nettement devancé par les libéraux. Cette campagne eut des effets contre-productifs et provoqua un effet boomerang, soulevant tellement de protestations que le Parti conservateur dut retirer son message des ondes et s'excuser auprès de Jean Chrétien. Le message a suscité un sentiment de sympathie à l'endroit du chef libéral dont la cote de popularité s'est accrue, les Canadiens estimant que l'apparence physique n'était pas un critère pertinent pour juger un politicien. L'expérience canadienne confirme l'analyse de Roddy et Garramone, qui ont montré que la publicité négative a plus de succès lorsqu'elle porte sur un enjeu plutôt que sur une personne. On estime aussi que la critique par l'humour ou par un dosage subtil d'éléments positifs et négatifs minimise les risques de réactions contre l'émetteur et produit un meilleur rendement si le message active des sentiments de crainte. Malgré ces différences de style, il n'en demeure pas moins que la tendance à la négativité politique s'est aussi accrue dans les campagnes électorales canadiennes.

Si la tendance à la négativité est naturelle ou systémique pour les partis d'opposition, elle est plus surprenante pour les partis gouvernementaux qui semblent vouloir de moins en moins capitaliser sur le bilan de leurs performances et qui, jusqu'à l'élection de 1993, participaient peu à la spirale de la négativité. Pour mieux comprendre cette tendance, il faut en premier lieu analyser le rôle de la publicité.

Les fonctions de la publicité électorale

Si la publicité à elle seule ne peut assurer l'élection d'un parti, elle constitue un ingrédient indispensable de la politique moderne. Aucun parti politique ne voudrait prendre le risque de faire une campagne électorale sans diffuser de messages publicitaires. Ce choix ne s'explique pas seulement par la crainte d'être disqualifié de la compétition électorale par manque de visibilité. Il correspond aussi à la logique de la vie démocratique où, à l'occasion des campagnes électorales, les citoyens sont appelés à évaluer les partis et les candidats qui s'offrent pour former le gouvernement. Puisque le choix électoral repose sur l'information, un parti doit donc faire connaître ses candidats, ses idées et ses projets afin de convaincre l'électeur qu'il est meilleur que ses adversaires, ce qui est la fonction essentielle de la publicité électorale. Si la publicité est indispensable au succès des partis politiques, elle est aussi nécessaire aux électeurs, surtout à ceux qui s'intéressent peu à la politique. Elle leur permet d'économiser les coûts qu'implique l'acquisition de l'information politique et de faciliter le choix du parti qui se rapproche le plus de leur conception du bon gouvernement. Même si elle est décriée parce qu'elle est simplificatrice et qu'on l'associe à de la manipulation, la publicité n'en demeure pas moins un rouage essentiel de la vie démocratique.

Les partis consacrent une part importante de leur budget électoral à l'achat de temps d'antenne. La publicité télévisée représente environ 30 % des coûts totaux d'une campagne électorale. L'importance de ce poste budgétaire s'explique par le fait que la télévision procure un accès direct à de vastes auditoires où se retrouvent ceux qui sont les moins politisés.

Les messages politiques, étant insérés dans des émissions populaires jouissant de fortes cotes d'écoute et environnés par d'autres messages de nature commerciale, peuvent atteindre des électeurs qui, dans un autre contexte, refuseraient de s'exposer à un message partisan, soit parce qu'ils ne s'intéressent pas à la politique, soit parce qu'ils sont politisés et ne partagent pas le point de vue de celui qui émet le message. Les messages publicitaires ont aussi un avantage comparativement aux autres supports de communication, qui est de garantir au parti le contrôle sur le contenu de l'information, ce que n'offrent pas la conférence de presse ou le reportage journalistique, où la communication entre le parti et l'électeur est médiatisée par un tiers. Dans les campagnes modernes, les politiciens ont d'autant plus besoin de la publicité que leur temps de présence dans les bulletins d'information télévisée régresse et qu'ils contrôlent de moins en moins la parole publique. On estime qu'aux États-Unis, la durée moyenne du temps de parole des politiciens dans les nouvelles est passée de 40 secondes dans les années 1960 à environ 10 secondes dans les années 1990. La même tendance à l'effacement des politiciens des informations télévisées a été observée au Canada.

Même si la publicité télévisée représente le principal poste budgétaire des dépenses électorales et même si elle est devenue l'arme privilégiée du combat politique, on ne connaît pas avec précision les effets de la publicité politique, car ceux-ci sont largement conditionnés par la culture politique et varient d'un électorat et d'une élection à l'autre.

Selon plusieurs enquêtes menées dans différents pays, la fonction de la publicité télévisée n'est pas de convaincre l'électeur de changer son vote. Les recherches faites aux États-Unis sur la publicité électorale ont montré que les messages publicitaires servent plutôt à fixer l'ordre du jour politique en orientant la réflexion des électeurs sur les enjeux qui mettent en valeur les positions d'un parti. On les utilise aussi pour influencer la perception de l'image du parti et de son chef ou encore pour attaquer la crédibilité des adversaires. On sait aussi que la publicité a pour effet de renforcer les prédispositions partisanes et que même si elle n'influence que marginalement les intentions de vote, surtout celles des électeurs tardifs et peu intéressés par la politique, elle peut rendre le *momentum* favorable à un parti lorsque l'opinion publique est versatile. Enfin, elle stimule l'ardeur des travailleurs d'élection.

Le rôle de la publicité n'est pas le même pour tous les partis. Un parti qui caracole en tête des sondages en début de campagne aura besoin de la publicité pour consolider son soutien, alors qu'un parti qui accuse un retard utilisera la publicité pour gagner des votes. Mais dans les deux cas, les partis adresseront leurs messages à ceux qui n'ont pas encore fait leur choix ou encore aux électeurs dont les opinions ne sont pas fermes.

Les effets de la publicité négative

L'objet le plus discuté dans la littérature sur la publicité politique est l'efficacité de la publicité négative. Comme le phénomène de ce qu'on appelle la «*dirty politics*» tend à s'amplifier dans les démocraties occidentales, on essaie de comprendre pourquoi les partis y ont recours et quels en sont les effets sur la culture politique. Se pose aussi, implicitement, la question du désintérêt et du cynisme des citoyens envers la classe politique.

Les recherches ont montré que les électeurs accordent plus d'attention aux messages négatifs, qu'ils les assimilent plus facilement et s'en rappellent plus longtemps. Cet effet de rétention affecterait surtout les électeurs ayant un faible niveau d'information politique et qui emploient des critères affectifs pour effectuer leur choix électoral. Cet effet peut être produit par les aspects périphériques du message que sont la musique, la couleur, le rythme des images. L'emploi du noir de même que les images fixes sont les techniques les plus efficaces pour induire des émotions négatives.

La publicité négative est aussi efficace parce qu'elle réussit mieux que la publicité positive à faire parler d'elle. Les médias ayant tendance à valoriser le spectaculaire lui accordent beaucoup d'attention et accroissent son influence en l'intégrant comme objet d'information. Souvent un message atteindra son but non pas tant par sa diffusion dans le temps d'antenne payé par un parti, mais par la couverture médiatique qu'il suscitera, profitant ainsi de temps d'antenne gratuit. Présenté dans le contexte d'un bulletin d'information, il jouit d'une prime de visibilité et échappe aux mécanismes de l'exposition sélective. Cette tactique publicitaire a été employée pour la première fois aux États-Unis en 1964. Un message intitulé «Daisy», produit pour la campagne du président Lyndon B. Johnson, présentait une fillette effeuillant une marguerite; on entendait sur la bande sonore une voix effectuant un décompte et la caméra, après un gros plan sur l'œil de l'enfant, montrait l'explosion d'une bombe nucléaire. Ce message laissait entendre que l'élection de Barry Goldwater pouvait mettre en danger la paix mondiale. Ce film fut conçu pour n'être diffusé qu'une seule fois, le 7 septembre 1964. Mais il fut rediffusé aux bulletins d'information de toutes les chaînes américaines procurant ainsi une visibilité gratuite à la thèse de Johnson. Plus récemment, aux élections fédérales de 1993, Radio-Canada a consacré, le 15 octobre, deux reportages au message négatif du Parti conservateur, même si celui-ci n'avait pas été diffusé en langue française.

Mais cette expérience n'a pas servi le Parti conservateur et a montré qu'il s'agit d'une arme à double tranchant qui doit être manipulée avec beaucoup de doigté, car celui qui l'utilise doit savoir jusqu'où ne pas aller trop loin pour éviter les contrecoups négatifs. Il doit tenir compte des sensibilités du public. Un mensonge flagrant, une accusation sans fondement, une injure vulgaire peuvent choquer l'opinion publique et discréditer celui qui l'émet. Dénoncer les inconsistances, les échecs d'une politique ou les effets d'une politique proposée par l'adversaire tout en se présentant comme solution de remplacement est le stratagème le plus efficace.

Comment un parti ou un candidat peut-il contrer les effets d'une publicité négative ? La règle de base veut que toute attaque exige une contre-attaque. En premier lieu, un parti peut agir préventivement en vaccinant l'opinion contre des messages négatifs par la diffusion de messages qui réfutent à l'avance les attaques de l'adversaire. Les libéraux fédéraux ont utilisé cette technique aux élections fédérales de 1993 en présentant au début de la campagne un message qui montrait en gros plan le visage de Jean Chrétien : « Drôle de tête, mais quelle vision », « Drôle de gueule, mais quel discours ». Cette vaccination explique peut-être l'effet de rejet de la publicité négative des conservateurs. On peut détourner l'attention en attaquant directement l'adversaire. On peut aussi réagir en mettant en cause la légitimité de l'attaque, en rétablissant les faits, en réfutant les arguments adverses par des citations de personnes crédibles (titres de journaux, experts, etc.). On peut aussi désamorcer l'attaque en mettant en doute l'honnêteté ou l'intégrité de celui qui la professe. Enfin, on peut amener l'électeur à se distancer de la publicité négative en traitant la critique avec humour.

L'appréciation de la publicité négative

Dans une recherche expérimentale que nous avons effectuée avec Jean H. Guay aux élections québécoises de 1994, nous avons demandé à 230 personnes d'évaluer les messages diffusés réellement par les partis durant cette campagne électorale. Cette campagne fut l'une des plus négative de l'histoire de la publicité électorale québécoise, la proportion des phrases négatives contenues dans les messages du Parti libéral étant de 30 % alors que celle du Parti québécois était de 42 %.

Dans un premier temps, les répondants devaient remplir un questionnaire établissant leur profil socio-économique ainsi que leurs prédispositions partisanes. Ils visionnaient ensuite les messages diffusés par les partis et pendant la diffusion des messages, le répondant pouvait manifester son accord ou son désaccord à l'aide d'un réacteur instantané qui saisissait à chaque seconde les réactions d'approbation ou de désapprobation selon une échelle de cinq points : très positif, positif, indifférent, négatif, très négatif. Après l'expérience, il complétait un second questionnaire permettant d'évaluer dans quelle mesure l'exposition directe aux messages avait entraîné un changement d'attitudes. Chaque répondant était dans un isoloir et ne pouvait être influencé par les réactions d'autres personnes qui participaient à l'expérience.

Nous avons constaté que la réaction aux messages est marquée par un fort biais partisan puisque les répondants libéraux donnaient une cote positive aux messages du PLQ et négative aux messages du PQ, alors que les péquistes faisaient l'inverse. Nous avons aussi constaté que les scores donnés par les répondants classés comme indécis se situaient entre les deux et oscillaient autour de la cote de l'indifférence. Le clivage partisan s'impose donc comme variable explicative de l'appréciation des messages.

Nous avons aussi constaté que les messages à connotation négative recevaient les scores d'appréciation les plus faibles et que les messages contenant des attaques personnelles étaient les plus mal perçus par nos répondants. À l'inverse, ce sont les messages à contenu positif qui étaient évalués le plus positivement. Ainsi, le message qui s'est avéré le plus populaire était un message libéral centré sur le développement de la voiture électrique. Ce message ne contenait aucune référence au Parti libéral et aurait pu être produit par le Parti québécois. À la fin du message, les appuis sont si forts qu'ils frôlent l'unanimité.

La publicité électorale est une composante d'un tout qu'elle cherche à synthétiser. Elle est en ce sens un indicateur des orientations de la culture dominante d'une société. La prédominance de la publicité négative dans le discours publicitaire des partis canadiens depuis la fin des années 1980 traduirait le creusement des clivages et l'augmentation de la conflictualité des enjeux au sein de la société canadienne. Cette nouvelle tendance s'expliquerait par le ton négatif adopté par les journalistes à l'endroit de la classe politique, cette couverture négative de la politique créant un environnement favorable à l'efficacité de ces messages. Dans un tel contexte, la négativité est dotée d'une plus forte crédibilité que la positivité.

Compte tenu de cette désaffection croissante des citoyens envers la politique, la publicité négative devrait prendre de plus en plus d'importance dans les stratégies de communication, précisément parce qu'elle réussit à mobiliser l'attention du public qui a tendance à donner plus d'importance à ce qui va mal plutôt qu'à ce qui va bien. De plus, la logique du spectaculaire qui régit les choix médiatiques ne peut qu'amplifier cette tendance. Les campagnes électorales récentes au Canada confirment cette prévision de croissance de la négativité politique. Aux élections fédérales de 2004, le Parti libéral du Canada, affaibli par des scandales, eut recours à une stratégie de dénigrement de son adversaire conservateur, dénonçant dans tous ses messages l'intolérance et l'extrémisme de ce parti. Cette virulence fut payante puisqu'elle permit aux libéraux de former une nouvelle fois un gouvernement, minoritaire toutefois. En 2006, les libéraux, constatant en milieu de campagne un déclin de leurs soutiens, utilisèrent la même recette en diffusant en anglais et en français une série de messages extrêmement négatifs. On peut supposer que la redondance du procédé a pu en réduire l'efficacité : à la suite de deux campagnes extrêmement négatives menées par le parti gouvernemental, les conservateurs réussirent à leur tour à former un gouvernement minoritaire. Ces deux expériences électorales rapprochées dans le temps suggèrent que l'opinion publique ne peut absorber de trop fortes doses de messages négatifs et qu'on ne peut gagner une élection en se contentant de dénoncer les adversaires. Quoi qu'il en soit, on peut conclure que cette spirale de négativité contribue à accroître le cynisme des citoyens et favorise le déclin de la participation électorale. Il semble du moins y avoir une coïncidence dans le temps entre le déclin de la participation électorale et la croissance de la négativité dans les campagnes électorales.

Pour aller plus loin :

ANSOLABEHERE, Stephen et Shanto IYENGAR, *Going Negative*, New York, Free Press, 1995.

MONIÈRE, Denis et Jean H. GUAY, *La bataille du Québec. Deuxième épisode : les élections québécoises de 1994*, Montréal, Fides, 1995.

RODDY, Brian L. et Gina M. GARRAMONE, « Appeals and Strategies of Negative Political Advertising », *Journal of Broadcasting and Electronic Media*, vol. 32, nº 4, 1988, p. 415-427.

L'économie inspire-t-elle le vote ?

Richard Nadeau

Plusieurs chercheurs croient que la situation économique est un facteur explicatif fondamental du comportement des électeurs et du résultat des élections. Même s'il y a des voix discordantes à ce sujet, l'effet maintes fois documenté de l'économie sur le vote paraît constituer un des rares consensus dans le champ des études électorales. Cela dit, plusieurs interrogations subsistent à propos des modalités de ce que l'on appelle le vote économique. Les perceptions comptent-elles davantage que la réalité économique objective ? Parmi ces perceptions, lesquelles jouent davantage ? Est-ce l'évaluation de la performance économique d'un gouvernement sortant ou les attentes à propos des effets à venir des politiques des partis en lice lors d'une élection ? Lorsqu'il évalue la performance économique d'un gouvernement, est-ce que l'électeur attache plus de poids à sa propre situation financière ou à la situation économique d'ensemble ? Y a-t-il des circonstances où les électeurs transposent plus directement leurs évaluations économiques dans leurs votes, en punissant les gouvernements lors d'une récession ou en les récompensant par leur appui en périodes de prospérité, et des moments ou des circonstances où d'autres facteurs prennent le pas sur l'économie comme facteur déterminant des résultats électoraux ? Ces questions, parmi d'autres, montrent la diversité et la richesse des travaux sur un aspect fondamental de la recherche en science politique : l'étude du lien entre l'économie et la politique.

Qu'est-ce qui compte ?

Les premiers travaux visant à mesurer l'impact de l'économie sur le vote ont cherché à établir un lien entre les principaux indicateurs économiques objectifs (les taux de chômage, d'inflation et de croissance économique par exemple) et les résultats électoraux à travers le temps. La conclusion d'ensemble de ce type d'études, qui a été le plus courant jusqu'au milieu des années 1980, est qu'il existe un lien significatif entre la performance de l'économie au cours de l'année qui précède une élection et l'appui reçu par le gouvernement sortant.

Les chercheurs se sont ensuite demandé si les perceptions à propos de l'économie ne jouaient pas un rôle plus décisif que la performance objective de l'économie elle-même dans le choix des électeurs. Un bon bilan économique mal présenté et mal défendu pourrait ne pas produire les fruits escomptés. Inversement, un gouvernement pourrait éviter en partie le blâme des électeurs quand la conjoncture est mauvaise en parvenant à les convaincre qu'il n'est pas responsable de la situation, plutôt attribuable, par exemple, à des facteurs internationaux (comme les chocs pétroliers durant les années 1970).

Depuis le début des années 1980, les grandes enquêtes électorales ont cherché, aux États-Unis d'abord, puis dans d'autres pays, comme le Canada et la Grande-Bretagne, à mesurer les diverses perceptions économiques. Deux découvertes se dégagent de ces études. La première est que les perceptions économiques sont en partie colorées par les préférences des électeurs : un partisan aura davantage tendance à évaluer positivement l'économie quand son parti préféré est au pouvoir. L'existence de cet effet de projection requiert l'adoption de certaines précautions pour dégager dans les perceptions économiques ce qui relève des préférences partisanes et de l'observation de l'économie. (Si un électeur libéral, par exemple, se dit satisfait de la performance de l'économie et vote pour ce parti, il y a de fortes chances que la relation observée entre les perceptions économiques et le vote soit « fallacieuse », c'est-à-dire qu'elle soit attribuable au facteur extérieur que constituent les préférences partisanes de l'électeur. Si on ne tient pas compte de cet effet de projection, la relation entre l'économie et le vote sera artificiellement gonflée par la variable partisane.) Deux conclusions se dégagent de cet exercice. La première est que les électeurs sont de bons observateurs de la scène économique. Leurs perceptions collent en général d'assez près à l'évolution de la conjoncture économique. La seconde est que les perceptions économiques comptent de façon significative dans le choix des électeurs, même quand on expurge celles-ci de la composante partisane qui pourrait gonfler artificiellement le lien entre les évaluations économiques et le vote.

L'autre découverte des chercheurs porte sur la nature même des perceptions économiques. Celles-ci montrent en fait que l'électeur porte son regard sur des réalités différentes lorsqu'il tente d'évaluer la situation économique. L'électeur peut d'abord se tourner vers le passé ou regarder vers l'avenir. Dans le premier cas, son évaluation est dite rétrospective, c'est-à-dire qu'elle porte sur le bilan économique du gouvernement en place. Dans le second cas, l'évaluation est dite prospective, c'est-à-dire qu'elle se concentre sur l'estimation des retombées à venir des politiques économiques proposées par les partis en compétition. Lors de l'élection fédérale de 1974 par exemple, l'enjeu économique dominant était l'inflation, très élevée en raison des répercussions du premier choc pétrolier. Le Parti libéral au pouvoir tentait d'échapper à la critique en arguant que les sources de l'inflation au Canada étaient internationales. Le Parti conservateur, dirigé par Robert Stanfield, aurait pu se contenter de critiquer le bilan du gouvernement. Il a plutôt choisi de faire la promotion d'une mesure radicale pour mater l'inflation, soit le contrôle des prix et des salaires, une politique à laquelle s'opposait le Parti libéral. Compte tenu de l'intensité du débat sur cette mesure, l'attention des électeurs s'est portée davantage sur les conséquences à venir des politiques économiques des principaux partis plutôt que sur la performance passée du gouvernement en place.

Par ailleurs, l'électeur, lorsqu'il transpose ses perceptions économiques dans le processus décisionnel qui le mènera à appuyer ou non le parti sortant, peut privilégier sa propre situation ou plutôt donner plus de poids à la performance d'ensemble de l'économie. Dans le premier cas, on parlera d'évaluations «égotropiques», alors que dans le second, on dira qu'elles sont «sociotropiques».

Les travaux sur les perceptions économiques ont débouché sur des conclusions intéressantes et, dans certains cas, contraires au sens commun. Le premier de ces résultats, maintes fois confirmé, est que les perceptions sociotropiques ont un impact plus important sur le choix des électeurs que les évaluations égotropiques. La chose peut paraître surprenante à première vue. Beaucoup de modèles en science politique (ou dans d'autres disciplines dont, au premier chef, la science économique) reposent sur le concept de la rationalité individuelle, c'est-à-dire sur l'idée que l'individu dans son comportement recherche d'abord et avant tout son propre bien-être. Comment expliquer dans ce cas que la situation économique d'ensemble, qui pourrait être bonne sans nécessairement profiter à certains, semble exercer plus de poids dans les choix électoraux que la situation financière personnelle ou familiale des électeurs ?

La réponse à cet apparent paradoxe réside dans le concept de responsabilité. Dans la plupart des démocraties occidentales, et en particulier aux États-Unis, les personnes tendent à s'imputer à elles-mêmes, d'abord et avant tout, l'évolution de leur situation économique. Dans ce contexte, si la situation économique d'un individu s'améliore parce qu'il a complété une formation ou obtenu une promotion, il n'aura pas tendance à récompenser le gouvernement en place, ne l'estimant pas responsable de ce qui lui arrive. Le même raisonnement s'applique la plupart du temps, mais pas toujours, lorsqu'une personne subit un revers de fortune. En fait, les études sur le vote économique ont montré que la situation personnelle d'un individu n'exerçait une influence significative sur ses choix politiques que dans la mesure où il impute directement au gouvernement la responsabilité de ce qui lui arrive. Et comme les citoyens ont en général beaucoup plus tendance à imputer cette responsabilité du gouvernement en ce qui concerne l'économie dans son ensemble, les perceptions à cette échelle ont beaucoup plus d'impact sur les choix électoraux que l'évolution de la situation économique personnelle des électeurs.

Le fait d'établir que la situation globale de l'économie a plus d'impact sur les choix politiques ne résout pas la question de savoir si les électeurs attachent plus d'importance au bilan économique du gouvernement sortant ou aux retombées économiques anticipées des partis en compétition. Le débat sur ce sujet a fait rage pendant longtemps. Divers points de vue ont prévalu. On a d'abord pensé que les attentes des électeurs étaient plus importantes que le bilan qu'ils faisaient du passé. Le raisonnement est simple : la performance économique d'un parti A au pouvoir peut être mauvaise, mais l'électeur ne lui retirera pas nécessairement son appui s'il pense que la situation serait encore pire advenant l'élection du parti B.

Cette explication de la domination des évaluations prospectives a été contestée. D'abord par ceux qui ont tenté de démontrer que les deux horizons temporels comptaient dans le choix des électeurs qui, tel Janus, auraient un œil tourné vers le passé et l'autre vers l'avenir. Ensuite, et c'est cette idée qui s'est finalement imposée, d'autres ont soutenu, résultats à l'appui, que l'horizon rétrospectif était plus « réaliste », en ce sens qu'il était plus facile pour un électeur de déterminer si la conjoncture économique, à laquelle il est confronté continuellement, est bonne que de déterminer quels seraient les impacts à venir de politiques économiques complexes. C'est donc la performance économique passée des gouvernements qui compte le plus lors des élections et, en particulier, l'évolution de la conjoncture au cours de la dernière année précédant une élection. Les électeurs seraient donc quelque peu amnésiques, et les gouvernements auraient avantage à adopter les politiques économiques aux conséquences plus négatives en début de mandat.

Mes propres travaux vont en ce sens, mais en ajoutant deux nuances. La première est que l'horizon rétrospectif et le bilan passé d'un gouvernement exercent plus de poids après un premier mandat qu'après un second, et, seconde nuance, lorsque aucun des principaux candidats en lice n'est un candidat sortant. En d'autres termes, s'agissant de l'économie comme des autres facteurs de court terme pesant sur les choix électoraux, le mode décisionnel des électeurs varierait selon les circonstances. Après un mandat et en présence de candidats sortants, l'évaluation des électeurs est plutôt rétrospective. Après plus d'un mandat et en l'absence de candidats sortants, l'évaluation devient plutôt comparative et prospective. L'effet de l'économie n'est donc pas constant à travers le temps et change selon le contexte.

Quand cela compte-t-il ?

L'impact de l'économie sur les choix électoraux varie dans le temps ainsi que dans l'espace. La modélisation de cette variation pose de réels défis, et de nombreux efforts ont été consacrés, avec l'emploi de techniques sophistiquées, pour tenter d'expliquer cette instabilité de la relation entre l'économie et les élections d'un pays à l'autre, et d'une élection à l'autre dans un même pays.

Une première constatation est que l'économie compte davantage dans certains pays. Pourquoi ? La meilleure explication à ce jour est celle qui invoque des facteurs institutionnels et notamment le mode de scrutin.

Dans les pays utilisant un mode de scrutin comme le nôtre, où le nombre de députés élus ne correspond pas au décompte des voix reçues par les partis, et où le parti gagnant est surreprésenté dans les parlements, les gouvernements sont régulièrement majoritaires et homogènes, c'est-à-dire formés par un seul parti politique. Il est alors facile pour les électeurs d'imputer la responsabilité de la situation économique au parti qui forme seul le gouvernement. La chose devient plus difficile avec un mode de scrutin proportionnel, lorsque le gouvernement est formé d'une coalition de plusieurs partis. La responsabilité est alors diluée entre plusieurs partenaires qui exercent une influence plus ou moins grande sur la conduite du gouvernement. Il semble que le mode de scrutin pluralitaire, malgré les distorsions qu'il entraîne dans la représentation parlementaire des partis en lice, présente l'avantage d'une plus grande clarté en ce qui a trait à la responsabilité du gouvernement dans l'évolution de la conjoncture économique.

La notion d'imputabilité est donc fort importante pour expliquer l'ampleur plus ou moins élevée du vote économique d'un pays à l'autre. Elle explique pourquoi le vote économique est plus marqué avec un mode de scrutin pluralitaire que proportionnel. Ce même concept peut aussi servir à expliquer pourquoi l'impact du vote économique diffère d'un type d'élection à l'autre dans un même pays. Dans les régimes présidentiels par exemple, comme aux États-Unis, les électeurs attribuent une plus grande part de responsabilité pour la tenue de l'économie au président qu'aux membres du Congrès. Il n'est pas surprenant dans ce contexte de constater que l'effet de l'économie sur le vote est plus élevé dans ce pays pour les élections présidentielles que pour les élections législatives.

Un phénomène similaire s'observe dans les régimes, comme les systèmes fédéraux, où la responsabilité gouvernementale s'exerce à travers plusieurs paliers de gouvernement. Les électeurs tendent alors généralement à imputer la responsabilité de l'économie au gouvernement central plutôt qu'aux gouvernements locaux. Conséquemment, plusieurs études ont démontré que l'économie est un critère plus important dans les élections nationales (ou fédérales) que lors des élections locales. La même logique prévaut pour les élections au Parlement européen. Les électeurs sont peu enclins à attribuer à ce parlement la responsabilité de la situation économique dans leur pays et donc peu portés à se servir de ce critère pour voter lors des élections à l'échelle de l'Europe.

L'effet de l'économie sur le vote varie donc de manière significative en fonction du contexte institutionnel d'un pays. Mais il varie aussi d'une élection à l'autre dans un même pays en fonction du contexte politique dans lequel se déroule une élection. Il arrive dans certains cas que d'autres enjeux prennent le pas sur l'économie, qu'on pense au scandale des commandites durant les élections fédérales de 2006 au Canada ou à la guerre en Irak lors des élections présidentielles de 2004 aux États-Unis. Des études récentes montrent que la stratégie électorale déployée par les partis peut également avoir une influence sur la force du vote économique. Lors de l'élection de 2000 aux États-Unis, le vice-président sortant Al Gore aurait peu cherché à capitaliser sur la bonne performance de l'économie américaine durant les années Clinton. L'influence de l'économie sur le vote, qui aurait favorisé le candidat démocrate lors de cette élection, n'a pas été aussi importante qu'elle aurait pu l'être, et cela a vraisemblablement coûté la victoire au futur prix Nobel de la paix.

L'impact de la conjoncture économique sur les élections est plus grand là où les électeurs attribuent une responsabilité plus importante aux gouvernements en place. Cela semble être particulièrement vrai pour les gouvernements nationaux, homogènes et dirigés par un chef sortant. L'insistance plus ou moins prononcée des partis sur cet enjeu joue également un rôle, de même que les autres questions qui retiennent l'attention des électeurs au moment d'une élection. En bref, la variation du vote économique dans le temps et dans l'espace s'explique en bonne partie, mais reste difficile à prévoir et à modéliser.

L'économie compte-t-elle pour beaucoup ?

Pour répondre à cette question, il faut distinguer entre différentes catégories de facteurs susceptibles d'influer sur le résultat d'une élection. On peut opposer à cet égard les facteurs lourds, dits de long terme, qui ancrent un bon nombre d'électeurs dans une grande loyauté envers un parti. L'attachement à un parti (démocrate ou républicain aux États-Unis, à une orientation idéologique (droite ou gauche en France) ou le positionnement sur un enjeu fondamental (le fédéralisme ou la souveraineté au Québec) constituent des facteurs décisifs qui conditionnent de façon importante le vote de très nombreux électeurs. Mais on note depuis quelques décennies l'influence grandissante des facteurs de court terme, propres à une élection en particulier. Parmi ces facteurs, on distingue la variable chef de parti et les enjeux. Ceux-ci changent d'une élection à l'autre. L'élection fédérale canadienne de 1988 a surtout porté sur l'Accord de libre-échange conclu avec les États-Unis, et la santé a été au cœur de l'élection fédérale de 2000.

L'économie, en tant que facteur de court terme, appartient à la catégorie générale des enjeux susceptibles d'influencer les électeurs. À l'intérieur de cette catégorie, l'économie présente, par rapport aux autres enjeux, la caractéristique d'être la question qui influence de la manière la plus fréquente et la plus systématique les électeurs. Les enjeux et les chefs changent d'une élection à l'autre, alors que les partis et les orientations idéologiques restent. Parmi les facteurs de court terme, celui qui fait le plus sentir son influence d'une élection à l'autre reste l'économie.

Cela dit, que nous apprennent les simulations qui tentent de déterminer comment l'économie aurait changé le résultat des élections ? Les résultats varient bien sûr d'un pays, d'une période et d'une étude à l'autre. Mais dans l'ensemble, les études électorales montrent généralement que le résultat de l'élection varie de quelques points en raison de la situation économique. Le résultat d'un nombre appréciable d'élections dépend donc de l'état de la conjoncture économique au moment de l'appel aux urnes.

Y a-t-il autre chose qui compte ? Perspectives pour de nouvelles recherches

L'étude du vote économique a été féconde. Elle a permis de mieux comprendre le comportement électoral en général et l'effet spécifique de l'économie sur les choix électoraux en particulier. Malgré un bilan déjà enviable, ce champ de la discipline est plus actif que jamais et porte son attention vers d'autres questions importantes. L'une d'entre elles concerne l'impact de la situation économique de long terme sur les choix électoraux. Des travaux ont montré que les variations économiques de court terme avaient un impact surtout sur l'appui au gouvernement sortant et le principal parti d'opposition, alors que l'évolution à long terme de la situation économique d'un pays ou d'une région aurait plutôt pour effet d'augmenter (ou de diminuer) l'appui aux tiers partis. Ce résultat paraît bien fondé. Si la situation économique continue à se détériorer après un cycle politique complet formé de l'alternance des deux principaux partis de gouvernement, il est normal que les électeurs se tournent vers d'autres solutions et jettent leur dévolu sur les tiers partis.

Des dimensions nouvelles propres aux enjeux économiques sont maintenant explorées avec une attention soutenue. Des recherches sont menées sur l'impact de l'inégalité économique (réelle ou perçue) sur les comportements politiques. Les conséquences politiques des enjeux liés à la politique commerciale sont analysées de façon plus systématique. Une distinction plus fine est maintenant utilisée pour différencier l'évolution des revenus de celle de la richesse des individus afin de comprendre leurs choix politiques. Le comportement des « laissés pour compte » lors des vagues de prospérité économique est étudié avec une attention accrue.

◆

Une conclusion s'impose : l'économie est un critère important guidant le choix des électeurs. Les travaux plus anciens ont surtout mis en lumière l'impact de la conjoncture sur le vote et montré comment le contexte, institutionnel et politique, contribuait à moduler l'impact de cette variable. Les travaux plus modernes ont fait état de nouvelles modalités par lesquelles la variable économique exerçait un impact sur le résultat des élections. Le lien complexe, multiforme, qui lie l'économique et le politique a longtemps été, et restera encore longtemps au centre des préoccupations des politologues. Les spécialistes du vote économique ont modestement contribué, et contribueront encore dans l'avenir, à montrer sous l'angle particulier de leurs travaux pourquoi et comment l'économie compte pour beaucoup dans les comportements politiques et les politiques publiques.

Pour aller plus loin :

LEWIS-BECK, Michael, Richard NADEAU et Angelo ELIAS, « Economics, Party, and the Vote : Causality Issue and Panel Data », *American Journal of Political Science*, vol. 32, n° 1, 2008, p. 84-95.

NADEAU, Richard et Michael LEWIS-BECK, « National Economic Voting in U.S. Presidential Elections », *Journal of Politics*, vol. 63, n° 1, 2001, p. 159-181.

NADEAU, Richard, Richard G. NIEMI et Timothy AMATO, « Expectations and Preferences in British General Elections », *American Political Science Review*, vol. 88, n° 2, 1994, p. 371-383.

L'argent fait-il le bonheur électoral ?

Martial Foucault

La place de l'argent en politique a toujours suscité un vif intérêt chez les observateurs de la vie politique des pays démocratiques. Les scandales financiers qui éclatent régulièrement dans un très grand nombre de pays développés suggère que l'argent et la démocratie nouent des relations dangereuses. Il n'est pas rare que l'évocation de l'argent dans la sphère politique conduise les observateurs les plus éclairés à évoquer la corruption, les pots de vin, le traitement inéquitable des candidats ou encore la nature ploutocratique d'un régime. À vrai dire, les principes fondateurs du financement de l'activité politique remontent à plusieurs décennies et peuvent se résumer à trois objectifs : (1) financer le déroulement des campagnes électorales ; (2) maintenir une activité politique entre les élections ; et (3) assurer une concurrence entre les responsables d'organisations politiques et leurs représentants.

Selon certains observateurs, les sommes nécessaires pour mener une campagne sont susceptibles d'écarter des candidats compétents mais sans ressources. Pour d'autres, les sources de financement du personnel politique peuvent donner lieu à toutes sortes de dérives qui ont souvent pour conséquence un rejet des affaires publiques par les électeurs caractérisé par une faible participation aux scrutins nationaux. La montée en puissance de l'argent pose donc un double enjeu : l'argent est-il nécessaire au processus démocratique et le cas échéant l'argent fait-il le bonheur électoral ?

Plusieurs lieux communs autour de la place de l'argent dans la vie politique méritent d'être étudiés avec rigueur sous peine de verser dans le « moralement correct ». Tout d'abord, il est fréquent d'entendre dire que le succès électoral revient toujours au candidat le plus riche. Ensuite, l'argent est tantôt considéré comme susceptible de travestir la vie politique, tantôt d'affaiblir la morale de la démocratie, tantôt d'accélérer les mouvements de corruption ou encore d'orienter les choix de politiques publiques selon les désirs des groupes d'intérêts contribuant au financement des campagnes électorales ou des partis politiques. Enfin, la mise en œuvre d'une réglementation encadrant l'emploi de ressources financières aboutit-elle à une plus grande moralisation de la vie politique ou à une moindre liberté d'action des offreurs et demandeurs de politiques publiques ?

L'argent en politique : un moyen de production et de diffusion de l'information

Une démocratie peut-elle se passer d'argent ? La réponse est assurément « non ». Pourquoi ? Nier l'utilité de ressources financières dans le processus démocratique revient tout simplement à affirmer que la rencontre et la coordination des électeurs et des candidats politiques (ou représentants de partis politiques) peuvent se réaliser sans coût. Or la démocratie a un prix, quel que soit le système électoral en place. En système présidentiel, l'attention financière est portée à l'endroit des candidats alors qu'en système parlementaire, les partis politiques sont en première ligne et forment la pierre angulaire du système de financement.

D'un pays à l'autre, les élections témoignent d'une sévère compétition entre partis politiques ou candidats. Cette concurrence se traduit par une croissance des moyens engagés par les acteurs. Par exemple, en l'espace de 12 ans, les élections présidentielles américaines ont connu une inflation de plus de 1000 % des dépenses de campagne. Évalué à 80 millions de dollars en 1996 pour l'élection de Bill Clinton, le coût de la campagne 2008 dépassera pour la première fois le seuil du milliard de dollars. Dans un autre contexte, européen cette fois-ci, la campagne présidentielle française a opposé en 2007 deux candidats (Nicolas Sarkozy et Ségolène Royal) qui ont respectivement dépensé 21,03 et 20,71 millions d'euros. Ces deux exemples illustrent deux logiques diamétralement opposées. Dans le cas américain, la fuite en avant des dépenses rappelle combien les candidats accordent une importance primordiale à l'investissement publicitaire comme vecteur d'information. À l'inverse, les deux candidats français ont fixé leur niveau de dépenses de campagne en fonction du plafond de dépenses autorisé par la loi (21,59 millions d'euros pour les candidats présents au second tour). La faiblesse de l'écart des dépenses traduit avant tout une attitude légale mais aussi un comportement optimisateur au regard du nombre de voix recueillies. En somme, dans le cas des États-Unis, le niveau de dépenses semble correspondre au prix à payer pour informer et convaincre les électeurs et distancer son adversaire dans un contexte de dépenses illimitées. En France, mener une campagne présidentielle durant une période relativement courte (trois à six mois) conduit les candidats à chercher le meilleur usage possible de ressources rares et réglementées.

Il est pourtant évident que l'argent investi ne traduit qu'imparfaitement le rendement électoral de la dépense. Si Sarkozy a dépensé en moyenne 1,10 euro par voix obtenue (contre 0,83 euro pour Royal), le coût de la victoire est tronqué par la réglementation en vigueur. En effet, il est possible d'imaginer que la plate-forme électorale de la candidate de gauche eut nécessité davantage de ressources pour informer et convaincre un électorat hétérogène. En même temps, la candidate aurait-elle pu faire aussi bien sans dépenser autant ? Plus généralement, l'argent est-il nécessaire pour remporter une élection ? L'argent écarte-t-il des candidats compétents de la course à l'investiture ? Le recours à une réglementation et à un financement public de la vie politique contribue-t-il à garantir une démocratie vertueuse, repoussant ainsi le spectre d'une ploutocratie ?

Pour répondre à l'ensemble de ces questions, il est indispensable de rappeler quelques fondements théoriques justifiant l'introduction de l'argent dans la vie politique.

L'argent contribue au succès électoral

Depuis le début des années 1960 et le développement combiné d'outils statistiques et de collecte systématique d'informations financières, la relation entre argent et résultats électoraux a fait l'objet d'un nombre considérable d'évaluations empiriques. Deux résultats importants peuvent résumer quarante années de recherche en ce domaine. En premier lieu, il ressort très nettement que dépenser d'importantes sommes d'argent durant une campagne électorale n'est pas une condition suffisante pour remporter une élection. En second lieu, la dépense du challenger produit un rendement régulièrement meilleur que celle du candidat sortant. Établi dès les premiers travaux empiriques dans les années 1970, ce résultat s'est vérifié à de très nombreuses reprises dans les pays développés, quel que soit le système électoral ou le type de financement autorisé. Pour un dollar dépensé, le candidat sortant obtient toujours un nombre de voix inférieur à celui que récolte son adversaire direct.

Ce résultat a longtemps fait l'objet de controverses, car il infirmait la position avantageuse dont bénéficiait le candidat sortant, la fameuse « prime au sortant ». En particulier, si l'argent sert à transmettre des informations durant une campagne, la connaissance du candidat sortant doit théoriquement être facilitée par son expérience politique passée et donc réduire les coûts de diffusion durant la campagne. La notoriété et le capital politique accumulé par le politicien doivent contribuer à réduire de tels coûts. Or c'est l'effet contraire qui se produit. Rapportée au nombre de voix obtenues, la dépense du candidat sortant est moins efficace que celle de l'adversaire direct.

Cette réalité souligne l'importance du raisonnement marginaliste associé à de tels travaux empiriques. Autrement dit, il est préférable de savoir ce qu'il se passe lorsqu'un candidat augmente sa dépense d'un dollar plutôt que de tenter d'établir une relation entre le nombre total de votes et le montant total des dépenses. En effet, deux candidats peuvent bénéficier d'un rendement positif (en termes de voix) de leurs dépenses de campagne tout en se démarquant nettement. Cela revient à dire que pour un dollar supplémentaire dépensé, le sortant obtient, toutes choses égales par ailleurs, davantage de votes. Mais il existe une sorte de niveau de saturation dans la course à la dépense, qui a pour conséquence l'existence de rendements décroissants, c'est-à-dire qu'au-delà d'un certain niveau, toujours dépenser se révèle contre-productif. Faut-il pour autant généraliser ce résultat démontré dans le cadre des élections américaines, irlandaises, canadiennes, françaises ou encore japonaises à l'ensemble des élections où l'argent prend une place substantielle ?

La première des précautions méthodologiques consiste à tenir compte de l'ensemble des caractéristiques politiques, sociales, économiques ou encore sociologiques qui entourent un résultat électoral avant de conclure à l'effet significatif de l'argent. Si l'on devait établir une typologie de l'influence de l'argent dans les élections, nous pourrions avancer que pour un même dollar dépensé, mieux vaut être le challenger plutôt que le candidat sortant. Toutefois, les circonstances de l'élection peuvent perturber un tel principe. Par exemple, lors de scrutins très serrés, l'argent se révèle être un facteur déterminant de la victoire des candidats sortants, quand bien même l'effet marginal de la dépense est plus faible que celui des challengers.

Une seconde dimension mérite un éclairage. Il s'agit de la causalité sous-jacente à l'usage de l'argent dans la vie politique. Gardons en tête l'exemple du candidat challenger qui bénéficie proportionnellement de plus de voix pour un dollar dépensé. Une question double vient immédiatement à l'esprit: un candidat sortant décide-t-il de dépenser plus car il anticipe un score élevé, ou est-il simplement plus facile pour lui de collecter des sommes d'argent importantes du fait de son statut, ce qui aurait pour conséquence une utilisation de ces sommes moins stratégique que chez son principal adversaire? Ces questions débouchent *in fine* sur un problème méthodologique fondamental: celui de l'endogénéité de la dépense, tel que défini par Gary Jacobson. Dit plus simplement, cela signifie que si les votes sont influencés par la dépense, les candidats (ou les partis), eux, décident de dépenser en fonction de l'anticipation de leurs résultats futurs. Par conséquent, si un candidat sortant estime ses chances de victoire à 99,9 %, il est irrationnel pour lui de dépenser un seul dollar. Et dans ces conditions, l'argent ne contribue pas au bonheur électoral. À l'inverse, si le candidat sortant se sent menacé par un adversaire dangereux, sa capacité à lever des fonds lui permet de distancer son adversaire en dépensant plus et plus tôt dans le processus électoral.

Plus ou moins d'argent?

Deux lignes de fractures s'établissent en matière de financement de la vie politique. Chacune pose le débat de manière très normative en tentant de répondre aux questions suivantes: « Le financement de la vie politique est-il une bonne chose? », puis « Le financement privé doit-il être préféré au financement public? »

Exposons brièvement les arguments susceptibles de légitimer l'introduction d'argent dans l'arène politique, en particulier dans le cadre des campagnes électorales. Trois arguments sont généralement avancés: le premier de nature pragmatique ou libérale milite pour un haut niveau de transparence du financement. Autrement dit, il est préférable de connaître l'ensemble des montants engagés par les candidats quelle que soit la nature (privée ou publique) de ces financements. Cet argument n'est pas sans rappeler les débats sur la légalisation des drogues dans certains pays avec comme principe « l'autorisation de consommer des drogues afin de pouvoir contrôler les quantités réellement consommées ». Par analogie, cela consisterait à légaliser le financement privé et donc à institutionnaliser les soutiens privés des candidats, et donc, à présenter la corruption à visage découvert. Le deuxième argument est de nature constitutionnelle et s'applique aux États-Unis. En effet, une réglementation limitant les dépenses de campagne est incompatible avec le principe du 1er amendement de la constitution américaine, car la liberté de parole s'en trouverait violée. Le troisième argument, de loin le plus important d'un point de vue théorique et évoqué plus haut, assimile la dépense électorale à un flux d'information supplémentaire offert aux électeurs pour éclairer leur choix.

Existe-t-il un risque de ploutocratie ?

La montée en puissance de l'argent dans la conquête du pouvoir peut laisser craindre l'émergence d'une ploutocratie, d'un gouvernement aux mains des plus fortunés. Une telle perspective combinée à l'influence constatée de l'argent dans les résultats électoraux et à l'inflation des scandales politico-financiers ont conduit plusieurs législateurs à réglementer le financement de la vie politique et à légitimer un financement public. Il est d'ailleurs frappant d'observer que les principales réglementations publiques sont apparues à la suite de scandales, ce qui laisse supposer une tendance à considérer qu'une réglementation nouvelle agira comme une panacée face aux problèmes de corruption, de patronage, de favoritisme…

Ces règles, à l'instar de celles qui sont mises en œuvre dans les entreprises, ont comme objectif d'assainir la gouvernance de la vie politique. Le législateur, pour mieux se démarquer de ses collègues fraudeurs, consent à renforcer le dispositif de règles anticorruption. Ainsi, la France ou le Canada ont interdit les dons des entreprises, fixé des plafonds de dépenses ou encore imposé aux partis (ou candidats) une transparence (*public disclosure*) des mouvements financiers. Une seconde vague de réformes a consisté à limiter l'influx d'argent privé dans la politique pour lui substituer un financement public, avec en toile de fond l'idée générale que l'État est le garant d'une concurrence politique plus égale, libre et franche. Dans le cas français, la mise en œuvre de telles réglementations a eu pour principal effet le *statu quo* de la relation entre argent et bonheur électoral. Au fond, ce résultat n'est guère surprenant lorsque l'on sait que le niveau d'argent public alloué aux partis politiques ou candidats dépend de leur réussite électorale. Il en ressort un avantage récurrent pour les grands partis politiques.

Peut-on affirmer que les candidats élus ainsi seront moins sensibles aux groupes d'intérêts qui cherchent à influencer la nature des politiques publiques? Rien n'est moins sûr. Au contraire, si l'on considère que l'argent public doit contribuer à assainir les relations démocratiques, il n'est pas encore démontré que la raréfaction des ressources financières facilite la diffusion des idées et des préférences politiques des candidats auprès d'un électorat (souvent) peu rationnel et mal informé. Et finalement, *Pourquoi y a-t-il si peu d'argent dans la politique américaine?* C'est par ce titre provocateur que trois chercheurs du Massachusetts Institute of Technology ont abordé la question du financement vu comme un investissement politique. En s'appuyant sur les élections américaines de 2000, ils observent que les candidats et partis politiques ont dépensé environ 3 milliards de dollars, alors que le congrès a voté près de 2000 milliards en dépenses fédérales. Devant un tel écart, on ne peut que conclure que les donateurs n'escomptent qu'un faible retour sur leur investissement initial. La thèse selon laquelle les groupes d'intérêts achètent les législateurs par le biais de leurs contributions financières n'est pas aussi triviale. Ainsi, la décision de contribuer individuellement au financement d'un candidat serait davantage motivée par la décision de «consommer» le bien politique et donc de participer au pouvoir (autrement que par le vote).

Il existe différentes manières d'appréhender le lien complexe entre argent et politique. Retenons qu'en règle générale, si l'argent compte en politique, l'adversaire principal du candidat sortant est plutôt favorisé. Les autres candidats sont rarement avantagés par leur investissement financier car l'écart est trop grand avec les candidats qui arrivent en tête. C'est pourquoi nombre de pays ont multiplié les lois encadrant la collecte et l'emploi de sommes d'argent pour conquérir le pouvoir. Si ces lois ont réduit la marge de manœuvre des organisations politiques, elles ont parallèlement eu pour conséquence de restreindre la diffusion des programmes politiques auprès du plus grand nombre. Face à ce dilemme, la science politique dispose d'un vaste terrain de recherche pour mieux appréhender les effets de la réglementation des dépenses de campagne sur le vote et expliquer les mécanismes de l'usage de l'argent au sein des partis politiques.

Pour aller plus loin :

ANSOLOBEHERE, Stephen, John de FIGUEIREDO et James M. SNYDER (2003), « Why Is There So Little Money in Politics ? », *Journal of Economic Perspectives*, vol. 17, n° 1, p. 105-130.

FOUCAULT, Martial et Abel FRANÇOIS (2005), « Le rendement des dépenses électorales en France », *Revue Économique*, vol. 56, n° 5, p. 1125-1143.

JACOBSON, Gary C. (1990), « The Effects of Campaign Spending in House Elections : New Evidence for Old Arguments », *American Journal of Political Science*, vol. 34, p. 334-362.

SCARROW, Susan E. (2007), « Political Finance in Comparative Perspective », *Annual Review of Political Science*, vol. 10, p. 193-210.

Le monde se divise-t-il entre la « gauche » et la « droite » ?

Jean-Philippe Thérien

La mondialisation est certainement l'un des sujets aujourd'hui les plus débattus en sciences sociales. Dans le domaine des relations internationales, ce thème a inspiré une foule d'études innovatrices traitant d'enjeux aussi différents que la sécurité, l'économie, l'environnement et la santé. D'un point de vue plus abstrait, le processus de mondialisation a aussi contribué à remettre en question la séparation classique entre le « national » et l'« international ». Traditionnellement, il convient de le rappeler, la science politique a opposé la politique intérieure, dont on disait qu'elle était ordonnée et régulée par le droit, et la politique internationale, supposément anarchique et dominée par des rapports de force. Depuis que la mondialisation a rendu cette distinction caduque, plusieurs spécialistes appellent à une meilleure intégration des théories de la politique nationale et de la politique internationale. Le problème demeure toutefois : comment faire pour atteindre un tel objectif ?

Ce chapitre propose une piste de solution. Il avance l'idée que la politique nationale et la politique internationale se rejoignent dans le fait que ces deux sphères de l'action publique sont structurées par le même clivage fondamental entre gauche et droite. Il ne s'agit évidemment pas de nier ici qu'il existe toutes sortes de différences entre le national et l'international, mais plutôt de démontrer que la distinction gauche-droite permet d'établir un pont entre ces deux univers et qu'elle offre une grille d'analyse féconde pour comprendre la dimension politique de la mondialisation.

Le clivage gauche-droite

Constatant que les identités et les intérêts des acteurs sociaux se définissent à travers le langage, les constructivistes ont montré comment la politique est largement une affaire de discours et de débats. Or, au rayon des débats politiques, celui qui oppose la gauche et la droite est sans doute le plus tenace et le plus fondamental de tous.

Les notions de gauche et de droite sont difficiles à définir et ce chapitre ne peut aborder tous les problèmes posés par la formulation d'une telle définition. On peut cependant reprendre ici la conception des choses proposée par le philosophe italien Norberto Bobbio et qui reste la plus courante. Le fond de l'affaire, selon Bobbio, c'est que la gauche attache plus d'importance que la droite à l'égalité. Cette position ne doit pas être caricaturée de façon à laisser croire que la gauche serait « pour » l'égalité alors que la droite serait « contre ». Plus subtilement, l'idée est que les uns et les autres n'y accordent pas la même attention. À droite, les conservateurs estiment que l'égalité des chances suffit à assurer le bien-être collectif. Plus exigeante, la gauche croit pour sa part que l'égalité des chances doit s'accompagner d'une égalité de résultats.

Depuis la Révolution française, là où les termes mêmes ont été inventés, la division gauche-droite a marqué toutes les grandes luttes sociales, notamment celles concernant le droit de vote, le développement des partis politiques, la montée des syndicats, la construction de l'État-providence et l'émergence du mouvement féministe. D'Anthony Downs à Anthony Giddens en passant par René Rémond, plusieurs intellectuels de renom ont d'ailleurs souligné le caractère central de l'opposition gauche-droite. La raison est simple : ce clivage offre un raccourci analytique à nul autre comparable pour saisir l'attitude des citoyens face à une foule d'enjeux politiques.

Il est vrai qu'en tant que catégories d'origine occidentale, les termes « gauche » et « droite » sont plus enracinés dans les pays développés que dans les pays en développement. Pourtant, on doit noter que dans des pays aussi différents que l'Afrique du Sud, le Chili ou l'Inde, le clivage gauche-droite est solidement établi. En fait, des sondages réalisés sur les cinq continents incitent à penser que la division entre conservateurs et progressistes est un sous-produit de la démocratie. Au fur et à mesure que la démocratie s'impose comme le seul régime politique légitime, le clivage gauche-droite tend à s'universaliser.

La distinction gauche-droite ne constitue bien sûr qu'une métaphore puisque, dans le monde réel, les opinions politiques s'expriment davantage sous la forme d'un spectre que sous la forme d'une dichotomie. De plus, la signification de « gauche » et « droite » varie à travers le temps et l'espace. Il est tout de même remarquable de constater qu'en dépit de toutes les imprécisions qui l'entourent, l'opposition gauche-droite demeure au cœur des discussions qui animent la philosophie politique, la politique comparée et la sociologie politique. Dans ce contexte, la quasi-absence des notions de gauche et de droite du champ des relations internationales a de quoi étonner. Après tout, les thèmes de l'égalité et de la justice sociale qui définissent le clivage gauche-droite sont également au centre de nombreux enjeux internationaux. Par exemple, peu de gens contesteront l'idée que la gauche et la droite ont interprété les conflits Est-Ouest et Nord-Sud des dernières décennies de façon fort différente. Il est sans doute temps que ce constat anecdotique donne lieu à une réflexion plus systématique. En se penchant sur trois aspects majeurs de la mondialisation, le reste de ce chapitre propose d'aller dans cette direction.

La promotion du développement

Depuis plus de cinquante ans, la question du développement international n'a cessé d'être traversée par des tensions gauche-droite. S'il est vrai que le débat s'est atténué depuis l'écroulement du communisme, il demeure encore aujourd'hui bien vivant. Ainsi, l'approche libérale des institutions de Bretton Woods (Fonds monétaire international, Banque mondiale et Organisation mondiale du commerce) et du milieu des affaires continue de se distinguer de l'approche social-démocrate généralement adoptée par l'ONU et la communauté des ONG.

Le clivage gauche-droite se répercute notamment dans l'analyse qui est faite de l'impact de la mondialisation économique. De façon générale, la droite estime que l'intégration des marchés et l'expansion des échanges offrent les moyens les plus efficaces pour accélérer le développement et améliorer le sort des populations les plus démunies. Le commerce, entend-on fréquemment, « c'est bon pour la croissance » et la croissance, « c'est bon pour les pauvres ». Pour justifier pareilles positions, il est souvent dit que c'est grâce à leur politique d'ouverture si des économies émergentes comme la Chine et l'Inde ont réussi à réduire leur niveau de pauvreté de façon aussi spectaculaire depuis le début des années 1980.

De son côté, la gauche voit la dynamique du développement sous un jour très différent. Même si elle reconnaît que la mondialisation a contribué à enrichir certaines sociétés et certains individus, elle insiste surtout sur l'idée que les bénéfices du processus sont très mal partagés. Le discours progressiste dénonce le fait qu'en donnant trop d'importance aux marchés, les politiques du FMI et de l'OMC ont entraîné des coûts sociaux démesurés dans plusieurs pays pauvres. Pour la gauche, la montée des inégalités – entre les pays et à l'intérieur de nombreux pays – est la meilleure illustration des ratés d'une mondialisation ancrée dans le capitalisme.

Au-delà de leur interprétation divergente de l'histoire récente du développement, conservateurs et progressistes s'opposent aussi dans leurs prescriptions politiques. Mettant l'accent sur la marge de manœuvre dont disposent les gouvernements du tiers monde, la droite affirme que les pays en développement devraient commencer par faire le ménage chez eux. Dans cette optique, les pays du Sud sont pressés d'entreprendre des réformes ayant pour objectif la bonne gouvernance, la lutte à la corruption, l'équilibre budgétaire et le soutien au secteur privé. Par comparaison, les changements souhaités par la droite au niveau international demeurent très modestes et se limitent essentiellement à des opérations de *fine-tuning*.

Pour sa part, la gauche estime que les obstacles au développement des pays pauvres proviennent surtout des politiques des pays riches. À ce titre, elle insiste depuis longtemps pour que les gouvernements du Nord respectent leurs vieilles promesses en matière d'aide étrangère. Plus largement, l'ONU et les ONG jugent que l'architecture internationale du développement manque de légitimité. À l'unisson, elles exigent que le respect des droits humains s'ajoute aux objectifs poursuivis par les grandes organisations économiques internationales. La gauche propose également d'ambitieuses innovations institutionnelles comme le lancement d'un plan Marshall pour le tiers monde, la mise en place d'un système de taxation mondial et la création d'un Conseil de sécurité économique. À ce jour, toutes ces idées ont reçu un accueil au mieux réservé dans les milieux conservateurs.

La gauche et la droite s'accordent pour dire que la division Nord-Sud a été bouleversée par deux décennies de mondialisation. Leur analyse est toutefois profondément différente. La droite défend une interprétation des choses qui reste inspirée par la théorie de la modernisation et sa conception étapiste de l'histoire. Cette manière de voir suggère que le sous-développement n'est pas une fatalité et que les États qui prennent les bonnes décisions peuvent accéder à la prospérité. De son côté, choquée par le fait que 80 % des richesses sont contrôlées par 15 % de la population mondiale, la gauche est nettement plus contestataire et plus impatiente. Elle soutient que le fossé qui sépare les riches des pauvres est inacceptable et requiert une action collective d'urgence. Toutes ces divergences montrent bien qu'en somme, la distinction gauche-droite façonne la plupart des discussions sur le développement.

La lutte contre le terrorisme

Depuis le 11 septembre 2001, le terrorisme est devenu une préoccupation dominante dans les affaires mondiales. Or, au sein des élites comme dans l'opinion publique, le débat sur cette question s'est largement construit autour du clivage entre conservateurs et progressistes. Comme au temps de la guerre froide, la lutte au terrorisme oppose un peu partout des faucons, qui se distinguent par leur ligne dure, et des colombes, qui se caractérisent par leur volonté de compromis.

À droite, le terrorisme est dépeint comme un problème de sécurité menaçant les valeurs et le style de vie de l'ensemble des pays civilisés. Rejetant l'idée que les gouvernements des pays riches puissent être responsables – même indirectement – du phénomène terroriste, les conservateurs en ont plutôt attribué la cause à des individus fanatiques ou à des États-voyous. La ligne dure de la droite ne s'est nulle part mieux exprimée que dans la politique étrangère des États-Unis. Convaincue que l'élimination des menaces terroristes à l'étranger est essentielle à la sécurité nationale, l'administration Bush a fait de la guerre au terrorisme la pierre angulaire de ses relations extérieures. Cet objectif a notamment servi à légitimer l'intervention militaire en Afghanistan en 2001 et le déclenchement de la guerre en Irak en 2003. De façon prévisible, le gouvernement américain a cherché à présenter la lutte au terrorisme comme étant au-dessus des clivages idéologiques traditionnels. Il importe pourtant de noter que parmi les démocraties occidentales, ce sont les gouvernements de droite qui ont été les plus nombreux à appuyer la politique des États-Unis.

Dans l'arène de la politique intérieure, les forces conservatrices ont réagi au terrorisme en exigeant un resserrement sans précédent des mesures sécuritaires. En maints endroits, l'influence de la droite s'est manifestée à travers l'adoption de nouvelles lois visant à donner plus de flexibilité à la police et aux tribunaux dans la traque aux terroristes. Estimant que l'État de droit lui-même était mis en danger par la menace terroriste, la droite a souvent fait valoir que la légitimité des mesures prises devait être évaluée à l'aune de leur efficacité plutôt qu'en fonction de principes juridiques abstraits.

À l'autre bout du spectre politique, la gauche affirme d'entrée de jeu que l'ampleur du terrorisme est grandement exagérée. Elle soutient en outre que le terrorisme ne saurait être réduit à un problème de sécurité pouvant être résolu par une approche militaire. Les progressistes sont convaincus que l'utilisation de la force armée fait le jeu des extrémistes et attise la haine de l'Occident. Leur discours insiste donc pour que la lutte au terrorisme prenne mieux en compte les causes économiques et sociales du phénomène, qu'elle fasse davantage de place à l'action diplomatique et qu'elle respecte mieux les normes du droit humanitaire international. Après avoir accordé un appui circonstancié à l'intervention militaire en Afghanistan, la gauche a toujours mis en doute l'implication du gouvernement irakien dans le terrorisme international. Dès son déclenchement, l'opération irakienne a du reste été dénoncée comme étant une violation illégale de la Charte des Nations Unies puisqu'elle n'avait pas reçu l'appui du Conseil de sécurité. Avec les années, l'opposition de la gauche à la guerre en Irak n'a fait que s'intensifier.

Sur le plan intérieur, les groupes de gauche se sont battus pour que la lutte au terrorisme soit menée dans le respect des libertés civiles. De leur point de vue, agir autrement entraînerait les régimes démocratiques sur la voie de l'autoritarisme. La gauche a ainsi sévèrement critiqué le manque d'imputabilité des autorités antiterroristes et le rôle croissant du pouvoir militaire dans la vie politique. Par ailleurs, la gauche a souvent souligné le fait que la lutte au terrorisme avait engendré l'émergence de sentiments xénophobes contraires aux valeurs démocratiques les plus fondamentales.

Comme on le voit, le débat sur le terrorisme international oppose en permanence les valeurs de l'ordre et de la justice. À ce titre, il s'inscrit parfaitement bien à l'intérieur des paramètres classiques du clivage gauche-droite.

La protection de l'environnement

Alors que l'attention médiatique qu'elle reçoit ne cesse d'augmenter, on dit parfois que la question environnementale transcende les divisions idéologiques traditionnelles et qu'un large consensus s'est désormais établi en faveur du développement durable. Pourtant, cette vision des choses n'est guère convaincante. Au-delà des alliances surprenantes auxquelles il a parfois donné lieu, l'environnement ne s'est jamais affranchi du conflit gauche-droite. Notons d'emblée que les partis verts, qui ont transformé le paysage politique dans plusieurs pays depuis vingt ans, ont une origine dans le mouvement progressiste. D'autre part, comme on le verra ci-après, un examen des débats en cours montre sans équivoque que la gauche et la droite abordent l'environnement de façon contrastée.

La droite juge que les analyses des environnementalistes sont souvent trop alarmistes. Jusqu'à récemment, par exemple, de nombreux observateurs remettaient en question l'existence même du réchauffement climatique. Les mêmes personnes ont généralement tendance à faire confiance au potentiel de la technologie pour résoudre les problèmes que pourraient poser dans l'avenir la dégradation des écosystèmes et l'épuisement des ressources. Arguant par ailleurs que la protection de l'environnement est l'affaire de tous les États et qu'il faut lutter contre la concurrence déloyale, la droite exige des politiques environnementales plus strictes de la part des pays en développement. Après tout, soulignent les conservateurs, des pays comme la Chine et l'Inde comptent parmi les plus gros pollueurs au monde alors que ce sont les gouvernements et les entreprises des pays développés qui investissent le plus pour mettre au point des technologies propres.

Tant à l'échelle globale que nationale, les politiciens de droite font valoir que la protection de l'environnement ne doit pas compromettre l'objectif de la croissance économique. Le président George W. Bush a ainsi dénoncé le protocole de Kyoto en disant que ce traité allait détruire l'économie américaine. En outre, dans le programme d'action qu'elle met de l'avant, la droite a systématiquement tendance à préférer les mesures volontaires plutôt que les mesures coercitives pour faire face aux défis environnementaux. La droite est enfin plus méfiante à l'égard de l'intervention des institutions internationales dans le domaine de l'environnement. Tout naturellement, elle se montre donc peu enthousiaste vis-à-vis de la création d'une Organisation mondiale de l'environnement ou d'un Conseil de sécurité environnemental.

Les verts et la gauche en général estiment pour leur part que la protection de l'environnement représente une urgence absolue pour l'avenir de l'humanité. Tournée vers un horizon à long terme, leur approche insiste sur l'idée que la génération d'aujourd'hui a des responsabilités environnementales envers les générations futures. En plus d'être plus critiques vis-à-vis du modèle de développement axé sur la croissance, les environnementalistes expliquent que la détérioration de l'environnement a une incidence directe sur l'occurrence de la pauvreté, des conflits et des migrations. Cette vision holistique interpelle tout particulièrement les pays développés qui sont les plus gros consommateurs d'énergie et de ressources per capita. Environnementalistes et progressistes s'entendent pour conclure que les ressources disponibles ne permettent tout simplement pas d'universaliser le style de vie des populations du Nord.

Dans les solutions qu'elle promeut pour favoriser la protection de l'environnement, la gauche affirme qu'un renforcement des normes nationales et internationales est nécessaire. À cet égard, les groupes environnementaux font beaucoup plus confiance aux mesures préventives et aux sanctions qu'aux méthodes volontaires. Les verts estiment enfin que la crise environnementale actuelle ne pourra être résolue sans un apport massif de capitaux publics. Ils réclament ainsi la mise en place de nouvelles taxes qui pourraient, par exemple, être prélevées sur l'utilisation d'énergies non renouvelables comme le pétrole. Tout ceci concourt à démontrer qu'au-delà de ses apparences techniques, la question de l'environnement reste profondément marquée par la division gauche-droite.

◆

L'opposition gauche-droite est reconnue comme la base idéologique de la dynamique partisane et de la politique intérieure. Mais loin de s'arrêter aux frontières de l'État, cette opposition imprègne aussi fortement les enjeux internationaux. Le phénomène n'a en fait rien de surprenant. Conservateurs et progressistes regardent tout simplement le monde extérieur avec les mêmes yeux que ceux avec lesquels ils regardent leur entourage immédiat. De la même façon que le conflit gauche-droite s'est imposé comme la matrice des débats politiques intérieurs, il tend ainsi à modeler les débats à portée globale. En tout cas, aucun autre clivage social ne paraît être porteur d'une force explicative aussi grande pour rendre compte des divergences d'attitudes face à l'international. En somme, la distinction gauche-droite structure puissamment le processus – peu étudié – de la mondialisation des idéologies. C'est en vertu de cette propriété qu'elle pourrait représenter le chaînon manquant entre le champ de la politique comparée et celui des relations internationales.

Pour aller plus loin :

BOBBIO, Norberto, *Droite et Gauche. Essai sur une distinction politique*, Paris, Éditions du Seuil, 1996.

NOËL, Alain et Jean-Philippe THÉRIEN, *Left and Right in Global Politics*, Cambridge, Cambridge University Press, 2008.

3

Comment sommes-nous gouvernés ?

Dans quel état se trouve l'État ?

Frédéric Mérand

On prête à Louis XIV le péremptoire « l'État, c'est moi ». Plus récemment, en 2007, le président pakistanais instaurait l'état d'urgence pour, croyait-il, échapper à un coup d'État. On dit de Vladimir Poutine qu'il fait primer la raison d'État sur l'État de droit. Pour le gouvernement canadien, le sort des détenus remis aux autorités afghanes relève du secret d'État. Dans sa constitution, la Turquie condamne quant à elle l'atteinte à la sûreté de l'État. Pendant ce temps, le syndicat des professeurs du Québec négocie avec l'État une convention collective…

Comme ces quelques exemples le démontrent, l'État évoque des réalités multiples. En France, on lui attribue toutes les vertus : lorsque des ouvriers perdent leur emploi, c'est instinctivement à lui qu'ils font appel. Dans les pays de l'ancien bloc communiste, l'État est plutôt associé à la répression des libertés individuelles et au totalitarisme. Partout, on tend à confondre le gouvernement (ceux qui exercent le pouvoir) avec l'État (l'institution politique qu'ils gouvernent).

Qu'est-ce que l'État ?

Nietzsche disait de l'État qu'il est un « monstre froid ». Pour notre propos, la définition la plus utile de l'État est plutôt celle que donne Max Weber. « L'État, explique-t-il, est une entreprise politique à caractère institutionnel dont la direction administrative revendique avec succès, dans l'application de ses règlements, le monopole de la violence légitime sur un territoire donné. »

Cette définition mérite qu'on s'y attarde. Qu'est-ce qu'une entreprise politique, d'abord ? Il s'agit essentiellement d'une organisation dont l'objectif n'est pas économique ou religieux mais lié à l'exercice du pouvoir. À la tête de cette organisation se trouve un gouvernement (la « direction administrative »). Pour Weber, une telle organisation, si elle veut s'inscrire dans la durée, ne peut dépendre entièrement de la tradition ou du charisme d'un chef: elle doit reposer sur des règles de fonctionnement formelles et stables. Le caractère institutionnel de l'État lui donne une permanence et une efficacité propre. En pratique, c'est par la création d'une bureaucratie que ces règles sont codifiées, archivées et mises en œuvre par des agents, les « serviteurs de l'État ». Les relations de domination sont alors institutionnalisées dans la longue durée. Nous y reviendrons.

Troisième élément wéberien, l'*application des règlements*. On estime généralement que c'est avec le code d'Hammourabi (1750 av. J.-C.) que les premières règles de nature étatique sont édictées. Toutes les sociétés humaines sont régies par des normes qui encadrent l'activité de leurs membres. L'idée de règlement implique que ces normes soient codifiées et en partie soustraites à l'arbitraire. En outre, un règlement s'applique à toute la population d'un territoire donné ; dans un État, il ne peut y avoir d'autorités concurrentes qui chacune revendique le pouvoir de légiférer. Par exemple, les normes de comportement (disons le Shabbat) qui s'appliquent à la diaspora juive ne font pas de celle-ci un État, sauf en Israël où ces lois sont juridiquement contraignantes pour tous. L'État constitue en effet un ordre juridique qui, en principe, est absolu et ne connaît aucune valeur supérieure.

C'est probablement la dernière clause de la définition wébérienne qui est la plus célèbre : « monopole de la violence légitime ». Il existe, nous dit Pierre Clastres, des sociétés sans État. La violence y est souvent omniprésente, mais elle n'est le fait d'aucune organisation permanente spécialisée. Au Moyen Âge, personne ne détient le monopole de la violence. Pour faire la guerre comme pour assurer l'ordre public, les rois doivent s'assurer le concours de leurs vassaux, qui seuls peuvent lever une armée ou administrer la justice pénale. Le contrôle du territoire est donc partagé et soumis au bon vouloir d'une quantité de petits chefs locaux, seigneurs, princes ou ducs. Dans certaines régions et à certaines époques, ce contrôle est mis à mal par les incursions régulières de pillards, Huns ou

Vikings, qui, le temps d'une razzia, font régner leur propre violence. La légitimité de l'autorité politique est par ailleurs contestée par une autorité religieuse, celle de l'Église. Ce n'est, on le verra, qu'à partir du XVIe siècle que les États européens peuvent prétendre exercer un véritable monopole de la violence sur leur territoire.

Il serait anachronique de considérer la légitimité comme une forme de représentativité démocratique. Pour Weber, la domination légitime d'une organisation signifie qu'elle n'est pas *de facto* contestée par d'autres. Une dictature peut ainsi être parfaitement légitime dans la mesure où son autorité est effective : acquiescer à la domination de l'État n'est pas nécessairement l'aimer. De la même manière, monopoliser la violence ce n'est pas la supprimer : la « pacification » menée par les États sur leur territoire se fera souvent par le glaive et dans le sang. Les organisations les plus meurtrières de l'histoire furent des États, comme l'Union soviétique sous Staline ou l'Allemagne hitlérienne. Mais cette violence, justement, ne pouvait plus être contestée par des forces de l'intérieur.

D'où vient l'État ?

L'État n'a donc pas toujours existé. C'est entre le XVe et le XVIIe siècle qu'apparaissent, en France et en Angleterre, des « entreprises politiques » dont les traits commencent à ressembler à ceux d'un véritable État. Les cours royales, qui après avoir été longtemps nomades se sont sédentarisées dans les « capitales », Paris et Londres, n'avaient compté jusqu'alors que quelques courtisans. À partir de la Renaissance, surtout en France, se constituent des administrations permanentes avec des fonctions spécifiques, comme le prélèvement fiscal, la poste ou la construction de chemins et canaux. En 1439, Charles VII crée la première armée permanente. La maréchaussée s'étend au XVIe siècle, mais ce n'est que sous Louis XIV qu'elle deviendra la première force de police véritable. Progressivement, les monarques français (comme anglais, du reste) centralisent les instruments du pouvoir politique dans leurs mains.

C'est aussi à cette époque que se développe la théorie de l'État. Machiavel (1469-1527) utilise le mot *stato*, dont l'étymologie latine renvoie à une forme de permanence. Pour le philosophe florentin, les gouvernants passent mais l'organisation politique, elle, demeure : c'est l'État. Un peu plus tard, Jean Bodin (1529-1596) et Thomas Hobbes (1588-1679) feront de la souveraineté la pierre d'assise de l'État. L'autorité exclusive du souverain sur un territoire, qui ne connaît *a priori* aucune limite, repose sur le monopole de la violence, c'est-à-dire la police, l'armée, la justice. Ces instruments constituent encore aujourd'hui les fonctions régaliennes de l'État, celles qui définissent sa souveraineté.

Une quatrième fonction régalienne est la politique étrangère. Bien que la diplomatie ait toujours existé, la politique extérieure apparaît au moment où les frontières et les compétences de l'État deviennent une question de droit international. La notion de souveraineté est enchâssée dans le traité de Westphalie (1648), qui mit fin à la guerre de Trente Ans et consacra le principe de non-ingérence dans les affaires *internes* d'un État. Comme le démontre Stephen Krasner, la souveraineté territoriale n'a jamais été absolue en pratique. Au mépris de cette « hypocrisie organisée », les États ne se sont pas gênés pour s'envahir les uns les autres et nombre de souverains ont dû se plier à la volonté de leurs voisins. Mais les frontières commencent néanmoins à prendre une forme définitive.

La souveraineté de l'État a donc des composantes internes qui s'appliquent à sa propre population (la peine de mort, l'impôt) et externes, qui sont dirigées vers d'autres États (le traité international, la déclaration de guerre). Dans les deux cas, la violence et le contrôle de celle-ci sont au cœur de la construction étatique. C'est ce qui fait dire à Charles Tilly que « la guerre a fait l'État comme l'État fait la guerre ». Pour se faire la guerre, les souverains ont créé des forces militaires de plus en plus importantes. Pour entretenir ces soldats, il leur a fallu établir des administrations destinées à la construction des routes, l'approvisionnement, le versement de la solde, etc. La hausse vertigineuse des coûts de la guerre a amené les dirigeants à centraliser le prélèvement des impôts et à (se) faciliter l'obtention de crédit. C'est ainsi que sont nées des administrations comme le Trésor (1667) et la Banque d'Angleterre (1694), ou le corps des ponts et chaussées (1716) et le cadastre général (1763) en France. Selon Tilly, ne survécurent que les États qui réussirent à financer adéquatement leurs machines de guerre : la France, l'Angleterre, la Prusse. On ne parle plus aujourd'hui de la multitude de principautés, évêchés, villes et duchés qui, faute d'y être parvenus, ont progressivement été rayés de la carte politique. Entre les deux cas de figure, bien des États « faibles », comme la Suisse, ne doivent leur survie qu'aux aléas de l'histoire.

On voit bien les différences entre l'État « moderne » et le féodalisme, un régime de souveraineté fragmentée dans lequel les souverains dépendaient d'un système complexe de loyautés croisées. Dans le féodalisme, le pouvoir était éparpillé et l'autorité politique sujette à ces changements fréquents. Mais qu'est-ce qui distingue l'État des empires ou des cités-États? En effet, la Chine, l'Empire romain ou Athènes étaient dotées d'institutions de nature étatique, par exemple la magistrature. Au risque de schématiser, on peut toutefois dire de l'empire que son autorité ne s'exerce pas sur un territoire donné, mais bien sur un territoire mouvant. Par définition, les limites d'un empire sont toujours floues ou contestées (pensons au *limes* romain). De plus, l'autorité n'y est pas centralisée mais sujette à des adaptations régionales : en règle générale, les empires ont une administration locale hétérogène. Quant aux cités-États comme Athènes ou plus tard Florence et Venise, bien qu'elles se comparent à plusieurs égards aux États modernes, il leur manque un élément essentiel : la bureaucratie.

Cette bureaucratie donne à l'État moderne son caractère particulier. Si toutes les communautés politiques de l'histoire se sont adonnées à la guerre, aucune n'a eu comme l'État recours à une organisation aussi stable et professionnalisée que l'est la bureaucratie, gigantesque édifice hiérarchique construit sur des relations impersonnelles entre les agents de l'État. Pour Hegel (1770-1831), l'État est distinct de la société civile : il n'est ni le marché, ni une communauté politique, ni une association clanique ou familiale, mais une incarnation de l'« esprit rationnel », où intérêt individuel et intérêt collectif se fondent dans l'action des serviteurs de l'État. C'est d'ailleurs en Prusse, sous Frédéric-Guillaume Ier, qu'apparaissent les premiers employés salariés par l'État. Necker, le ministre des Finances de Louis XVI, dira un peu plus tard que « c'est au fond [des] *bureaux* que la France est gouvernée ». Auparavant, les fonctions politiques étaient octroyées par la naissance ou après les avoir achetées (ce qu'on appelait la vénalité des charges).

Les ministères se multiplièrent au tournant du XIXe siècle : Guerre, Commerce, puis Travaux publics, Instruction, etc. Le « fonctionnaire », mot inventé par Turgot (1727-1781), ne travaille pas par dévotion pour son maître ou en raison d'un quelconque privilège héréditaire : il remplit bien une *fonction* au service de l'État en échange d'un salaire. La construction des États est ainsi indissociable d'un nouveau rapport entre l'individu « rationnel », se soumettant volontairement à l'autorité étatique (le « bon citoyen », le « contribuable », le « fonctionnaire »), et la collectivité, rapport que Norbert Elias décrit comme un « processus de civilisation ».

De l'État militaire à l'État social

À de nombreux égards, la contrainte physique n'est plus l'activité principale des États. Au tournant du XXe siècle, jusqu'à 30 % à 50 % du budget des États européens pouvait être consacré aux dépenses militaires, contre 10 % aujourd'hui. Le déclin du militarisme dans la deuxième partie du XXe siècle n'a pas entamé, loin s'en faut, la taille de l'État. La plus grande part des dépenses publiques sert désormais les fins de l'État-providence, dont la mise en œuvre des principes keynésiens, à la suite de la grande crise de 1929 mais surtout après la Deuxième Guerre mondiale, a stimulé une croissance fulgurante des dépenses dans le domaine économique et social. Avec la fin des conflits armés sur le continent européen et l'abolition du service militaire dans de nombreux pays, l'expérience de la guerre ne concerne plus qu'une infime minorité de la population. Nous sommes passés du *warfare state* au *welfare state*. Les activités de l'État se concentrent désormais sur les services à la population, notamment la santé, la sécurité sociale et l'éducation.

Comment expliquer cette transition ? En fait, l'État s'intéresse depuis longtemps au bien-être de sa population. Michel Foucault nous apprend que le développement de l'intervention publique à l'époque moderne est consubstantiel à un discours sur l'« art de gouverner » les hommes. On pense notamment à la création des statistiques, qui, grâce à la technique du recensement, ont permis de mieux connaître mais aussi de mieux « quadriller » la population. Entre le XVIe et le XVIIIe siècle, les registres d'état civil se généralisent et les données sont centralisées : l'Église officielle (comme en Suède) ou l'État (comme en France) disposent désormais d'informations précises sur les naissances, les mariages et les décès, des informations toujours utiles lorsqu'il s'agit de lever une armée, construire une école ou plus simplement s'attaquer à une épidémie. Le cadastre et les statistiques économiques serviront ensuite au calcul de l'impôt sur le revenu. C'est par le truchement des services publics que l'État exerce son contrôle sur le territoire *et sur sa population*.

Cette population adressa en retour l'essentiel de ses demandes politiques à l'État social, exigeant au fil des décennies le droit à la pension et aux soins de santé. Comme le montre Charles Tilly, l'État devient le principal objet des revendications sociales et politiques à partir du XIXᵉ siècle, un rôle somme toute enviable que détenaient auparavant les seigneurs ou les prêtres locaux. L'instruction publique notamment devient une de ses compétences principales, ce qui amènera Ernest Gellner à dire que l'État possède en fait le monopole de l'*éducation* (plutôt que de la violence) légitime.

Pierre Bourdieu parle quant à lui de monopole de la violence *symbolique* légitime. L'État est l'autorité suprême qui permet à ceux qui le contrôlent de nommer les choses. En vertu d'une « magie d'État », on décerne les honneurs (Légion d'honneur, Order of the British Empire), on consacre les titres (lord, très honorable, maître), on distribue les diplômes (doctorat d'État), on orchestre les cérémonies (monuments aux morts, fête nationale), on définit les catégories sociales (chômeur, mineur, aîné, « Indien ») et on détermine les conditions d'obtention de la citoyenneté. C'est aussi l'État qui fonde le droit (définition du mariage, des délits pénaux) et décrète la langue officielle ou la devise ayant cours légal sur son territoire. L'État agit ainsi en véritable ordonnateur de la société. C'est en socialisant les individus à ses propres « principes de vision et de division », plus qu'en les contraignant par la force, que l'État assure sa domination. Mais l'éventualité de la violence brutale, qu'elle prenne la forme d'un enrôlement de force dans l'armée ou d'une peine de prison, demeure toujours présente.

J'ai beaucoup parlé de la France et de l'Angleterre parce que c'est dans ces deux pays que l'État moderne est né. La forme étatique s'est ensuite diffusée au reste de l'Europe, à l'Amérique et au Japon au cours du XIXᵉ siècle, puis dans le reste de l'Asie, en Afrique et au Moyen Orient à la suite de la décolonisation. Cette « importation » de l'État, pour reprendre l'expression de Bertrand Badie, s'est faite par la force mais aussi par l'émulation. Dans certains pays, où la forme étatique a été plaquée sur des structures politiques ancestrales comme le clan ou sur des frontières juridiquement reconnues mais géographiquement artificielles, la greffe des structures politiques et administratives n'a pas pris. Au Congo ou au Soudan, on parle d'« États en déliquescence » parce que, même si sa souveraineté est reconnue par le droit international, l'État ne possède pas véritablement le monopole de la violence légitime. Le contrôle effectif du territoire n'est qu'une illusion : hors des grandes villes, l'autorité de l'État est plus que ténue.

Où va l'État ?

Un débat fait rage en science politique depuis les années 1970 : après avoir occupé une place centrale dans la vie des êtres humains pendant des siècles, jusqu'à parfois en orchestrer l'extermination systématique, l'État est-il voué à disparaître ? Pour certains, les avancées de la mondialisation condamnent l'État à l'impuissance. Celui-ci bat en retraite devant le marché. Déjà, nous dit Susan Strange, on assiste à un « évidement de l'État » qui, s'il conserve certaines de ses fonctions répressives, ne peut plus protéger sa population de l'insécurité économique ou sociale.

Ulrich Beck et Manuel Castells vont plus loin : pour eux, dans une société mondialisée, la forme étatique elle-même est remise en question. L'organisation des sociétés repose aujourd'hui sur des principes, comme le risque, ou des relations sociales, comme les réseaux, auxquels le système hiérarchique de l'État s'applique mal. D'une part, les individus se défient de plus en plus de l'État, qu'ils jugent mal adapté à leurs valeurs émancipatrices ; d'autre part, l'explosion de flux transnationaux (commerce, Internet, mafias) fait que de grandes parties de l'activité humaine échappent *de facto* au contrôle de l'État. Cette forme d'organisation politique paraît donc dépassée par la mondialisation.

Ces prédictions ne sont pas sans fondement : de nombreux gouvernements se sont heurtés aux limites de l'interventionnisme étatique dans un système capitaliste mondial. Mais elles sont aussi discutables. En vérité, l'État est loin d'avoir perdu sa marge de manœuvre économique : les politiques économiques et monétaires comptent encore pour beaucoup dans la richesse des nations. Pour ce qui est des politiques sociales, notons que dans la majorité des pays industrialisés, les dépenses publiques n'ont pas diminué depuis 30 ans. Au contraire. L'État-providence ne semble pas sur le point de disparaître. Le même constat s'applique à la souveraineté territoriale : à quelques exceptions près, jamais dans l'histoire les États n'ont vu leur sécurité aussi peu compromise par leurs voisins. Le droit international s'est chargé de stabiliser leurs frontières, au mépris parfois des populations concernées.

✦

Le XXe siècle fut peut-être l'âge d'or de l'État, mais celui-ci semble encore avoir de beaux jours devant lui. Pour le meilleur et pour le pire, d'ailleurs. Encore aujourd'hui, si l'État constitue dans certains pays le dernier rempart des couches sociales menacées par les transformations économiques et sociales, son pouvoir immense peut aussi servir aux pires exactions. En Égypte comme en Tchétchénie, ce sont les appareils de l'État qui conduisent la répression politique ou le nettoyage ethnique. La science politique continuera à avoir pour tâche principale de comprendre l'action des États dans toute sa complexité.

Pour aller plus loin :

BADIE, Bertrand et Pierre BIRNBAUM, *Sociologie de l'État*, Paris, Hachette, 1983.

BRAUD, Philippe, *Penser l'État*, Paris, Le Seuil, 2004.

TILLY, Charles, *Contrainte et capital dans la formation de l'Europe: 990-1990*, Paris, Aubier, 1992.

Comment juger du succès ou de l'échec d'une politique ?

Christine Rothmayr

Des cas spectaculaires et parfois tragiques de fiascos politiques – pensons par exemple au récent effondrement d'un viaduc à Laval ou encore au scandale des commandites – attirent régulièrement l'attention des médias. Si pour ces cas fortement médiatisés il y a souvent consensus sur le fait que l'on est face à de véritables défaillances politiques, pour le quotidien de l'activité étatique, le succès ou l'échec d'une politique est un enjeu de débat tant pour les partis politiques que pour les groupes d'intérêts : ce qui est considéré comme un succès par les uns est souvent présenté comme un échec par les autres. Se pose dès lors la question de la détermination des critères objectifs qui permettent de juger une politique. Cette question est au centre des préoccupations de l'évaluation des politiques publiques, pratique qui cherche à apprécier de façon systématique le fonctionnement et les effets d'une politique afin d'améliorer les rouages de l'action publique. Trois difficultés majeures apparaissent à ceux qui se prêtent à l'exercice : Comment mesurer et juger les effets d'une politique ? Comment expliquer l'efficacité, ou l'inefficacité, d'une politique ? Comment mettre en place un processus d'apprentissage qui permettra de corriger les éventuelles lacunes et de rendre l'activité étatique plus efficace ? Le processus d'adoption et de mise en œuvre d'une politique est confronté à trois défis qui correspondent à ces questions : choisir la bonne politique, la mettre en œuvre avec succès, et l'améliorer.

Dans une vision technocratique du processus de prise de décision, pour choisir la bonne politique, il suffit d'analyser le problème et de définir des objectifs à atteindre pour ensuite adopter les moyens adéquats permettant de réaliser ces objectifs. Dans un monde idéal, nous disposerions de toutes les informations et de toutes les ressources nécessaires afin d'effectuer une analyse complète du problème et des solutions envisageables. Cette analyse nous conduirait ensuite à choisir l'option qui maximiserait les résultats par rapport à nos objectifs de départ. Une fois cette politique définie, l'appareil bureaucratique se chargerait de la mettre en œuvre en suivant à la lettre les étapes définies en amont. Une répartition claire de l'autorité, des ressources adéquates, des mécanismes de contrôle ainsi qu'une communication transparente entre les différentes structures organisationnelles seraient les garants de la mise en place des étapes de réalisation. Une fois la mise en œuvre achevée, l'évaluation de la politique s'assurerait que les objectifs auraient bien été atteints et permettrait aux fonctionnaires d'apporter les corrections révélées nécessaires. Ainsi que nous allons le montrer dans la suite de ce chapitre, cette vision technocratique ne correspond pas à la réalité des processus de décision, de mise en œuvre et d'évaluation d'une politique publique. La réalité politique est nettement moins ordonnée et caractérisée par une rationalité bien plus limitée. Revenons plus en détails sur les trois défis pour l'évaluation des politiques publiques que nous avons évoqués dans l'introduction.

Défi n° 1 : Choisir la bonne politique

En premier lieu, la question se pose de savoir comment certains enjeux accèdent au statut de problème *politique* à résoudre. La science politique aborde cette question sous l'angle de l'émergence et de la mise à l'agenda politique d'un enjeu. La formulation d'un besoin d'action publique fait partie du jeu politique. Afin d'initier une intervention publique, le problème doit d'abord être identifié (*naming*), les causes et les responsabilités doivent être attribuées (*blaming*) et la nécessité d'un changement doit être articulée (*claiming*). Les stratégies que les différents acteurs utilisent en vue de cadrer un enjeu de manière à retenir l'attention des décideurs et des médias jouent un rôle crucial dans cette phase d'émergence des problèmes politiques. Les efforts pour contrôler l'agenda politique peuvent autant viser à initier un processus de décision en vue de la résolution du problème que tendre à contrecarrer les efforts d'acteurs aux intérêts opposés et à bloquer l'accès à l'agenda. En prenant en considération tous ces éléments, il devient évident que la manière dont le débat s'organise influence considérablement le choix des mesures à prendre. En d'autres termes, la structuration du débat prédéfinit le registre de solutions qui seront considérées. Il arrive toutefois que le débat mène finalement à l'absence de décision ou à une lenteur excessive dans la réponse de l'État. Prenons par exemple le cas du sang contaminé. Dans plusieurs pays, les gouvernements se sont vus reprocher de ne pas être intervenus suffisamment tôt auprès des organisations en charge de la gestion des dons de sang pour empêcher la contamination au VIH et les décès qui s'en suivirent.

Le choix de répondre ou non à un problème est tributaire de cette phase cruciale de la mise à l'agenda. Ce processus est, en outre, caractérisé par une rationalité limitée. Herbert Simon, économiste lauréat d'un prix Nobel, a développé l'idée de la rationalité limitée dans les années 1950. Selon Simon, la réalité de la prise de décision au gouvernement et au sein de l'administration ne correspond pas à l'idéal d'une rationalité parfaite. La formulation d'une politique ou d'un programme est fortement influencée par le fait que les capacités cognitives sont limitées, que les ressources ne sont pas infinies, et qu'elles sont restreintes également par le cadre institutionnel et le jeu partisan. Les connaissances sur les possibles solutions sont très souvent incomplètes et fragmentées. L'attention ne peut être dirigée que vers un nombre limité d'objets et les différentes facettes d'un problème ne peuvent être traitées dans leur globalité, mais le sont plutôt de manière séquentielle, les unes après les autres. Dans ce cadre de capacité cognitive limitée, la tentation est forte de se tourner vers les solutions déjà mises en place. Ainsi que Simon l'a montré, on pourrait dire qu'au lieu de chercher la solution optimale qui réaliserait entièrement les objectifs, on cherche davantage à obtenir un résultat satisfaisant qui s'approcherait suffisamment de l'objectif visé. Ainsi, les processus de formulation des politiques publiques sont souvent perçus comme des processus incrémentaux, durant lesquels on cherche à améliorer les choses, sans pour autant se livrer à une analyse exhaustive de la question.

Le processus de formulation de l'action publique est également tributaire du cadre organisationnel. Le cadre institutionnel – ainsi que les politiques publiques déjà mises en place – ne fixent pas seulement les règles du jeu politique, mais incarnent également les normes et les valeurs qui influencent le comportement des acteurs. Par exemple, un ministère ou une agence peut développer une culture et une identité distinctes, qui auront à leur tour un impact spécifique sur le comportement des fonctionnaires ainsi que sur les solutions que ces derniers seront prêts à considérer.

Il faut aussi noter que dans le domaine de l'analyse des politiques publiques, l'idée selon laquelle gouverner signifie résoudre des problèmes est contestée. La formulation des politiques publiques peut aussi être comprise comme la gestion de conflits de valeurs et d'idéologies, et comme la résultante de la distribution inégale de l'exercice du pouvoir entre les différents protagonistes du champ politique. Dans cette perspective, ce sont des visions contradictoires du rôle de l'État et de la forme de l'action publique qui façonnent la formulation des politiques publiques. Pour comprendre les choix de politiques publiques, il faut savoir quels sont les groupes qui articulent le mieux leurs intérêts dans les différentes arènes politiques.

En combinant les différentes perspectives discutées jusqu'ici, on pourrait dire que même si nous percevons la formulation des politiques publiques comme étant la recherche de solutions à un problème, ce processus est fortement influencé par le cadre organisationnel, par les limites des capacités cognitives et par la compétition entre les différentes visions du monde qui influencent la définition du problème et le registre de solutions envisageables. Les causes qui expliquent qu'une politique ne produit pas les effets souhaités peuvent apparaître dès le moment du choix des objectifs à atteindre. Cependant même un «bon choix» n'est pas une garantie que la politique soit un succès: il faut aussi réussir sa mise en œuvre.

Défi nº 2: Réussir la mise en œuvre

La littérature qui traite de la mise en œuvre des politiques publiques a attiré l'attention sur le fait qu'il existe souvent une différence considérable entre la conceptualisation d'une politique, par les élus et par l'administration, et sa mise en œuvre concrète par les responsables et les fonctionnaires sur le terrain. En réalité, la mise en œuvre est une phase aussi politique que la mise à l'agenda et la formulation d'une politique. Une politique ne formule pas toujours ses objectifs de manière précise. Les ressources allouées ne permettent pas toujours de mettre en œuvre l'ensemble des mesures prévues et la mise en œuvre ne se déroule pas au sein d'une hiérarchie bureaucratique claire, mais plutôt au sein de réseaux composés d'acteurs multiples dont les intérêts ne sont pas nécessairement convergents. Il serait ainsi erroné de présumer que la mise en œuvre ne se résume qu'à une traduction mécanique et fidèle des décisions prises en amont.

La mise en œuvre se déroule dans le cadre de réseaux d'acteurs qui comprennent non seulement les acteurs étatiques des différents niveaux hiérarchiques, mais également les groupes cibles de la politique, c'est-à-dire les clients ou bénéficiaires, ainsi que toutes les parties prenantes qui collaborent dans la mise en œuvre et visent à l'influencer. La mise en œuvre doit donc être plutôt comprise comme la gestion d'un réseau complexe composé d'une multitude d'acteurs provenant de différents champs, et non comme la simple réalisation de décisions prises dans l'arène politique par une hiérarchie bureaucratique. Les acteurs ne partagent pas la même vision du problème et, de ce fait, ils cherchent à influencer la mise en œuvre concrète de la politique en vue de maximiser leurs intérêts et de faire en sorte que leurs valeurs ou leurs besoins priment.

Pour que la mise en œuvre d'une politique soit un succès, une coopération doit exister autant au sein de l'administration qu'avec et entre les acteurs issus de la société civile. Les compétences et les connaissances des acteurs du terrain, par exemple les professionnels, sont bien souvent indispensables pour mieux cibler les mesures et pour apporter des corrections étant donné que ceux-ci entretiennent un contact quotidien avec les groupes cibles de la politique. Leur savoir-faire peut s'avérer crucial pour le succès de l'opération.

Défi nº 3 : Apprécier les effets d'une politique et tirer les leçons appropriées

Dans une vision rationnelle des politiques publiques, l'évaluation est l'instrument principal du pilotage des politiques vers leur succès, compris en termes d'efficacité et d'efficience. Cependant, de multiples exemples sont là pour montrer que la constatation de l'échec d'une politique ne conduit pourtant pas nécessairement à son abandon ou à son adaptation.

L'évaluation des politiques publiques permet d'apprécier de manière systématique les effets d'une politique ou d'un programme. Il n'est pas évident pour autant d'évaluer les impacts, à court et à long terme, d'une politique. Pour y parvenir, il est nécessaire de pouvoir attribuer précisément les changements constatés – ou le manque d'effets – à la politique évaluée. Or, dans le monde réel, plusieurs autres facteurs peuvent être responsables du changement observé. De plus, la délicate question des critères d'appréciation se pose toujours. Prenons l'exemple de la politique des garderies à 5 $ au Québec. Cette mesure a donné accès à un service de garde de qualité à prix abordable à de nombreuses familles disposant de ressources limitées. Cependant, le nombre de places disponibles n'est pas suffisant et la croissance du réseau des garderies ne parvient pas à satisfaire la demande croissante. Cet exemple démontre qu'une politique peut être la victime de son propre succès. Une telle tendance peut être renforcée par l'introduction d'autres politiques innovantes, et de facteurs extérieurs. Au Québec, la nouvelle politique de congé parental ainsi que l'augmentation des naissances en 2007 accroissent l'engorgement et allongent encore les listes d'attente dans le réseau des Centres de la petite enfance (CPE).

La manière dont l'évaluation scientifique des politiques publiques juge du succès ou de l'échec d'une politique dépend donc des critères que nous appliquons. Pour déterminer ceux-ci, on se fondra souvent sur les objectifs officiels de la politique ou du programme. Mais l'utilisation de ces objectifs pour formuler ces critères n'est pas aussi évidente que l'on pourrait le penser. Une première difficulté réside dans le fait que les buts à atteindre ne sont pas toujours formulés de manière claire. Des objectifs généraux qui sont exprimés par des termes comme « augmentation » ou « amélioration » dans les plans d'action laissent énormément de marge de manœuvre dans l'appréciation des effets. Une deuxième difficulté est liée au fait que la politique évolue au fil de sa mise en œuvre, ce qui entraîne la formulation de nouveaux objectifs ou la modification des objectifs initiaux. Dans une telle situation, l'évaluateur doit prendre comme référence non pas les objectifs initiaux, mais ceux qui auront été articulés durant la mise en œuvre. Finalement, une politique peut avoir des effets qui n'avaient pas été prévus lors de sa formulation, ces effets pouvant être désirables ou indésirables.

Dans le jugement d'une politique, plusieurs cas de figure sont donc possibles : une politique peut produire ou non les effets visés, elle peut ne pas réaliser les buts prévus mais démontrer, en revanche, des effets positifs non envisagés initialement, ou encore, elle peut produire des effets non voulus négatifs qui viendraient faire contrepoids aux effets souhaités. La manière dont ces différents types d'effets sont pondérés fait qu'une politique peut être considérée à la fois comme un échec par certains et comme un succès par d'autres. Dans la pratique de l'évaluation, l'attribution de la responsabilité du jugement final sur le succès d'une politique reste débattue. Certains modèles d'évaluation attribuent clairement ce rôle à l'évaluateur, d'autres proposent plutôt une collaboration entre les parties prenantes et les évaluateurs, quand d'autres encore proposent de laisser le jugement aux seules parties prenantes impliquées dans l'évaluation.

Beaucoup d'espoirs ont été fondés sur l'évaluation comme instrument d'amélioration des politiques gouvernementales, mais cet enthousiasme a rapidement refroidi quand on a constaté que de nombreuses évaluations restaient lettre morte. L'utilisation d'une évaluation dépend, d'une part, de sa qualité et de son contenu, et d'autre part, de son contexte politique. Mais une bonne évaluation n'offre aucune garantie en tant que telle que ses résultats seront utilisés pour améliorer la politique concernée. Les motivations pour réaliser une évaluation ne tiennent pas toujours à la volonté de mesurer la performance d'une politique : l'évaluation peut également être commandée pour des raisons purement stratégiques. En effet, elle peut servir divers buts politiques : mobiliser un soutien en faveur d'un projet, ou au contraire, susciter une opposition, augmenter la légitimité générale d'un programme, ou encore justifier une décision *ex post*. Dans tous ces cas de figure, l'intérêt principal est autre que l'amélioration de la politique évaluée. Des résistances organisationnelles peuvent en outre empêcher l'utilisation effective d'une évaluation, et il ne faut pas non plus sous-estimer l'attachement personnel des responsables ou des acteurs de terrain à leur politique, aux pratiques routinières et aux valeurs sous-jacentes. En somme, une organisation peut avoir des préoccupations (dont parfois celle de sa survie même) qui l'emportent en importance sur les effets de la politique menée. L'évaluation des politiques publiques se fait ainsi dans un contexte éminemment politique, et ses résultats ne constituent qu'un facteur d'influence parmi d'autres dans la prise de décision.

La réponse à notre question de départ dépend fortement de la manière dont la formulation et la mise en œuvre des politiques publiques sont conceptualisées. Derrière la question de l'échec des politiques se cache l'idée que choisir une politique suit une logique de résolution de problèmes «réels» à l'aide d'instruments adéquats. S'il ne faut pas renier cette idée, il faut cependant nuancer celle d'une rationalité parfaite et d'une vision apolitique du processus de la formulation, de la mise en œuvre et d'évaluation d'une politique. La solution parfaite qui produit tous les changements visés n'existe probablement pas. La formulation et la mise en œuvre des politiques publiques sont tributaires du jeu politique, dès qu'émerge un enjeu, puis tout au long des phases de mise à l'agenda, de formulation, de mise en œuvre et d'évaluation. Les valeurs et les intérêts véhiculés par les acteurs impliqués, la distribution inégale de pouvoir et des ressources et la formation des coalitions et de liens de collaboration influencent les décisions, tant dans l'appareil administratif que dans les arènes gouvernementale ou parlementaire. Dans un contexte de ressources limitées et de connaissances imparfaites, les solutions adoptées auparavant ainsi que les routines déjà mises en place permettent d'agir, sans recourir à une analyse exhaustive du problème et des solutions envisageables. Finalement, à ces problèmes directement liés au processus d'élaboration des politiques publiques, vient se rajouter le fait que les événements ne sont pas tous prévisibles ou contrôlables, ceci particulièrement dans un monde où les politiques nationales s'insèrent dans un contexte d'interdépendance mondiale croissante.

Pour aller plus loin :

Howlett, Michael et M. Ramesh, *Studying Public Policy. Policy Cycles and Policy Subsystems*, 2e édition, Oxford, Oxford University Press, 2003.

Kusek, Jody Zall et Ray C. Rist, *Dix étapes pour mettre en place un système de suivi et d'évaluation*, Montréal, Éditions Saint-Martin, 2006.

Ridde, Valery et Christian Dagenais, *Théories et pratiques en évaluation de programme. Manuel d'enseignement*, Montréal, Les Presses de l'Université de Montréal, 2008. (à paraître)

Le Canada est-il une fédération territoriale ou multinationale ?

Gérard Boismenu

La vie politique canadienne est, pour une large part, charpentée par ses institutions. Le fédéralisme joue un rôle primordial. On sait que ce système a généralement été retenu comme choix constitutionnel dans des situations où le compromis politique tente de dépasser – tout en ne résolvant pas – des oppositions ou des confrontations relevant, par exemple, d'une oppression nationale, du morcellement des espaces économiques, de l'hétérogénéité de la classe dirigeante, des rivalités religieuses, ou de la rigidité des institutions politiques antérieures à la création du nouvel État. Le Canada n'échappe pas à ce genre de situation. Le compromis politique canadien est à la source d'un fédéralisme qui a posé des balises à la vie politique, fourni une interprétation des règles et retenu de grandes références au fonctionnement des institutions.

Il serait vain de chercher à en rendre compte de façon systématique, mais il importe de garder à l'esprit certains « fondamentaux » pour décortiquer et situer l'évolution des débats et comprendre le parcours suivi dans la période actuelle. Je vais brosser à grands traits les conceptions du fédéralisme canadien et la capacité d'élaborer des compromis sur ce terrain. Je reviendrai sur les questions régionale et nationale, tout en montrant que si les balises politiques du fédéralisme canadien sont ébranlées, on en vient à tenir les éléments ensemble sans pour autant présider à de grands gestes fondateurs. D'où l'absence de solution durable aux problèmes structurels du fédéralisme canadien. Ce n'est pas faute de propositions venant d'intellectuels du Canada hors Québec notamment pour sortir de l'impasse, mais l'ouverture préconisée est à contre-pied de l'univers du discours politique dominant par lequel on a interprété la réalité canadienne et défini le champ restreint des options touchant le fonctionnement des institutions et des acteurs.

Modèles de référence pour le fédéralisme

Brutalement, on peut poser la question dans les termes suivants : la compréhension de la diversité sociale canadienne et la conception du fédéralisme comme régime politique font-elles référence essentiellement à une base territoriale ou assimilent-elles la dimension multinationale ?

Le fédéralisme territorial ignore les minorités nationales sub-étatiques et n'a pas pour objet de leur donner droit de cité par l'autodétermination ; il consiste plutôt à distribuer sur une base régionale le pouvoir au sein d'une seule nation. Le modèle du fédéralisme multinational prend, lui, plutôt appui sur la reconnaissance de la réalité des minorités nationales et tend à rendre compte de leurs aspirations à l'autodétermination comme majorité localement désignée.

Ces deux conceptions du fédéralisme inspirent des cultures politiques parallèles qui ont marqué l'histoire politique des deux communautés nationales au Canada. La seconde version est, pour la société québécoise, une composante des mythes fondateurs de l'État canadien, mais elle reste marginale au Canada anglais. Au sein de cette dernière communauté nationale, le fédéralisme territorial occupe presque toute la place comme modèle, d'où l'insistance sur l'égalité des provinces, la revendication d'un Sénat calqué sur celui des États-Unis, etc. À l'opposé, un fédéralisme multinational, qui cherche à satisfaire le besoin d'autonomie de minorités nationales dûment reconnues, se permet l'« audace » de la reconnaissance de capacités d'action spécifiques aux institutions où elles sont majoritaires, ce qui signifie, d'une façon ou d'une autre, une forme de statut particulier.

Ces conceptions du fédéralisme débouchent sur une position discordante à propos de l'asymétrie au sein du fédéralisme. Cela dit, le thème de l'asymétrie vient aussi par un autre détour : la restructuration du territoire canadien dans son insertion dans l'espace continental et mondial.

Diversité !... vous dites ?

Dans une perspective multinationale, le Canada est compris comme une société qui a historiquement constitué en son sein des communautés nationales qui entretiennent des relations complexes et marquées du sceau d'une inégale position dans les relations de pouvoir. La cohabitation de trois nations, le Québec, le Canada anglais et les peuples autochtones, est vue comme le socle de l'hétérogénéité sociale canadienne qui la distingue notamment des autres fédérations. Cette situation particulière tient à l'addition de cas de figure différenciés : d'abord, une communauté nationale prépondérante, ensuite, deux communautés nationales sub-étatiques distinctes par la langue, la culture, l'identité et adhérant à une autre logique d'État – les Québécois et les Autochtones –, qui cherchent à confirmer leurs droits collectifs, et enfin une multiplicité de groupes culturels issus de l'immigration de peuplement.

Le « drame » de la société canadienne tiendrait à l'incapacité de reconnaître formellement cette diversité. État multinational qui, au surplus, est traversé par une multiplicité de composantes culturelles, le Canada est animé de visions différentes de la raison d'être, de la vocation et du fonctionnement du fédéralisme. Une nation sociologique est sujette à réclamer des droits en matière d'autodétermination auxquels ne peuvent prétendre les minorités culturelles. Ce type de revendication ne conduit pas fatalement à un dénouement sécessionniste, mais pose des exigences pour le traitement de cette question. La dimension sociologique prend un ancrage spatial, d'autant que la concentration territoriale des communautés nationales n'a fait que s'accentuer, ce qui milite davantage pour la reconnaissance d'une autonomie politique dans le cadre des institutions fédérales. Mais les actions constitutionnelles des dernières décennies sont allées à l'inverse de ces considérations.

Parallèlement, la question régionale reste entière. Elle s'inscrit dans le mouvement plus large de la mondialisation et de la désarticulation de l'espace économique canadien. La libéralisation des échanges exerce une pression soutenue sur le système de représentation et d'échange. Cela est ressenti d'autant plus que l'organisation sociétale se moule historiquement dans un creuset régional et qu'elle refaçonne son profil dans la reconduction d'une dimension régionale contrastée. Le fédéralisme a souvent pour origine une structuration régionale de l'espace qui est répercutée à travers des arrangements portant sur la distribution de la richesse et sur l'insertion à l'ensemble de la société. Or, la nouvelle politique nationale, mise de l'avant depuis le tournant des années 1990, a approfondi l'intégration continentale et a abandonné de façon irréversible la logique spatiale posée en termes d'axe Est-Ouest au profit de l'axe Nord-Sud.

La tendance, qui se manifeste bien au-delà du Canada, va dans le sens de la réduction du rôle de l'État central au profit d'une exploitation du potentiel économique régional et de son insertion dans l'espace Monde, en valorisant les réseaux non seulement économiques, mais aussi sociaux et politiques afin de tirer le maximum d'avantages des interdépendances non commerciales, et ce, dans une logique transfrontalière. Loin de s'éclipser, le territoire devient un important facteur de production et les gouvernements cherchent à élaborer un modèle de développement vertueux à l'échelle régionale. Dans l'économie du savoir, le développement du « capital humain » occupe une place centrale. Au plan des politiques publiques, l'enseignement supérieur, la recherche, la formation spécialisée, le cadre de vie urbain, la santé, la sécurité du revenu sont des ingrédients de première importance dans la mise en place d'un modèle vertueux de développement. Or, au Canada, ces matières sont constitutionnellement d'abord du ressort des gouvernements provinciaux.

Cela donnerait une capacité d'initiative majeure à ces gouvernements, pour peu que le gouvernement fédéral accepte d'être en retrait, ce qui n'est pas nécessairement le cas. Cette tension est au cœur de la dynamique récente des relations intergouvernementales, du moins pour les provinces les mieux nanties. Pour les gouvernements provinciaux, il s'agirait moins de prétendre à de nouvelles compétences que d'exercer celles dont elles disposent pour devenir des acteurs majeurs de la définition des conditions d'insertion favorable dans l'espace économique mondial.

Dans une perspective internationale, on remarque que les nations sans État, loin de se résumer à un système régional de production, présentent une configuration sociale caractérisée par le partage d'une identité, d'une culture et d'une langue, et encline à la solidarité et à l'intégration sociale. Sans que ce soit inéluctable, ces dimensions peuvent contribuer à une insertion favorable dans l'espace économique internationalisé, ce qui donne toute son importance à la capacité réelle de mettre en œuvre une intervention publique régionalisée tirant le maximum de bénéfice de cet espace social auquel fait référence une nation sans État. On comprend que cette question revêt une importance particulière pour le Québec.

L'asymétrie maudite

La tension entre les espaces régionaux – ainsi que les gouvernements provinciaux – et le gouvernement fédéral en mal d'affirmer son leadership s'exprime dans les relations intergouvernementales et par la résurgence de l'interprovincialisme. Cette tension est exacerbée par l'existence d'une nation sans État, soit le Québec.

La reconnaissance d'un État et d'un fédéralisme, multinational l'un comme l'autre, conduirait à l'acceptation d'une asymétrie dans le fonctionnement des institutions et dans les responsabilités gouvernementales. Qu'on l'accepte de façon pragmatique ou qu'on l'affirme au nom des principes fondamentaux, cela a relativement peu d'importance ici. Pour plusieurs politologues du Canada hors Québec, le dénouement de l'impasse politique et constitutionnelle au Canada devrait passer par la reconnaissance des différences plurinationales et par une asymétrie non limitée à la seule dimension administrative. Pourtant, on assiste là à une confrontation titanesque entre l'analyse réaliste de la société canadienne et l'univers du discours politique qui définit normativement ce que le Canada doit être et ce qu'il ne sera pas.

Le paradigme constitutionnel et politique qui domine la scène publique au Canada a été façonné dans la foulée des gouvernements Trudeau. Il s'est maintenu depuis ; c'est l'une des principales inspirations qui ont fait échec aux entreprises constitutionnelles successives de 1987 à 1992, et cela reste l'étalon qui permet d'apprécier toutes les propositions de réformes. Cette orthodoxie enchâssée constitutionnellement mobilise de nombreux alliés, anciens et nouveaux.

Un postulat qui s'inscrit dans une tradition déjà ancienne affirme que l'État canadien n'a pas à refléter la société dans sa fragmentation et sa complexité, mais qu'il doit plutôt incarner un projet, un devenir, et prendre les moyens pour que le parcours de la société s'inscrive dans ce projet qu'on lui assigne. Les débats qui ont animé plus de quinze ans de confrontations de toutes sortes ont permis de diffuser largement ces principes politiques qui définissent la nation canadienne. Refusant le dualisme et l'idée de la multinationalité, ce paradigme table sur le multiculturalisme et rejette tout recoupement entre la nation sociologique (le Québec en particulier) et les institutions politiques, avec l'octroi d'un niveau de pouvoir ou de compétences législatives particulières. Les gouvernements provinciaux ne peuvent prétendre à quelque spécificité que ce soit, ni attendre une asymétrie dans la répartition des compétences. La nation canadienne est unique et l'État fédéral canadien l'incarne dans ses intérêts supérieurs; le Canada reconnaît deux langues officielles, valorise le multiculturalisme et souscrit à des droits individuels inscrits dans une Charte des droits de la personne.

Ce paradigme se veut un antidote à l'idée d'un État fédératif multinational et prétend offrir un univers discursif définissant les principes de l'entité politique canadienne et mettre au pas cette société francophone discordante qu'est le Québec. Quoique cette réponse aux revendications se veuille décisive, le débat n'a eu de cesse même si les voies pour y répondre sont bloquées.

La question régionale s'exprime dans les prises de position de certains gouvernements provinciaux et motive leurs stratégies dans l'évolution des relations intergouvernementales, mais ce sont les enjeux reliés à la multinationalité au Canada qui ont été à l'origine de deux vaines tentatives de modifications constitutionnelles (les accords du lac Meech et de Charlottetown). Ces tentatives ont provoqué l'expression d'une opinion publique réfractaire et de groupes d'intérêts protecteurs du *statu quo* inspirés par l'orthodoxie libérale. Celle-ci a le mérite d'exprimer une conception du Canada qui rend compte des intérêts bien sentis d'une grande frange de la population. Il faut y voir aussi le refus ou l'incapacité des Canadiens anglais de se percevoir comme une nation au sein d'un Canada multinational.

Des verrous bien posés

La rhétorique est implacable. Il ne saurait y avoir qu'un fédéralisme territorial au Canada qui pose l'égalité de statut juridique des provinces comme une vertu cardinale pour rendre compte d'une différenciation régionale, au sein d'un État national définissant des droits qui ne peuvent qu'être individuels. L'État multinational et une certaine asymétrie qui lui serait associée sont rejetés d'emblée, par principe et en pratique. L'inspiration essentielle du rêve canadien est une nation canadienne, réductible à des individus porteurs de droits et participant d'une diversité culturelle – multiple à souhait –, avec un État qui incarne la nation et qui accommode la diversité et le partage de la richesse par un fédéralisme territorial. Sur cette base, le fédéralisme canadien est verrouillé de l'intérieur.

Après la secousse et la frousse provoquées par le résultat extrêmement serré du référendum d'octobre 1995, les réactions ont visé davantage les maladresses des dirigeants politiques canadiens que le constat d'une crise devant mener à des solutions faites de concessions sur la conception de la vision canadienne. La question s'est posée davantage dans les termes suivants : comment s'assurer de ne plus avoir à subir un tel choc en mettant au pas ces « irréductibles Québécois » ?

L'opinion publique canadienne est peu encline au compromis. Les propositions des universitaires pour un fédéralisme multinational n'ont aucun impact sur le cours des choses. Ce sont deux univers discursifs parallèles. On peut imaginer qu'il s'agit d'un décalage essentiellement temporel qui devrait se résorber. Pourtant, rien ne laisse pressentir la fin de ce parallélisme. Le gouvernement conservateur actuel ne permet pas de grande percée car même sa référence récente à la nation québécoise est restée totalement inoffensive, parce qu'inopérante.

Si l'univers du discours et de la pratique politiques montrait une ouverture à la reconnaissance de la multinationalité au Canada, la période actuelle en serait sans doute une de renouvellement du fédéralisme, avec une inclusion du partenaire québécois dans la restructuration de l'État social. Il n'en est rien et, politiquement, on voit mal comment les choses pourraient changer. Pour autant, le Canada ne cède pas à l'inertie. Il importe de saisir les éléments qui construisent la nouvelle dynamique intergouvernementale et l'évolution des formes du fédéralisme.

Une nouvelle dynamique intergouvernementale ?

Revenons sur les enchaînements. Au cours des années 1990, le premier ministre fédéral emprunte la voie non constitutionnelle pour apporter une réponse aux tensions des relations intergouvernementales (indépendamment du Québec) et essaie de faire la démonstration du dynamisme des institutions. Le renouveau exclut l'asymétrie institutionnelle de même qu'une décentralisation des pouvoirs. Les relations fédérales-provinciales participent d'un fédéralisme de collaboration et s'inscrivent dans la démarche de la nouvelle gestion publique, axée davantage sur les résultats que sur les prémisses, dans la définition des initiatives politiques ou des programmes. Les compressions radicales des transferts financiers vers les provinces ont attisé le ressentiment des premiers ministres à l'égard d'Ottawa et stimulé leur esprit d'initiative dans les revendications qui, si elles sont monétaires, en viennent vite à s'interroger sur le rôle que prétend jouer le gouvernement fédéral.

L'interprovincialisme se heurte au déséquilibre régional et à l'idée de la préséance de l'État fédéral. Il n'empêche que l'esprit d'initiative provincial persiste, comme le montre l'action qui a mené à la déclaration de Calgary, à l'Entente sur l'union sociale, mais aussi à la mise en place du Conseil de la Fédération en 2003. Mais est-ce suffisant pour imaginer un renversement de la dynamique fédérale-provinciale au profit des provinces?

Deux conceptions de la distribution des compétences s'affrontent. Au Canada, on convient traditionnellement que le principe fédéral est fondé sur la séparation des compétences et sur la souveraineté législative de chaque ordre de gouvernement (principe capital pour le Québec). Mais, de plus en plus, on est enclin à considérer que le partage est surtout indicatif et que la collaboration est de mise, non seulement dans la conception mais aussi dans l'application des politiques. Cette vision des choses tend à devenir hégémonique et s'exprime fort bien dans l'Entente sur l'union sociale.

Que faut-il en penser? On peut considérer que les dix dernières années ont assuré des conditions permettant aux gouvernements provinciaux de gagner en impact dans les processus politiques et dans les décisions stratégiques en termes de politiques publiques. Ou, autrement, on peut souligner l'activisme politique du gouvernement fédéral et ses gains stratégiques pour la redéfinition du fédéralisme: la codétermination et le fédéralisme collaboratif ne constituent en rien une capitulation, car, au contraire, ces principes lui accordent une place centrale dans tous les secteurs et permettent de repenser le fédéralisme à l'aune des «compétences partagées». Une dynamique nouvelle est impulsée. Sa situation financière nettement avantageuse, de même que sa place dominante dans les processus de prise de décision donnent sans conteste au gouvernement fédéral un avantage d'initiative.

Qui plus est, la Cour suprême, avec l'«interprétation évolutive du fédéralisme», considère que le partage originel des compétences joue un rôle plutôt indicatif, ce qui donne lieu à une interprétation permissive des actions fédérales. Ajoutons que si le Conseil de la fédération peut permettre d'amplifier la force relative des provinces, il peut tout aussi bien jouer en sens contraire. À partir du moment où l'on discute de redistribution de la richesse, le clivage entre les provinces nanties et les autres compromet toute entente entre les provinces elles-mêmes, ce qui fait la démonstration publique de leur dissension et laisse l'initiative au gouvernement fédéral (pensons aux questions du déséquilibre fiscal et de la péréquation). De même, des désaccords devraient faire jour lorsque viendra le temps de discuter de la forme de fédéralisme souhaitée et du degré d'autonomie réelle des provinces à l'égard du gouvernement fédéral.

Une marginalité permanente ?

Depuis une dizaine d'années, le gouvernement du Québec oppose un refus quasi constant aux divers accords – notamment en matière sociale –, qu'ils prennent la forme d'une entente, d'une déclaration, d'une procédure de reddition des comptes, etc. Au-delà de l'allégeance partisane des gouvernements, cela traduit une opposition plus générale au genre de fédéralisme pratiqué. Le modèle de l'État national, le fédéralisme de régions, l'hostilité à l'asymétrie, la conception d'un fédéralisme à compétences partagées et donc celle de la codétermination et le fédéralisme collaboratif, tous ces éléments transparaissent dans les convergences dégagées au cours des dernières années. Sur ces questions, quelles que soient leurs formes particulières d'expression, il y a antinomie avec la position du gouvernement du Québec.

Les autres gouvernements, fédéral et provinciaux, se sont fait à l'idée que le Québec n'est pas partie prenante aux consensus, et ils apprennent à banaliser cette situation. Cet isolement est perçu par certains commentateurs comme si, de fait, un statut particulier pour le Québec était en train de s'établir. Or, on imagine mal comment ce qui s'affirme dans des termes opposés à ceux soutenus par le gouvernement du Québec (qui sont : société québécoise distincte ou apparentée, fédéralisme « multinational » et asymétrique, partage strict de compétences ou droit de retrait avec compensation) puisse conduire les mêmes interlocuteurs à consentir, par le seul poids de l'habitude, à un traitement particulier.

Le retrait du Québec ou sa marginalisation permettent aux gouvernements du Canada anglais de définir ou d'actualiser une conception de la société canadienne, du fédéralisme, de son processus de prise de décision et de la dynamique intergouvernementale qui lui sied. Cela ne va pas sans tensions, non seulement d'un niveau de gouvernement à l'autre ou entre gouvernements provinciaux, mais les convergences dominent. Que l'on s'éloigne des perspectives québécoises ne fait pas de mystère, mais il n'empêche que c'est cette direction qui est prise.

Plutôt que dire que le statut particulier est en train de s'imposer fatalement, on pourrait soumettre une toute autre lecture, celle de l'« insoutenable lourdeur de l'état de fait politique ». On peut très bien imaginer que la confirmation d'un fédéralisme de compétences partagées, collaboratif, symétrique et de région – dont la Cour suprême ne pourra que prendre acte –, de même que les pratiques intergouvernementales qui en découlent pèseront de tout leur poids lorsque viendra le temps de mettre un peu d'ordre dans la maison canadienne. Le temps passant, on ne peut exclure que, à la faveur d'une forte capacité d'initiative politique du gouvernement fédéral ou d'un revirement politique au Québec, le gouvernement soit amené à concéder que cette guerre de résistance est sans issue et, ce faisant, que le modèle aujourd'hui en développement, puisse devenir la pierre d'angle du nouveau fédéralisme canadien.

Pour aller plus loin :

BOISMENU, Gérard, « L'instrumentalisation de la NGP dans le réinvestissement dans l'État social au Canada », dans JENSON, Jane, Bérengère MARQUES-PEREIRA et Éric REMACLE (dir.), *La citoyenneté dans tous ses états*, Montréal, Les Presses de l'Université de Montréal, 2006.

KEATING, Michael, « Stateless Nations or Regional States? Territory and Power in Globalizing World », dans GAGNON, Alain G. (dir.), *Québec. State and Society*, 3e édition, Broadview Press, 2004, p. 391-403.

MCROBERTS, Kenneth, « Conceiving Diversity: Dualism, Multiculturalism, and Multinationalism », dans ROCHER, François et Miriam SMITH (dir.), *New Trends in Canadian Federalism*, Broadview Press, 2003, p. 85-108.

Peut-on faire l'éloge de la girouette ?

Éric Montpetit

À l'automne 1980 s'abattait sur le gouvernement du Parti conservateur britannique une pluie de mécontentement. Les ennuis du gouvernement provenaient de l'opposition de Margaret Thatcher, première ministre, à l'intervention de l'État pour sortir le pays d'une crise économique qui faisait exploser le chômage. La situation n'était pas sans rappeler celle du gouvernement conservateur qu'avait dirigé Edward Heath. Alors qu'aux élections de 1970 le parti avait promis l'adoption d'une politique économique monétariste favorable au libre marché, Heath avait cédé aux pressions, en mettant cette approche de côté dès 1972. À l'automne 1980, il se trouvait plusieurs journalistes et commentateurs politiques pour prédire que le revirement du début des années 1970 était sur le point de se répéter. Les spéculations allaient bon train sur le moment que Thatcher allait choisir pour amorcer un demi-tour semblable à celui de son prédécesseur.

C'est dans ce contexte difficile que Thatcher a prononcé le mémorable discours d'octobre 1980 aux militants de son parti. Rappelant les convictions économiques qui avaient motivé sa décision de succéder à Heath en 1975, elle expliqua à nouveau que la solution aux problèmes du Royaume-Uni passerait par la lutte contre l'inflation, et que les interventions de l'État ne faisaient qu'entraver les mécanismes autorégulateurs du marché. Eux seuls, affirma-t-elle, pourraient avoir raison du chômage. À l'intention de ceux qui spéculaient sur l'abandon prochain de ses convictions économiques, Thatcher eut cette phrase : « *To those waiting with bated breath for that favourite media catch-phrase – the*

U-turn – I have only one thing to say: you turn if you want to; the lady's not for turning[1]. »

Cette phrase est demeurée célèbre et, comme promis, Thatcher a maintenu le cap. En pleine crise, la Dame de fer a freiné la croissance des dépenses de l'État britannique, pour ensuite les réduire rapidement. Durant ses onze années à la tête du pays, elle a privatisé un grand nombre d'entreprises publiques. Malgré l'austérité de ses politiques, elle a donné aux conservateurs deux autres victoires électorales, l'une en 1983 et l'autre en 1987. Ce discours et la fermeté des convictions de Thatcher ont marqué la culture politique du monde occidental. Aujourd'hui, un politicien qui change d'avis en cours de mandat est rapidement discrédité. On dit de lui qu'il est une girouette; que ses convictions sont aussi durables que la direction du vent. John Kerry, candidat défait à l'élection à la présidence des États-Unis en 2004, a sans doute été la plus grande victime de cette culture politique. Ses adversaires ont saisi toutes les occasions médiatiques pour lui prêter l'attitude d'une girouette (*flip-floper*). Pourtant, le seul tort de Kerry aura été de s'être montré hésitant à propos d'enjeux politiques particulièrement complexes (la recherche sur les cellules souches notamment).

La fermeté des convictions et la ligne droite sont-elles les seules attitudes légitimes en démocratie? Ne pourrait-il pas être acceptable que les gouvernants admettent, à l'occasion, avoir changé d'avis? Ne sommes-nous pas trop sévères lorsque nous qualifions de girouette un politicien dès qu'il semble avoir changé de position ou donne des signes d'incertitude à propos d'une politique publique? J'avancerai dans ce chapitre que l'attitude de Thatcher n'est pas souhaitable en toutes circonstances; il est certes admirable d'avoir des convictions, mais le fait de ne pas entretenir à l'endroit de celles-ci une certitude aveugle peut aussi être une vertu.

L'idée selon laquelle les revirements d'opinion en politique posent problème provient du raisonnement suivant. Lors d'une élection, les citoyens sont appelés à révéler leurs convictions en appuyant les candidats qui les expriment le mieux. Les élus ont donc l'obligation de gouverner en fonction des convictions qui les ont menés au pouvoir. Si les gouvernants

1. « À ceux qui retiennent leur souffle en attendant la mention de ce "demi-tour" si cher à la presse, je ne dirai qu'une chose: si vous y tenez, vous tournez; la dame n'est pas du genre qui tourne. » (Nous traduisons.)

devaient changer de conviction en cours de mandat et appuyer des politiques qui ne s'y conforment pas, leur autorité ne pourrait que subir un déficit de légitimité. Si les gouvernants devaient changer d'idée comme change le vent, les assises mêmes de l'imputabilité de l'État finiraient par se dégrader. Qui pourrait reprocher aux citoyens leur manque de respect pour la loi si celle-ci devait être aussi imprévisible que le vent ?

Le problème de ce raisonnement est qu'il repose sur une compréhension simpliste du fonctionnement des États démocratiques. L'élection n'agit pas simplement comme un relais de transmission des convictions de la société vers l'État. Les sociétés démocratiques se caractérisent par une pluralité de convictions, et rares sont celles qui reçoivent un appui majoritaire clair et constant de la part des citoyens ; les quelques convictions qui font exception à ce principe sont généralement endossées par tous les grands partis politiques. En tout état de cause, les élections sont autant d'occasions pour débattre d'idées à propos desquelles les citoyens sont divisés, encore hésitants et parfois même indifférents. Les motifs qui mènent les électeurs à voter sont nombreux, n'ayant parfois rien à voir avec les convictions exprimées par les candidats. Pour beaucoup d'électeurs, la personnalité des candidats, leur aptitude à inspirer confiance en particulier, compte plus que leurs convictions.

Tout cela est sans compter les distorsions que créent les systèmes électoraux. Le système uninominal à un tour permet souvent à un parti de gouverner seul en ayant obtenu moins de 50 % des suffrages exprimés. D'ailleurs, ce n'est qu'avec 43,9 % des votes que Thatcher avait pu former un gouvernement majoritaire en 1979. On peut donc difficilement affirmer que la légitimité des convictions économiques qu'elle a réaffirmées lors de son célèbre discours d'octobre 1980 provenait de l'appui des citoyens britanniques. Les systèmes proportionnels, eux, corrigent les déséquilibres, communs dans les systèmes uninominaux, entre les voix exprimées et le nombre de sièges qu'obtiennent les partis. Cependant, ces systèmes encouragent les projets de gouvernement négociés entre les nombreux partis politiques qui ont obtenu des sièges, en vue de former un gouvernement de coalition. Les projets ainsi élaborés gardent les marques du pragmatisme nécessaire pour trouver un terrain d'entente entre des partis aux convictions diverses.

Une compréhension plus réaliste du fonctionnement des États démocratiques permet d'adopter une attitude plus positive face aux changements d'avis des gouvernants. Cette compréhension doit d'abord admettre les limites de l'élection, qui viennent d'être évoquées. Cela exige, en particulier, de reconnaître que les décisions politiques les plus légitimes s'abreuvent souvent à plus d'une source: celle du résultat électoral bien entendu, mais aussi celles du respect des règles de droit et de la justification des décisions en fonction des problèmes qu'elles visent à corriger. Et parfois, des arbitrages doivent être faits entre ces différentes sources de légitimité, ce qui peut amener les élus à accepter des compromis par rapport aux convictions exprimées durant la campagne.

Les politiques publiques sont en constante évolution. C'est-à-dire qu'il est difficile d'identifier de manière précise le début et la fin du processus de leur développement. Chose certaine, le développement des politiques publiques débute rarement avec un mandat gouvernemental. Les politiques publiques sont constamment sous la loupe d'administrateurs, d'experts, de représentants d'intérêts organisés, de citoyens et d'élus. Ces derniers ne sont ni assez nombreux ni assez outillés pour monopoliser, ou même participer à l'ensemble des processus de développement des politiques d'un État moderne. Et si les administrateurs, les experts, le personnel des groupes d'intérêts et les citoyens impliqués ne peuvent prétendre agir au nom de la population, comme le font les élus, leur participation au développement des politiques est néanmoins légitime. Dans leur cas, cette légitimité provient moins d'une fonction de représentation que de leur connaissance d'un problème, laquelle peut contribuer à justifier des choix politiques.

La transposition en politique publique d'une conviction, aussi noble soit-elle, peut en effet se buter à des difficultés que les administrateurs connaissent mieux que quiconque. De même, une politique publique promise par le parti qui remporte une élection peut avoir des effets pervers que les porte-parole des groupes affectés sauront reconnaître les premiers. Enfin, les experts provenant des universités, des *think tanks* ou de l'État savent utiliser différents outils (les plus communs sont la comparaison des expériences étrangères et les méthodes statistiques) pour évaluer les possibilités et les limites des choix qui sont soutenus par les différents acteurs. Mis face à de telles connaissances, l'élu peut en venir à admettre que les politiques qu'il a appuyées par le passé sont difficilement justifiables, soit parce qu'elles causeront plus de tort que de bien, soit parce que tout indique qu'elles n'arriveront pas à corriger les problèmes auxquels elles devaient s'attaquer.

S'il est indéniable que les experts, les administrateurs et le personnel des groupes d'intérêts possèdent des connaissances utiles pour le développement de politiques, il est certain que ces acteurs ne peuvent prétendre posséder la perception synoptique des problèmes qui leur permettrait de connaître *la* solution qui apportera la correction désirée au moindre coût. Les politiques publiques sont donc toujours conçues dans l'incertitude (laquelle variera légèrement d'un contexte à l'autre). Cette incertitude est la raison pour laquelle Charles Lindblom, dès 1959, affirmait que gouverner est plus souvent une marche à tâtons qu'une course en ligne droite vers un but précis. Il est déraisonnable d'attendre des acteurs qui contribuent au développement des politiques publiques, des experts en particulier, qu'ils identifient, par calcul, déduction ou toute autre méthode prétendument précise, une politique qui générerait, à coup sûr, des résultats optimaux. Comme le souligne Giandomenico Majone, le développement des politiques procède plutôt par débats entre des acteurs qui tentent de se persuader les uns les autres de la vérité de leurs convictions. Dans la mesure où l'on conçoit le développement des politiques comme un processus à l'intérieur duquel l'incertitude n'a d'égal que l'intensité des efforts de persuasion déployés, un changement d'avis chez l'un ou l'autre des acteurs n'a rien d'illégitime.

J'irai même jusqu'à affirmer que le changement d'avis est nécessaire. En effet, le développement de politiques est un exercice de persuasion, mais aussi une entreprise de coordination des démarches d'acteurs qui ont des ressources, des expertises et des connaissances différentes, lesquelles peuvent se compléter pour l'atteinte d'objectifs qui resteraient inaccessibles à un acteur seul, incluant l'État. On dit des acteurs impliqués dans ces efforts de coordination qu'ils forment un réseau de politique publique. D'un pays à l'autre, mais aussi d'un secteur à l'autre au sein d'un même pays, la taille des réseaux, leur ouverture aux nouveaux acteurs et leur cohésion sur le plan des idées varient. La coordination des acteurs au sein de réseaux restreints, fermés et cohésifs pose généralement peu de problème. Cependant, parce qu'ils sont peu étendus, les ressources comme les connaissances y sont limitées, ce qui se traduit par le développement de politiques de faible envergure. Ces politiques sont aussi susceptibles de souffrir d'un déficit de légitimité puisque la fermeture des réseaux où elles ont pris forme suggère qu'elles ont le dessein de ne servir qu'un « club » exclusif de citoyens.

Les politiques publiques émergent et se développent donc fréquemment au sein de réseaux plus étendus, qui sont plus ouverts mais moins homogènes en ce qui a trait aux idées. La coordination des acteurs y est, naturellement, un plus grand défi, lequel serait insurmontable si les acteurs refusaient de changer d'avis. S'ils devaient se cramponner à leurs convictions, le développement des politiques serait perpétuellement en situation de blocage, privant la société des avantages que comporte la coordination d'acteurs qui possèdent des ressources complémentaires. La fermeté inflexible des convictions n'admet pas la prise en compte d'arguments convaincants, ni les enseignements issus d'expériences concrètes. En ce sens, les acteurs prêts à entendre des perspectives différentes des leurs, à participer au jeu de la persuasion et éventuellement à changer d'avis, qu'ils soient élus ou non, méritent le respect, puisque sans eux les sociétés seraient vouées à l'immobilisme. Sauf devant les cas manifestes d'opportunisme politique, les taxer d'être des girouettes semble pour le moins injuste, dans la mesure où l'État démocratique ne fonctionnerait pas sans cette souplesse.

A-t-on tort pour autant d'admirer la fermeté avec laquelle Margaret Thatcher a mis en application ses convictions économiques? Oui et non. Non, parce que les politiques keynésiennes, qui faisaient consensus durant les Trente glorieuses, ont atteint leur limite face à la stagflation dans les années 1970. L'approche monétariste, développée par des économistes pro-marchés antikeynésiens, s'est alors imposée aux acteurs économiques comme une alternative sérieuse. Peter Hall prétend que Thatcher a tout simplement embrassé la seule option économique disponible à partir du milieu des années 1970. En d'autres termes, Thatcher s'est trouvée du bon côté dans le jeu de la persuasion, et peut-être l'entêtement était-il davantage présent du côté de ses adversaires qui tenaient à l'approche keynésienne en dépit de son impuissance face à la stagflation.

Une fois au pouvoir, cependant, Thatcher a gouverné comme si ses certitudes monétaristes étaient des vérités révélées. Dans la mesure où son pouvoir lui permettait de le faire, elle a écarté des réseaux les acteurs qui ne partageaient pas ses convictions. Parmi ces derniers se trouvaient des administrateurs, des experts et des représentants de groupes dont les ressources et connaissances auraient été utiles pour le développement de politiques. Si cette contraction des réseaux a facilité l'opération de réduction de la taille de l'État britannique entre les récessions du début des années 1980 et du début des années 1990, elle a aussi limité l'envergure des politiques que le gouvernement conservateur a pu envisager durant cette période.

Il est vrai que l'économie du Royaume-Uni est en forte expansion depuis les années Thatcher. La croissance britannique est supérieure à celle de l'Europe, ce qui contraste avec les années 1970. Le chômage oscillait entre 5 % et 6 % en 2007, contre 12 % au début des années 1980. Ce succès économique – qu'il faut éviter d'attribuer entièrement au monétarisme de Thatcher – a cependant produit son lot d'effets pervers. Les emplois créés depuis les années 1980 sont précaires et peu rémunérés. Le Royaume-Uni détient l'un des plus forts taux de travailleurs pauvres et à temps partiel de l'Union européenne. Durant les années Thatcher, le nombre de personnes vivant dans la pauvreté a augmenté et l'écart avec les riches s'est creusé de manière spectaculaire, de sorte que depuis les années 1990, la société britannique est l'une des plus inégalitaires de l'OCDE. Cette hausse des inégalités a sans conteste envenimé les problèmes sociaux du pays. Sans abandonner l'approche monétariste, Thatcher aurait peut-être pu éviter certains de ses effets pervers si elle n'avait pas écarté des réseaux de politiques publiques les acteurs qui possédaient, en dépit de leurs convictions divergentes, des connaissances utiles.

La force avec laquelle Thatcher exprimait ses convictions laissait à penser que le raisonnement monétariste qui fondait ses convictions reposait lui-même sur des bases extrêmement solides. Durant la période d'insécurité économique du début des années 1980, l'attitude de la Dame de fer a sans doute rassuré plusieurs citoyens britanniques. Il ne faut cependant pas confondre la force d'expression d'une conviction avec sa véracité. Comme les autres politiciens de son époque, Thatcher gouvernait à tâtons ou dans l'incertitude. Thatcher et son entourage, pas plus que les autres acteurs, ne pouvaient prétendre posséder la vision synoptique des problèmes et les capacités cognitives qui leur auraient permis de connaître les solutions optimales. Dans ce contexte, il aurait été courageux et utile d'écouter ceux qui ne partageaient pas les idées thatchériennes et, à l'occasion, de se laisser persuader. Il n'y aurait eu rien d'odieux à ce que Thatcher, en cours de mandat, change d'avis, du moins partiellement, en admettant que l'intervention de l'État, pour éviter un problème ou un autre, était souhaitable.

Malheureusement, la culture politique occidentale tolère mal de tels aveux. Il semble que les politiciens se doivent d'avoir des convictions inébranlables. Si Thatcher avait fait quelques concessions interventionnistes, elle aurait été immédiatement dépeinte en girouette. John Kerry en sait quelque chose.

Pour aller plus loin :

HALL, Peter A., « Policy Paradigm, Social Learning and the Case of Economic Policy-Making in Britain », *Comparative Politics*, vol. 25, n° 3, 1993, p. 275-296.

LINDBLOM, Charles E., « The Science of Muddling Through », *Public Administration Review*, vol. 19, n° 2, 1959, p. 79-88.

MAJONE, Giandomenico, *Evidence, Argument, and Persuasion in the Policy Process*, New Haven, Yale University Press, 1989.

La bureaucratie menace-t-elle la démocratie ?

Denis Saint-Martin

Une autre façon de poser la question serait de se demander si les fonctionnaires manipulent les élus dans l'exercice du pouvoir politique. Que ce soit l'ancien commissaire Zaccardelli de la Gendarmerie royale du Canada qui transmet de l'information contradictoire au parlement sur l'affaire Maher Arar, ou les bureaucrates du ministère du Transport à Québec qui gardent secrets des documents sur l'inspection et la réparation des viaducs, toujours se pose, comme Max Weber l'écrivait il y a près de 100 ans, la question de savoir qui, en démocratie, « domine l'appareil bureaucratique existant ». Dans le jeu de souc à la corde qui les opposerait aux hommes et aux femmes que les citoyens ont choisis pour les représenter, on pense souvent que les bureaucrates finissent en général par l'emporter, à cause de leur expertise, de leur permanence et de leur maîtrise de l'information. De cette croyance découle l'image d'une technocratie où les bureaucrates usurpent le pouvoir légitime des élus, voire celle d'un *Big brother* malfaisant. Mais qu'en est-il en réalité ? La réponse à la question que pose ce chapitre est que nous vivons dans des démocraties bureaucratiques. Loin de constamment la menacer, la bureaucratie est indispensable à la démocratie. Entre l'une et l'autre, tout est question d'équilibre.

Le dilemme de la bureaucratie en démocratie

Après une élection, quand on dit d'un parti politique qu'il « a pris le pouvoir » de quoi parle-t-on au juste ? Ce n'est pas l'élection en tant que telle qui confère le pouvoir mais plutôt la possibilité pour le parti victorieux de s'installer aux commandes de la machine bureaucratique. La centaine de milliers de fonctionnaires à l'emploi du gouvernement, de même que les vastes ressources institutionnelles, matérielles et de savoir, d'expertise et d'information dont dispose l'administration publique, voilà ce qui constitue le fondement du pouvoir des gouvernements dans les sociétés modernes.

Nous vivons dans des sociétés démocratiques où, en théorie, le pouvoir appartient au peuple et à ses élus. Dans la réalité quotidienne cependant, la quasi-totalité des activités touchant la gouvernance des affaires publiques est effectuée par des bureaucrates. Nous, les citoyens, sommes gouvernés, dans une très large mesure, par des fonctionnaires. Et cette réalité pose un dilemme important : en démocratie représentative, la légitimité vient de l'élection, mais personne n'a voté pour les fonctionnaires. Ceux-ci n'ont aucune légitimité démocratique propre. En démocratie, les fonctionnaires ont néanmoins une légitimité indirecte, qui vient de leur apparente subordination à la volonté de ceux qui ont été démocratiquement choisis par les électeurs. C'est au nom du gouvernement élu que les fonctionnaires exercent le pouvoir. Et c'est en vertu de ce principe que les citoyens acceptent, en général, de se plier plus ou moins docilement aux directives émanant de l'administration publique.

Mais si l'on découvre que la bureaucratie n'est pas soumise à l'autorité politique, qu'elle agit en dehors des règles, ou lorsque des fonctionnaires se comportent à l'instar d'un Chuck Guité dans le scandale des commandites, à propos de qui le juge John Gomery a écrit qu'il se voyait « comme un fonctionnaire à part, n'ayant pas à suivre la voie hiérarchique habituelle et échappant aux contraintes normales qui l'auraient empêché d'agir à sa guise », c'est toute la légitimité de l'administration qui s'effrite.

De la même façon, les élus qui forment le gouvernement et à qui l'on a confié le pilotage de l'appareil bureaucratique doivent constamment donner l'impression au public qu'ils en sont les maîtres incontestés. Il n'y a guère d'accusation plus agaçante pour un ministre que de se faire dire par les médias ou les partis d'opposition qu'il a « perdu le contrôle de son ministère ». Il n'est certes pas aisé pour une personne seule de commander une organisation composée de milliers de fonctionnaires, répartis dans des dizaines, voire des centaines d'unités administratives plus ou moins étroitement liées entre elles et distribuées un peu partout sur le territoire. Mais l'élu qui est à la tête d'un organisme gouvernemental peut difficilement admettre publiquement qu'il en a perdu le contrôle, parce que les normes de la démocratie libérale moderne exigent que la bureaucratie soit soumise au pouvoir politique et en soit l'exécutante neutre et compétente. Autrement dit, le jeu politique exige que les élus projettent l'illusion du contrôle bureaucratique. Si l'on parle d'« illusion » de contrôle, c'est que, dans les faits, celui-ci est significativement limité par plusieurs facteurs, dont ceux de l'expertise, de la discrétion et du secret bureaucratiques.

Les contraintes à la direction démocratique de la bureaucratie

Au début du XXe siècle, la plupart des postes de l'administration publique étaient occupés par des amis et des connaissances du parti au pouvoir. C'était encore la grande époque de ce que l'on a appelé le *spoils system* aux États-Unis. Dès qu'un parti remportait les élections, il congédiait les fonctionnaires embauchés par ses adversaires et les remplaçait par ses propres sympathisants. Il y a moins d'une centaine d'années, les partis politiques traitaient encore l'administration publique comme leur propriété. L'administration était alors au service des intérêts personnels et partisans des élus. Elle était politisée, non permanente, largement incompétente, et les salaires et conditions de travail étaient généralement médiocres. Il n'y avait à ce moment pas de véritable différence entre le pouvoir politique et administratif. L'administration toute entière était « avalée » par le politique et les ressources publiques étaient distribuées sur la base de contacts partisans et personnels. Évidemment, la question du contrôle de la bureaucratie par les autorités élues ne se posait pas, car la première était complètement inféodée aux secondes. Il faut noter qu'à ce moment-là, la taille de la bureaucratie et son intervention dans la société et l'économie étaient encore limitées.

Ce n'est qu'après la Première Guerre mondiale, avec l'avènement de la sélection au mérite dans l'emploi public, que l'administration fait la conquête progressive de son autonomie par rapport aux forces politiques. Les partis politiques se retirent peu à peu du processus de nomination des fonctionnaires, ce qui a comme double effet de mettre un terme à leur domination de l'administration et de permettre à celle-ci de se constituer en une sphère d'activités relativement autonome de la politique partisane. Avec l'embauche au mérite, la plupart des postes au sein de l'administration deviennent stables et permanents. En échange de la permanence, les fonctionnaires acceptent de faire preuve de neutralité politique dans l'exercice de leurs fonctions et de servir le gouvernement loyalement et au meilleur de leurs compétences, qu'il soit issu d'un parti ou d'un autre. En même temps, l'emploi au mérite contribue à faire de l'administration un des lieux d'expertise et de connaissances techniques parmi les plus importants au sein des sociétés modernes. C'est alors que se pose la question de la technocratie et celle, connexe, de la capacité des représentants élus à insuffler une direction démocratique à l'appareil bureaucratique. « L'administration bureaucratique signifie la domination en vertu du savoir» nous dit Max Weber. «Et toujours sa domination n'est possible continue-t-il, que d'une manière limitée pour un non-spécialiste: le [fonctionnaire] spécialisé finit le plus souvent par l'emporter sur le ministre non spécialiste dans l'exécution de sa volonté. » Autrement dit, même si la hiérarchie place le ministre dans une position formelle de pouvoir par rapport aux bureaucrates, l'expertise dont ceux-ci disposent peut, informellement, renverser les rôles.

La direction démocratique de la bureaucratie est aussi limitée par l'inévitable marge de discrétion que les bureaucrates exercent dans le processus de mise en place des politiques. La politique publique, comme décision émanant des autorités gouvernementales, est presque toujours le résultat de négociations et de marchandages entre groupes et acteurs qui ont des intérêts ou des valeurs en conflit les uns avec les autres. Dans les sociétés pluralistes comme celles du Québec et du Canada, le choc des valeurs et des intérêts devient presque incontournable. Lorsqu'ils s'assoient autour d'une même table avec les représentants du gouvernement pour trouver une solution à un problème qui les préoccupe tous dans une sphère d'activités comme la santé, l'éducation ou le transport, les acteurs sociaux et économiques, issus de milieux différents, avec des visions du monde divergentes, ont la plupart du temps des positions difficiles à réconcilier. Comment, dans de telles conditions, arriver à un accord qui reçoit le consentement d'une majorité? Par la négociation, le compromis. Plutôt que de chercher à obtenir exactement tout ce qu'ils veulent, les intérêts impliqués dans le développement des politiques mettront de l'eau dans leur vin. Ils dilueront plus ou moins leurs objectifs.

En général, il est plus facile d'obtenir un appui majoritaire lorsque les objectifs sont vagues et généraux ; lorsqu'ils sont ni blancs, ni noirs, mais plutôt situés dans les zones grises. Les politiques des gouvernements sont souvent formulées en termes peu précis car ceci est le prix à payer pour recevoir le consentement d'une majorité – une condition *sine qua non* en démocratie. Les politiques ainsi conçues ne donnent donc pas aux fonctionnaires de directives claires quant à la façon dont ceux-ci devraient s'y prendre pour les mettre en place. La politique ne leur fournit pas un mode d'emploi ou une sorte de carte routière leur indiquant précisément comment faire pour se rendre d'un point A à un point B. C'est dans ce contexte d'incertitude que les fonctionnaires acquièrent un pouvoir discrétionnaire. C'est dans les zones grises, là où la politique ou la loi n'est pas claire – dans l'interprétation qu'ils en font – que les bureaucrates peuvent dégager une marge d'influence que les autorités politiques élues n'ont souvent pas anticipée.

Surtout que cette marge de discrétion qui donne aux fonctionnaires le pouvoir d'orienter la politique gouvernementale dans un sens ou dans un autre s'exerce généralement loin du regard des médias et à l'extérieur des institutions de la démocratie représentative. L'opacité, le secret, qui entourent le processus administratif constituent un troisième facteur limitant le contrôle démocratique de l'appareil bureaucratique. Les fonctionnaires travaillent dans l'ombre et c'est pour cette raison que les parlements ont adopté des lois d'accès à l'information pour forcer les bureaucraties à devenir plus transparentes. Mais comme en témoigne un rapport publié il y a quelques années par le Commissaire à l'information, il n'est pas toujours facile de faire respecter ces lois. Dans un rapport intitulé « Au secours ! » où il lance un cri d'alarme au parlement, celui qui est chargé de faire appliquer la loi sur l'accès à l'information au sein de la bureaucratie fédérale dénonce ce qu'il appelle la « culture générale du secret excessif », de même que le « durcissement inquiétant des attitudes et la résistance accrue » des mandarins aux enquêtes de son bureau.

Impersonnalité bureaucratique et égalité des citoyens

Paradoxalement, bien qu'elle soit menacée par elle, la démocratie ne peut véritablement exister sans la bureaucratie. Dans un régime comme le nôtre, les bureaucrates à l'emploi du gouvernement obéissent à une forme d'autorité impersonnelle et abstraite. Ils obéissent à la hiérarchie et non à une personne. Ils n'obéissent pas à Jean Charest ou à Stephen Harper, mais aux institutions que constituent le poste de premier ministre et le Conseil des ministres. De la même façon, la plupart de règles, services et programmes placés sous la responsabilité des fonctionnaires sont aussi administrés à partir de critères impersonnels. «Impersonnel» veut dire que les règles édictées s'appliquent à tous et n'appartiennent à personne en propre. Cette impersonnalité est souvent source de rigidité dans le fonctionnement de la bureaucratie et de frustration chez les citoyens dans leur rapport avec les services publics. Rigidité parce que la bureaucratie administre des règles strictes, d'application universelle, qui ne tiennent généralement pas compte des particularités ou des circonstances exceptionnelles. Frustration parce que le citoyen dont la situation personnelle ne correspond pas aux règles et aux critères qu'applique la bureaucratie se sent incompris, comme si son identité se réduisait au numéro qu'on lui indique de prendre avant de se mettre en file dans l'attente qu'un guichet se libère.

En même temps, et malgré toute la déshumanisation qu'elle peut engendrer, l'impersonnalité dans l'application des règles par la bureaucratie répond à un principe fondamental de la démocratie: celui de l'égalité des citoyens face à l'administration publique. À l'image de la statue qui représente la justice, la bureaucratie est aussi censée être aveugle en ce qui a trait aux différences sociales, économiques ou culturelles des individus. Devant la bureaucratie, nous sommes – en théorie – tous traités également: nous sommes tous mal traités, serait-on parfois tenté de dire! Que l'on soit issu d'un milieu riche ou pauvre, quelles que soient nos origines, chacun doit prendre un numéro et faire la queue.

Dans un État de droit, le principe de l'impersonnalité dans le fonctionnement de la bureaucratie, à la fois dans ses rapports avec ses maîtres politiques et les citoyens, est d'une importance telle, qu'en général, c'est son non-respect qui est souvent à l'origine des scandales qui secouent plus ou moins régulièrement l'administration publique. Les agences de publicité impliquées dans l'affaire des commandites ont obtenu de lucratifs contrats du gouvernement fédéral non pas parce qu'elles ont été jugées les plus efficaces en fonction de critères de rentabilité, mais parce qu'elles jouissaient de contacts personnels privilégiés au plus haut niveau de l'État canadien. Et presque chaque fois, c'est la même chose qui se produit: le clientélisme, le favoritisme, le népotisme surgissent précisément lorsque les ressources publiques n'ont pas été allouées en fonction de critères impersonnels. Et chaque fois, c'est au nom de la démocratie que les politiciens répondent aux scandales en adoptant de nouvelles lois et de nouveaux règlements qui bureaucratisent toujours plus l'administration.

Le fragile équilibre entre autonomie et subordination

Dans un régime démocratique, l'administration ne doit pas être au service des intérêts personnels et privés des dirigeants politiques, sinon on parle de corruption et de patronage. Pour servir l'intérêt général, l'administration doit jouir d'une certaine marge d'indépendance par rapport à ceux et celles qui détiennent l'autorité politique. Mais en même temps, si elle devient trop indépendante, la bureaucratie risque d'échapper à la surveillance qu'exercent les hommes et les femmes qui siègent au sein des institutions représentatives. Le « problème » de la bureaucratie en démocratie n'est pas celui d'une élite technocratique homogène et unifiée capable d'imposer sa volonté par la seule force de son savoir. Comme la société d'où ils sont issus, les technocrates sont aussi divisés sur le plan politique et idéologique. Le « problème » se situe davantage dans les réseaux informels qui relient les bureaucrates aux groupes d'intérêts influents et où la décision résulte de dynamiques internes à ces réseaux, plutôt que de préférences débattues publiquement dans les institutions politiques.

La bureaucratie doit être relativement autonome, mais en même temps soumise à l'autorité politique. Il doit y avoir un équilibre entre l'autonomie de l'administration et sa subordination politique à l'endroit des élus. En démocratie, c'est cet équilibre qu'il faut constamment tenter de maintenir. Mais cela n'est pas facile. D'un côté, les politiciens sont souvent tentés d'utiliser les ressources gérées par l'administration à des fins personnelles et partisanes ; de l'autre, les bureaucrates sont souvent tentés de se couper le plus possible du processus politique, car ils le perçoivent comme source d'irrationalité et d'inefficacité.

Pour aller plus loin :

Commissaire à l'information, *Rapport annuel au Parlement*, Ottawa, 1999-2000.

Commission d'enquête sur le programme des commandites et les activités publicitaires, *Qui est responsable? Rapport factuel*, Ottawa, Ministère des Travaux publics et Services gouvernementaux, 2005.

Weber, Max, *Économie et société/1. Les catégories de la sociologie*, Paris, Plon, 1971.

Pourquoi l'Amérique latine est pauvre ?

Philippe Faucher

Ma fascination pour l'Amérique latine remonte à un voyage au Mexique en 1970. Au contact d'un foisonnement de cultures qui m'étaient totalement étrangères, j'ai alors compris que je ne savais rien. Loin de me décourager je me suis entêté, en m'intéressant d'abord au Pérou, puis au Brésil. C'est ainsi que je suis devenu un « spécialiste » des régimes autoritaires. Comme l'a avoué le géographe Pierre Monbeig (1908-1987) avant moi, l'Amérique latine m'a rendu intelligent. La question proposée en titre est donc un prétexte, l'occasion de refaire le parcours de mon cheminement intellectuel.

La question est d'ailleurs mal posée, car elle suscite davantage la réaction plutôt que d'inviter à la réflexion. Voyons ! L'Amérique latine n'est pas dépourvue de richesses ! La rebuffade est suivie le plus souvent de l'explication définitive : si l'Amérique latine est pauvre aujourd'hui, c'est qu'elle est victime du pillage des puissances impérialistes. Je maintiens que la question est pertinente parce que l'Amérique latine est pauvre et que les États-Unis sont riches. Comprendre ce phénomène, c'est accéder à une meilleure compréhension des facteurs qui participent aux processus de croissance et de développement. Je soutiens bien évidemment que la réponse est de nature politique. La surconcentration du pouvoir, autrement dit l'absence de démocratie, permet aux plus riches de contrôler les rouages de l'État et d'échapper aux obligations de la redistribution. Malgré la rhétorique, l'Amérique latine n'a pas fait sa révolution. La région vit toujours sous l'ancien régime et le libre marché y est encore vu, dans trop de capitales, comme une menace à l'autorité du prince.

Je ne peux pas consacrer trop de place à expliquer ce que je veux dire par pauvreté ; le sens commun suffira. Tous les débats sur les indicateurs économiques n'y changeront rien : la faim, la maladie, l'ignorance, l'insécurité, la violence sont des signes de misère. Il faut être gavé ou idiot (l'un n'exclut pas l'autre) pour en douter. L'Amérique latine est pauvre. Trop d'enfants meurent en bas âge, un trop grand nombre des survivants de la gastro contractée dans l'eau insalubre des bidonvilles n'iront pas à l'école ou n'y demeureront pas suffisamment longtemps. L'assurance-chômage n'existe pas. L'insécurité est permanente et même si l'on est une victime, il vaut toujours mieux ne jamais avoir affaire à la police. La prise d'otage est devenue un sport qui n'est pas réservé aux riches et aux puissants, c'est pour cette raison qu'il y a des chiens sur les toits des maisons.

Un défaut de naissance

La colonisation est une piste obligée. L'Amérique latine a été vidée de ses trésors par les colonisateurs. La mise en valeur des richesses naturelles (mines, bois, caoutchouc) ainsi que le développement de l'agriculture tropicale et de l'élevage (sucre, café, viande) répondent à la demande des marchés internationaux. Aujourd'hui, les pouvoirs impériaux ont été remplacés par les commerçants puis les banquiers du premier monde. C'est la même logique d'exploitation. C'est la thèse que défend l'économiste Ha-Joon Chang. Il a certainement raison. La concurrence du marché est impitoyable, les joueurs les plus faibles sont éliminés, car les règles ne valent pas pour tous. Mais, alors que l'Amérique latine piétine, d'autres ont appris à maîtriser les règles du commerce international et parviennent à échapper à la « dépendance » qui afflige les pays en développement.

Ce qui caractérise l'Amérique latine coloniale, c'est sans doute l'appropriation brutale de la terre et des ressources par une infime minorité, et l'esclavage pour les autres. Au moment des indépendances, les nouveaux pays ne sont guère plus que des fiefs éparpillés sur un immense territoire. David Landes le souligne, l'indépendance n'a pas été une victoire contre l'idéologie coloniale et le résultat d'une lutte politique, et donc d'un renouvellement des élites. L'indépendance est plutôt le résultat de la faiblesse de l'Espagne et du Portugal et de leurs défaites répétées dans les guerres qui les opposent aux autres pays d'Europe. Chose certaine, l'indépendance laisse intactes les structures de pouvoir implantées par les métropoles.

Après l'indépendance, il faudra encore un siècle pour que l'autorité du gouvernement central soit reconnue, et plusieurs décennies pour que les services de base (police, santé, éducation) atteignent les populations. Mais tout bien considéré, la situation en Amérique latine au XIXe siècle n'est pas très différente de celle que l'on retrouve aux États-Unis, parfois en mieux. Rappelons-nous que de nombreux immigrants ont préféré Buenos-Aires à New York.

Les pays d'Asie, les marchés que l'on dit émergents, infirment la thèse du blocage dans la misère. Le Japon après la guerre et aujourd'hui la Chine montrent que l'on peut conquérir des parts du marché mondial, que les avantages naturels peuvent, avec profit, être remplacés par des avantages acquis. La maîtrise des technologies et du savoir-faire technique remplacent avantageusement les ressources naturelles comme sources de revenus à l'exportation. Ce n'était pas des colonies m'objectera-t-on. C'est un fait, mais alors il y a la Corée, la Malaisie, l'Indonésie, lesquelles, sans être très prospères au lendemain de leur indépendance connaissent un décollage économique impressionnant depuis les années 1980.

Le moment fondateur n'explique pas la pauvreté des populations. Les États-Unis puis le Canada ont été « découverts » par les puissances d'Europe. L'indépendance a scellé les destins des nouvelles nations des Amériques. Aujourd'hui, les États-Unis sont sans doute possible la plus grande puissance, la nation la plus riche du monde ; le Canada ne se débrouille pas trop mal. Les pays d'Amérique latine sont tous très pauvres. Un même phénomène produit une situation et son contraire ; à la réflexion, le passé colonial n'explique rien.

L'État prédateur

L'autre piste, souvent évoquée pour expliquer le retard de l'Amérique latine, considère le rôle de l'État comme agent du développement économique. Le développement industriel s'est amorcé au début du XXe siècle, quand les grands propriétaires terriens enrichis par les exportations vers l'Europe (café, sucre, viande, céréales, bois, minerais) ont investi avec l'aide des gouvernements une partie de leurs profits dans des ateliers de transformation. Pour soutenir la transition vers l'industrie, les investissements dans les infrastructures, les ressources mais aussi leur première transformation (sidérurgie, raffinage), l'énergie, les transports et les communications ont été pris en charge par les entreprises d'État, donnant ainsi naissance à un important secteur public qui n'a cessé, jusqu'aux années 1980, de prendre de l'expansion. L'État s'est accaparé des activités développées ailleurs par le secteur privé. Même le commerce des principaux produits d'exportation (café et minerais de fer au Brésil, pétrole au Mexique, cuivre au Chili) était sous contrôle public, laissant au secteur privé les ateliers de transformation dans les secteurs jugés « non stratégiques ». On assiste à la naissance d'une bourgeoisie d'État, les châteaux des quartiers résidentiels de Mexico, Brasilia, Lima sont autant de preuves de sa vénalité et de son opulence.

L'État « développementiste », comme on le nomme chez les spécialistes, assure la direction du modèle de développement. L'industrialisation se fait par « substitution des importations », ce qui signifie que la production locale est protégée par des tarifs douaniers élevés et des kilomètres de réglementations. L'importation de produits étrangers rendue trop chère, il devient rentable de produire localement. Comme il n'y a pas moyen de pénétrer ces marchés depuis l'extérieur, quelques entreprises étrangères, européennes et américaines, investissent dans les plus grands marchés (Brésil, Argentine, Mexique) et assemblent leurs produits sur place.

Rapidement, les effets pervers de la protection accordée aux « industries naissantes » se manifestent. Protégées de la concurrence, les entreprises vendent cher des produits de qualité inférieure. Les firmes étrangères recyclent leurs vieux équipements dépréciés et offrent aux consommateurs des produits obsolètes. Les lignes de production sont courtes, si bien qu'en l'absence de concurrence et malgré les bas salaires, les coûts de production sont élevés. Les produits de consommation destinés aux riches sont importés. Distinction oblige, on s'habille à Londres, Milan, Paris et New York.

L'investissement local en recherche et développement est à peu près inexistant. Le bilan des entreprises publiques n'est guère meilleur. Fortes de leurs monopoles, elles sont mises à contribution pour financer les dépenses des administrations. Les revenus d'impôts sont insuffisants et la fraude fiscale généralisée. Parce qu'il a besoin de revenus immédiats, l'État néglige les investissements, les services aux usagers sont de mauvaise qualité, alors que les travailleurs/fonctionnaires, bien défendus par des syndicats combatifs, profitent des meilleurs salaires et des conditions de travail les plus avantageuses. Le clientélisme est généralisé : le rôle principal de la fonction publique est de distribuer des faveurs (contrats et emplois) aux alliés politiques. L'épargne est faible, l'investissement insuffisant et le crédit à la consommation inexistant. Les gouvernements font appel aux capitaux étrangers pour financer les dépenses ; les dettes publiques s'accroissent, ce qui augmente la vulnérabilité des économies. La crise du crédit international qui a fait doubler les taux d'intérêts sur les marchés internationaux a provoqué la crise majeure qui éclatera au cours des années 1980 dans les pays majoritairement surendettés.

L'entrepreneurship national n'a que de peu d'occasions de se manifester, coincé entre les multinationales et les entreprises publiques. La politique industrielle consiste à réserver aux producteurs locaux les contrats pour les équipements collectifs. Les entreprises locales dominent la construction civile ou agissent à titre de sous-traitants sous licence étrangère. Les emprunts publics et les fonds de pension des fonctionnaires prennent la relève du commerce pour soutenir le développement du secteur financier. Dans l'ensemble de la région, en flagrant contraste avec les pays d'Europe du Nord, on constate que les bourgeoisies industrielles, pour l'essentiel, ratent leur rendez-vous historique avec la modernité. Parce qu'il concentre tous les pouvoirs, l'État, unique agent de changement, devient la cible de toutes les luttes.

Au début du XXe siècle, des nombreux travailleurs (surnommés hirondelles) provenant d'Italie et d'Europe centrale font la navette d'une récolte à l'autre. Plusieurs se fixent et tentent leur chance dans le Nouveau Monde. Les élites locales, formées en Europe, importent les idées révolutionnaires des mouvements socialistes et anarchistes émergents. Ainsi, c'est très tôt dans son développement que l'Amérique latine est, compte tenu de la nature principalement agricole et primaire de la production et du faible nombre d'ouvriers, soumise aux tensions de la « lutte des classes » et aux appels à la « Révolution prolétarienne ». Appels qui prennent, comme au Pérou, des accents indigénistes. Les travailleurs, réunis dans les villes, obtiennent des dirigeants politiques une reconnaissance précoce qui se traduit par des hausses de salaires et des avantages sociaux substantiels. Il se crée ainsi dans les plus grands pays une « aristocratie ouvrière » mobilisée et encadrée de près par les directions politiques partisanes. Les mêmes qui contrôlent l'appareil administratif du ministère du Travail et autres agences qui prodiguent les services destinés aux syndiqués/militants. En Argentine, au Brésil et au Mexique, cette machine politico-syndicale pèse d'un poids déterminant sur les luttes électorales. Le soutien des syndicats est obtenu moyennant la concession de privilèges importants pour les retraites des cotisants, les soins de santé et un ensemble de services réservés aux membres de cette élite. Plus des trois quarts de la force de travail est exclu et travaille dans des conditions précaires, sans protection.

Ce lien particulier de faveurs et d'appuis réciproques entre les dirigeants politiques et les travailleurs organisés des villes porte le nom de populisme. Il s'agit probablement de la contribution la plus originale de l'Amérique latine à la science politique. Deux noms sont associés à cette période, le président argentin Juan Perón (1946-1955 ; 1973-1974) et le Brésilien Getulio Vargas (1930-1945 ; 1951-1954). Tour à tour dictateurs et démocrates, leur héritage a dominé la vie politique de leur pays pendant l'essentiel de la deuxième moitié du XXe siècle. Hugo Chavez, le président du Venezuela est la réincarnation du populisme dans sa forme la plus classique. Au double plan du développement économique, du renforcement des institutions démocratiques, et du combat contre la pauvreté, cet arrangement s'est avéré catastrophique.

Parce que le pouvoir est concentré

Mais alors d'où vient ce rôle exclusif occupé par l'État ? On constate que le pouvoir des oligarchies n'a jamais été sérieusement contesté, ni à l'épisode de l'indépendance, ni par les forces sociales qui ont surgi en lien avec le processus d'industrialisation. L'inégalité économique n'est que la manifestation d'une inégalité au moins aussi importante de la distribution du pouvoir politique. La démocratie, quand elle existe, demeure précaire.

En synthèse, la bourgeoisie industrielle et financière locale qui prend de l'expansion à partir de l'après-guerre est soutenue et protégée par un État interventionniste. L'appareil politique partisan surdimensionné met en présence, dans une valse ininterrompue d'alliances et de ruptures, les élites régionales (le nord contre le sud, l'intérieur contre la côte, la montagne contre la plaine) et les divers secteurs économiques (l'agriculture contre l'élevage, la production vivrière contre les produits d'exportation, l'industrie contre les services) à quoi il faut ajouter les conflits opposant les travailleurs aux patrons, les pauvres aux riches, et les indigènes à tous les autres. L'instabilité est grande, les gouvernements se succèdent, et l'ambition de quelques généraux, certains conservateurs (Bolivie, Chili, Paraguay), d'autres progressistes (Panama, Pérou), tous nationalistes, sert d'étincelle à des coups de force en cascade. Le mouvement de destruction et de recomposition des alliances est soutenu par un discours nationaliste virulent.

Les alliances sont fragiles. La guerre froide est instrumentalisée par les adversaires qui s'affrontent. La rupture intervient de deux manières. La mobilisation syndicale prend de l'ampleur et les revendications se multiplient. Le discours se radicalise : de rumeur marginale, l'appel à la révolution prend du volume, Cuba fait école et la puissance américaine sert de repoussoir commode. Le nationalisme dominant vire dans le socialisme. Il faut choisir son camp, le dilemme devient tragédie, c'est le socialisme ou la mort. La réaction est brutale, la contestation est écrasée, les syndicats sont mis au pas pour stabiliser les marchés. Les guérillas, plus romantiques que dangereuses, sont décimées. Le bilan de toute cette agitation est particulièrement mince. Les intentions réformistes ne survivent pas aux résistances des élites économiques, aux chantages des détenteurs des capitaux, aux discours conformistes des hiérarchies ecclésiales et aux pressions politiques étrangères.

La démocratie est la première victime de la réaction, et même les modérés sont emportés. L'agitation syndicalo-politique aux accents socialistes, un temps victorieuse, est balayée en Argentine, au Chili et au Brésil par des coups d'État militaires. Plus ou moins destructrice, la réaction autoritaire s'accompagne de répression, de censure, d'insécurité, de violence, d'arbitraire, d'impunité, de chaos politique et d'instabilité économique. Encore trente années de perdues. La paix sociale et économique n'est restaurée que depuis les années 1990 ; la région se remet tout juste de l'épreuve.

La fin de la guerre froide inaugure une ère d'apaisement. Les États-Unis tolèrent plus facilement la rhétorique de gauche. Les régimes militaires sont peu à peu remplacés par des gouvernements civils de centre. Même au Mexique, toujours périphérique à la région, le parti de l'État, le PRI, qui a gouverné sans interruption pendant 70 ans, perd les élections en 2000 au profit du PAN, un parti de droite. La transition se poursuit et la démocratie s'enracine. Au Brésil, les gouvernements civils de droite et de gauche alternent au pouvoir depuis 1985, et appliquent avec persévérance un programme de réforme d'extrême centre. Il en est de même au Chili où la même coalition de centre-gauche est au pouvoir depuis le départ des militaires (1990).

Le problème crucial de la misère et de l'inégalité ne s'en trouve pas résolu pour autant. Après 20 ans de quasi-stagnation (1980-2000), la région a renoué avec la croissance économique. En comparaison avec l'Asie, les taux de croissance demeurent modérés (4 %), tout juste suffisants, compte tenu de la baisse du taux de natalité, pour permettre une légère amélioration du produit *per capita*. L'effet bénéfique des nouveaux programmes sociaux (« Oportunidades » au Mexique, « Bolsa Familia » au Brésil), qui prennent la forme de transferts conditionnels de montants modestes versés directement aux populations les plus pauvres commencent tout juste à se faire sentir. Il n'y a pas seulement la pauvreté qui recule. L'éducation et la santé progressent.

L'amélioration des conditions de vie d'une majorité de la population peut être directement associée à la stabilité politique et au respect des grands équilibres macro-économiques (politique monétaire et fiscale, balance commerciale et dette). Fukuyama et d'autres rappellent cependant que les dirigeants politiques de la région, dans un système démocratique, devront nécessairement se préoccuper du bien-être des plus pauvres. La démocratisation de l'exercice du pouvoir politique va de pair avec une meilleure distribution de la richesse, et il semble bien que certains pays se soient engagés dans cette voie. C'est le cas du Brésil, du Chili et plus récemment du Pérou. Les progrès réalisés demeurent lents, mais on constate que le recrutement des fonctionnaires se fait par concours, que le combat contre la corruption gagne du terrain, que l'autonomie des tribunaux est respectée, que la presse est libre et que les consultations électorales se font selon les règles de la démocratie.

Si la situation politique est plus paisible, toutes les conditions de la croissance ne sont pas réunies. Dans la géographie de l'économie internationale, l'Amérique latine est située à la périphérie. La croissance économique des dernières années est tirée depuis l'extérieur. Elle est un écho de l'effet sur les prix internationaux de la demande chinoise en matières premières et en produits agricoles ; elle n'est pas autocentrée et reste donc précaire. La concurrence des importations en provenance d'Asie détruit les industries locales, et les investisseurs portent leur regard vers les marchés les plus profitables.

Au cours des prochaines décennies, plusieurs seuils devront être franchis. Si les enfants fréquentent l'école en grand nombre, la qualité de l'enseignement est déplorable. La bureaucratie est encore trop souvent un labyrinthe soumis à l'arbitraire où seuls les plus riches obtiennent gain de cause. De même pour la justice. La vie, toujours précaire, est dominée par la peur de l'autre. Après la démocratie, c'est la confiance qu'il faut construire ; envers l'État, la justice, le marché et les voisins. Vaincre la peur est la prochaine étape du développement de l'Amérique latine.

Pour aller plus loin :

CHANG, Ha-Joon, *Kicking Away the Ladder: Development Strategy in Historical Perspective*, Londres, Anthem Press, 2002.

FUKUYAMA, Francis (dir.), *Falling Behind: Explaining the Development Gap Between Latin America and the United States*, Oxford University Press, 2008.

LANDES, David, *The Wealth and Poverty of Nations*, New York, W. W. Norton & Company, 1998.

4

Pourquoi préférer la démocratie ?

La démocratie participative fonctionne-t-elle ?

Laurence Bherer

Toutes les formes de participation des citoyens hors des élections suscitent un certain scepticisme, qui se décline en trois figures distinctes. Dans une perspective pragmatique, certains observateurs se demandent comment concilier l'idée de donner aux citoyens plus d'espace de participation et le principe de la représentation au cœur des systèmes politiques démocratiques contemporains. Pour beaucoup d'entre eux, ce rapprochement paraît d'autant plus difficile que la délégation demeure la meilleure façon d'opérationnaliser l'idéal démocratique (exprimé sommairement par l'idée d'un gouvernement du peuple, par le peuple et pour le peuple). Est-il vraiment possible d'envisager des dispositifs de participation aussi efficaces et légitimes que le vote ? D'autres chercheurs s'interrogent sur la portée démocratique d'un tel projet si la décision ultime appartient toujours aux élus : le pouvoir accordé aux citoyens est-il réel ou illusoire ? Enfin, on s'inquiète parfois des possibles dérives : ne risque-t-on pas de voir certains groupes accaparer les dispositifs participatifs pour en faire ainsi un exercice… exclusif ? Au Québec, cette dernière forme de scepticisme s'exprime souvent à travers la thèse de l'immobilisme : la multiplication des lieux de participation contribuerait à créer une « culture du refus », où les groupes rejetteraient systématiquement tout projet de développement ou de changement.

Pour tempérer les doutes à l'égard de ce qu'on nomme maintenant la démocratie participative, il est nécessaire de revenir sur le contenu et l'évolution du projet participatif. La jeunesse des expériences en la matière n'est pas étrangère à l'incrédulité qu'elle suscite : la pratique est loin d'être uniforme et ne semble pas toujours répondre aux mêmes standards de démocratie. Les modes de fonctionnement des jurys de citoyens, des conférences de consensus, des audiences publiques, des commissions de consultation permanentes ou *ad hoc*, des sondages délibératifs, et autres dispositifs de participation, sont en effet très divers. De plus, l'organisation de certains lieux participatifs particulièrement répandus (par exemple, les conseils de quartier) peut sembler établie, alors que dans les faits, la formule est très différente d'un contexte politique à l'autre. Finalement, notons que plusieurs expériences dites de participation sont improvisées et ont très peu de valeur participative. Ainsi, la tension inéluctable entre l'idéal participatif et les expériences mises en place depuis une trentaine d'années entraîne une certaine confusion sur la compréhension du modèle participatif et explique sans doute une part du scepticisme qui existe à son égard. Dans ce chapitre, nous évoquerons deux versants du phénomène participatif: le projet politique hérité des discussions participationnistes et délibérationnistes, et la réalité d'une pratique éclatée, pour laquelle il existe peu de points de repère.

La démocratie participative en idées

La démocratie participative est un projet politique qui propose d'aménager des espaces de participation hors des dispositifs électoraux traditionnels. L'objectif n'est pas de remplacer la démocratie représentative mais de la transformer de façon à permettre aux citoyens de s'engager plus directement dans les décisions publiques. Pour bien comprendre l'idée, il est utile de revenir sur ses origines intellectuelles. La démocratie participative, telle qu'on la connaît aujourd'hui, est le résultat de la rencontre de deux approches politiques distinctes valorisant la participation des citoyens: l'une remontant aux années 1960, le projet participationniste, et l'autre plus récente, le projet délibérationniste. Les deux courants proposent en quelque sorte de réenchanter la démocratie en luttant contre l'apathie politique et contre toute conception de la démocratie qui ferait de celle-ci le seul résultat de négociations et de compromis entre des intérêts divers. Ils formulent une vision plus optimiste du fonctionnement démocratique, et suggèrent d'ouvrir le système politique aux citoyens afin de remédier au déficit démocratique et à la perte de confiance dans les institutions politiques. Autant pour les penseurs de la délibération que pour leurs prédécesseurs, cette proposition s'appuie sur la conviction selon laquelle la participation est un processus imprégné de rationalité, qui met face à face des citoyens raisonnables et non des individus incompétents. Les deux courants divergent cependant sur la nature de la rationalité du citoyen.

Les participationnistes des années 1960 affirmaient la raison de l'individu afin de réfuter la thèse de l'« irrationalité des foules » (c'est-à-dire de la masse des citoyens « moyens »). Selon eux, cette vision est fondée sur une conception pessimiste de l'Homme : l'individu y est vu comme un être imprévisible et irrationnel à qui il vaut mieux n'accorder qu'un rôle politique restreint (celui d'élire ses dirigeants) de manière à assurer la stabilité politique. Dans la perspective participationniste, le citoyen n'est pas cet individu sans ressource et limité dans sa compréhension du politique. Sa compétence est réelle : il est détenteur d'un « savoir ordinaire », différent mais tout aussi recevable que le savoir expert. De plus, participer activement à la vie collective lui permet d'affiner sa connaissance du politique et de choisir ses représentants sur une base plus solide, ce qui, en bout de piste, assure l'ordre politique. Ce processus d'apprentissage politique actif permet de diminuer certains handicaps sociaux et d'atteindre l'égalité, une des valeurs fondamentales du projet participationniste. L'accent mis sur la capacité des individus à apprendre inscrit donc l'argumentaire participationniste dans une logique d'émancipation. L'idée est que cet affranchissement doit toucher non seulement les questions de haute politique mais toutes les sphères de la vie quotidienne, par la voie de l'engagement au travail ou en politique municipale par exemple. Ainsi, dans l'optique participationniste, la rationalité de l'individu s'exprime dans sa capacité à apprendre. Dès lors, la participation est considérée comme un moment privilégié de socialisation politique et un outil d'éducation civique.

Pour le courant de la délibération, l'argument de la rationalité signifie que les participants, bien qu'ayant des positions différentes, voire opposées, sont disposés à écouter les arguments de chacun dans le but de parvenir à un accord pris avec raison et justesse, c'est-à-dire en connaissance de cause. Cet idéal discursif est réalisable grâce à la « raison procédurale » qui désigne l'ensemble des règles qui encadrent la discussion et qui ont pour but de dégager une volonté générale. La réalisation du processus délibératif se fait à travers la qualité de la discussion, garantie par des dispositifs institutionnels mis en place dans l'esprit d'une plus grande participation de tous. Ainsi, la participation n'est pas vue d'abord comme un mode de vie ou une réappropriation par les individus de leur quotidien, mais plutôt comme un processus qui garantit une plus grande légitimité aux décisions politiques par la mise en place d'une discussion ouverte. Les délibérationnistes appuient leur projet sur une critique sévère de la démocratie pratiquée actuellement : selon eux, les logiques strictement élitistes et expertes qui dominent la prise de décision publique affaiblissent le bien-fondé des systèmes démocratiques.

Pour compléter le portrait des deux approches fondatrices de la démocratie participative actuelle, une autre précision doit être apportée. La démocratie participative n'est pas la démocratie directe, entendue comme l'exercice direct de la décision politique par tous les citoyens. Le projet de démocratie participative ne propose pas tant de donner un pouvoir décisionnel explicite aux citoyens que d'aménager des espaces qui permettent aux citoyens de « co-produire » la décision publique avec les gouvernants. Si les tenants de l'approche participationniste acceptent une part de démocratie directe (notamment dans l'organisation du travail ou dans l'aménagement des quartiers), les penseurs de la délibération dénient tout fondement réaliste à la démocratie directe : selon eux, dans les sociétés complexes actuelles, il est impensable de recréer la démocratie antique.

Ainsi, l'idée actuelle de démocratie participative intègre à la fois une vision procédurale (la délibération) et une vision éducative (le volet participationniste) de la participation ; son enjeu fondamental est à la fois l'émancipation des individus et la légitimation des processus de décision publique. Les réflexions théoriques et les discours pragmatiques (par exemple, ceux du mouvement altermondialiste ou des partis politiques) sur la démocratie participative empruntent un ou plusieurs éléments à ces deux familles de pensée. La démocratie participative est devenue progressivement l'objet d'une forte valorisation symbolique : c'est une nouvelle norme dans les processus actuels de prise de décision. Elle désigne ainsi à la fois un idéal démocratique mais aussi un ensemble de discours et d'expérimentations dont l'histoire reste à faire, au Canada et ailleurs dans le monde.

La démocratie participative en pratiques

Discuter concrètement de la démocratie participative signifie d'abord et avant tout s'interroger sur l'institutionnalisation des pratiques participatives, c'est-à-dire sur les procédures et les règles mises en place par les autorités publiques pour réaliser l'idéal participatif ou tout au moins s'en rapprocher. Ce sont en effet les gouvernements qui initient et contrôlent les formes de démocratie participative dans un mouvement de type *top-down*. Dans cette perspective, la qualité et la précision des règles adoptées pour aménager des espaces de participation témoignent de l'intégration plus ou moins grande du projet participatif aux institutions représentatives.

Il existe presque autant de catégories que de dispositifs participatifs, et ceux-ci sont nombreux. Leur popularité a plusieurs explications: 1) les citoyens s'attendent généralement à ce qu'il y ait un exercice de participation publique dans les domaines qui les touchent plus ou moins directement (l'environnement, l'aménagement du territoire, la vie municipale, tout projet d'envergure, etc.); 2) la multiplication des controverses et des incertitudes a accéléré le recours aux dispositifs participatifs comme outils de «sortie de crise»; 3) les élus ont compris que la mise en place de pratiques participatives accroît leur légitimité et leur capital politiques. Cette popularité rend ardu le recensement des pratiques participatives, car non seulement les modes de fonctionnement peuvent être très variés, mais il faut également faire la différence entre l'intention et la réalité: certains dispositifs participatifs n'ont de participatif que le nom, notamment en raison de l'improvisation politique qui entoure leur formation et de la place faite à l'expérimentation, qui n'a pas que des côtés heureux. Par exemple, la consultation par Internet s'avère être en fait un outil participatif pauvre car elle ne permet pas d'interaction raisonnable: il s'agit le plus souvent de l'expression simple d'une opinion, avec très peu de possibilité d'apprentissage ou de dialogue raisonné.

Quelques pistes peuvent malgré tout être définies pour différencier les dispositifs existants. Tout d'abord, certains d'entre eux reproduisent le principe de délégation: les conseils de quartier, les commissions thématiques par enjeu ou par type de population ou les budgets participatifs sont des espaces participatifs où la représentation «citoyenne» est pratiquée. D'autres dispositifs sont des exercices de consultation où tous les citoyens, individuels ou collectifs, sont entendus: les assemblées dirigées par des élus ou des experts qui se mettent à l'écoute de la population (commissions parlementaire, municipale, ambulante) ou encore les audiences publiques plus formelles. Certaines se démarquent par un fonctionnement original comme les jurys de citoyens, les conférences de consensus ou les sondages délibératifs, qui ont comme point commun le fait d'utiliser le tirage au sort pour désigner leurs membres. La valeur de chacune de ces pratiques ne tient pas à leur appartenance à un des trois groupes mais bien à la qualité de l'information donnée aux citoyens (pour favoriser l'apprentissage), à l'organisation de la discussion (afin de permettre un échange raisonnable) et au degré d'intégration au processus décisionnel. À cet égard, l'expérience de budget participatif à Porto Alegre, les audiences publiques tenues par le Bureau des audiences publiques en environnement (BAPE) au Québec ou les conférences de consensus au Danemark sont souvent citées en exemple.

Une des critiques souvent adressées à l'endroit de ces dispositifs porte sur le flou autour du pouvoir qui est donné aux citoyens. Si plusieurs instances participatives sont des espaces potentiels d'appropriation citoyenne, elles ne sont pas des lieux de contestation durable qui permettent d'établir un rapport de force. Dans cette perspective, dire qu'une expérience de démocratie participative est en deçà des objectifs de transfert de pouvoirs décisionnels aux citoyens demeure une observation banale qui peut être faite à l'ensemble des expérimentations démocratiques, dans le champ participatif comme représentatif, hier comme aujourd'hui. Cette façon de voir fait oublier deux réalités.

Premièrement, tout comme la démocratie représentative n'est pas complètement disqualifiée parce qu'elle est sévèrement critiquée pour certains aspects de son fonctionnement, l'idée de la démocratie participative ne peut disparaître parce que les expérimentations actuelles sont insatisfaisantes à certains égards. L'objectif de participation, qui s'appuie sur un plus grand pouvoir des citoyens à travers un engagement plus intensif dans la vie politique, demeure un vœu implicite et inassouvi du projet démocratique et réapparaît régulièrement sous une forme ou une autre. En second lieu, la réactivation du mythe de l'influence citoyenne directe (en référence à la cité grecque) vient fausser le débat en condamnant d'avance tout projet participatif qui s'inscrit dans la démocratie représentative. Rien d'étonnant, en effet, que le pouvoir des citoyens ne soit pas aussi décisionnel que souhaité, quand le fonctionnement de la démocratie représentative contemporaine repose sur une prise de décision complexe, caractérisée par la pluralité des acteurs et des étapes qui mènent à un compromis final, avec comme dernier jalon le pouvoir légitime des élus de décider. Ainsi, si l'idéal de l'influence citoyenne doit demeurer un paramètre pour évaluer une expérimentation participative, il ne peut à lui seul résumer la portée démocratique de tels dispositifs. Il apparaît ainsi essentiel d'observer ce qui se joue au sein même des espaces participatifs.

À la lumière des expériences les plus poussées, il est possible d'avancer que l'intégration de la démocratie participative à la démocratie représentative est avant tout un projet de révision de la division du travail politique. Avec la possibilité pour les citoyens de participer à l'élaboration des décisions publiques, on reconnaît en quelque sorte la contribution du point de vue quotidien ordinaire à un univers dirigeant traditionnellement dominé par la spécialisation et l'expertise. En d'autres mots, la démocratie participative opère le rapprochement entre le savoir profane et le savoir expert : sans être des professionnels de la politique, les citoyens engagés sont des experts du quotidien. Leur expérience à titre d'usager des services publics ou des infrastructures collectives, ou le sens pratique qu'ils acquièrent dans différentes facettes de leur vie contribuent à forger un regard particulier sur le monde et les autorisent à ce titre à contribuer eux aussi aux décisions publiques. Si la pratique démontre que le renversement n'est pas si radical, il n'en demeure pas moins que la démocratie participative permet potentiellement la confrontation mais également le recoupement de formes d'accumulation des connaissances complémentaires. Ce rapprochement se fait notamment à travers des processus d'apprentissage : la plupart des enquêtes basées sur une observation longue des dispositifs participatifs constatent que les fonctionnaires, les élus et les citoyens en viennent à modifier leurs attitudes et leur pratique à force de fréquenter les espaces de participation.

Ce changement est toutefois menacé par la nature éphémère de la plupart des dispositifs. Les instances participatives sont des institutions fragiles : non seulement l'histoire du phénomène est-elle récente, mais les expériences peinent à durer. Une explication parmi d'autres : les individus qui réfléchissent et mettent en place des dispositifs tels que les audiences publiques ou les conseils de quartier sont peu reconnues au sein des administrations publiques, ce qui fait obstacle à l'accumulation des pratiques et à la mise en cohérence des méthodes. Face à cette forte diversité et au cafouillage de certaines expériences, les citoyens ont de la peine à s'y retrouver, ce qui risque d'alimenter le cynisme politique plutôt que de le contrer.

✦

Dans sa forme actuelle, la démocratie participative n'est pas un modèle politique concurrent à la démocratie représentative mais bien une articulation entre les espaces de participation et les instances traditionnelles du gouvernement représentatif. Certains observateurs avancent que le phénomène participatif témoigne de la constitution embryonnaire d'un quatrième pouvoir (aux côtés des pouvoirs législatif, exécutif et judiciaire) au sein de la démocratie représentative, celui des citoyens appelés à participer à la prise de décision. Malgré les doutes exprimés à l'égard de la démocratie participative, il y a ainsi tout lieu de croire que cette dernière est bien là pour rester. Les gouvernements de tous les échelons politiques multiplient les expériences et lorsqu'ils omettent de le faire, les citoyens les réclament comme un droit qui leur paraît aujourd'hui acquis.

Dans un tel contexte, il importe de prendre le phénomène au sérieux. D'une part, il faut le mesurer à l'aune de l'histoire de la démocratie : le scepticisme a accompagné le vote comme il marque aujourd'hui les discussions sur la démocratie participative. Les critiques à l'égard du projet représentatif ne l'ont pas disqualifié ; on peut penser que la démocratie participative fera preuve de la même résilience historique. D'autre part, il est certain que nous avons besoin d'instruments et d'enquêtes supplémentaires pour saisir le potentiel et les limites du phénomène, car même si les expériences se multiplient, le projet participatif est loin d'avoir atteint sa maturité politique. La première piste à emprunter est sans doute de faire l'histoire des pratiques actuelles et d'expliquer dans quels contextes la démocratie participative s'est imposée.

Pour aller plus loin :

BACQUÉ, Marie-Hélène, Henri REY et Yves SINTOMER, *Gestion de proximité et démocratie participative : une perspective comparative*, Paris, La Découverte, 2005.

PATEMAN, Carole, *Participation and Democratic Theory*, Cambridge, Cambridge University Press, 1976.

ROSANVALLON, Pierre, *La démocratie inachevée. Histoire de la souveraineté du peuple en France*, Paris, Gallimard, 2000.

Les citoyens peuvent-ils formuler des politiques ?

Patrick Fournier

Dans une démocratie, le pouvoir politique repose sur la souveraineté populaire. L'autorité ne découle pas du droit divin, de l'héritage sanguin ou de la capacité à infliger de la douleur. Le droit de gouverner sur un territoire émane de la volonté des citoyens. Mais toutes les démocraties modernes sont représentatives, c'est-à-dire que la population n'exerce pas le pouvoir politique directement. Plutôt, elle choisit un groupe de représentants qui règnent en son nom. Les citoyens octroient leur confiance, d'une façon temporaire et réversible, à un groupe de dirigeants qui sont désignés par des élections. Ce sont les élus qui déterminent quelles politiques publiques devraient être instaurées, modifiées ou abolies. Il est dans l'intérêt des représentants élus de prendre des décisions qui sont appuyées par la population. Sinon, si les électeurs deviennent insatisfaits du travail du gouvernement, les dépositaires de l'autorité risquent de perdre leur emploi lors de l'élection suivante. Il n'en demeure pas moins que les citoyens exercent un rôle limité dans la mise en œuvre des politiques. Ils sont parfois consultés par divers mécanismes, mais leur contribution au processus législatif reste minime. Même lors d'un référendum, les individus ne peuvent qu'accepter ou rejeter une proposition, ils ne contrôlent pas ce qui proposé.

Les démocraties sont représentatives pour des raisons fonctionnelles concrètes. Il serait impensable de consulter l'ensemble des citoyens au sujet de chacun des enjeux pour lequel l'État doit prendre une décision. Un petit groupe de représentants peut plus efficacement trancher au nom de la population. Toutefois, il ne faut pas oublier que les premiers systèmes démocratiques furent mis sur pied à des époques durant lesquelles subsistaient d'importantes craintes envers la compétence des « populaces ». Les gens étaient souvent perçus comme formant une masse émotive, irréfléchie, frivole, violente et foncièrement dangereuse. Il était inconcevable de donner l'occasion à la population de prendre des décisions sociales d'envergure. Ces sentiments ont poussé les pères fondateurs de la démocratie à limiter l'influence potentielle des foules. Ainsi, le droit de vote est d'abord seulement octroyé aux propriétaires fonciers mâles. De plus, en divisant le pouvoir en trois niveaux distincts (exécutif, législatif, judiciaire), on minimise la possibilité que les autorités soient simultanément sous l'emprise de la folie des masses.

Ces craintes étaient-elles fondées ? Difficile à dire. Le sont-elles aujourd'hui ? Des citoyens ordinaires sont-ils en mesure de développer des politiques publiques ? Nous pouvons offrir quelques éléments de réponse en examinant trois expériences démocratiques uniques et exceptionnelles. Pour la première fois depuis la démocratie athénienne il y a plus de deux millénaires, des citoyens se sont vus offrir un rôle politique décisif. Au lieu d'élire, de sanctionner ou d'être consultés, ils ont eu la chance d'élaborer un projet de réforme d'une institution politique. À trois reprises au cours des dernières années, des autorités politiques ont décidé de confier à un groupe de citoyens la responsabilité de concevoir le système électoral qui devrait être utilisé pour la sélection des représentants à la chambre législative. Des assemblées de citoyens sur la réforme électorale ont été instituées en Colombie-Britannique, aux Pays-Bas et en Ontario. Que nous révèlent ces assemblées au sujet de la compétence politique des individus ? Quelle est la capacité des individus à surmonter leur ignorance et à raisonner consciencieusement au sujet d'un enjeu complexe, technique et peu familier ? Nous examinerons ces questions après avoir brièvement présenté les assemblées.

Les assemblées de citoyens

Trois assemblées de citoyens ont eu lieu jusqu'à maintenant. Toutes trois portaient sur la réforme du système électoral, et toutes trois se sont déroulées selon un processus similaire. Toutefois, elles en sont arrivé à des conclusions très différentes en ce qui a trait au système électoral qui devrait être instauré dans leurs juridictions respectives.

La Colombie-Britannique a non seulement généré la première assemblée de citoyens, elle a aussi lancé un modèle qui a fortement influencé les assemblées subséquentes. L'Assemblée des citoyens sur la réforme électorale de la Colombie-Britannique a été inaugurée avec l'appui unanime de la législature provinciale (<www.citizensassembly.bc.ca>). Les candidats potentiels ont été choisis aléatoirement parmi le registre des électeurs et contactés par courrier. Seuls les politiciens étaient exclus. Parmi les candidats intéressés, un homme et une femme ont été sélectionnés pour chaque circonscription électorale, leurs noms littéralement tirés d'un chapeau : 80 femmes et 80 hommes en tout. Ces individus constituaient un groupe éclectique et représentatif, provenant de différents milieux, communautés et occupations. On y trouvait un étudiant, un propriétaire de McDonald's, un concierge, un prêtre, un enseignant, un éleveur de bétail, etc. On leur a confié un mandat clair. L'assemblée pouvait décider de garder le système électoral présent, le scrutin majoritaire uninominal, ou proposer l'adoption de n'importe quel autre système. Si l'assemblée considérait qu'un système différent devait être adopté, elle formulerait une proposition spécifique de réforme qui serait soumise à la population pour approbation lors d'un référendum. Si le public appuyait la proposition, le nouveau système électoral entrerait en vigueur lors de l'élection provinciale suivante. Ainsi, l'assemblée avait énormément de pouvoir, car sa recommandation irait directement devant la population, le gouvernement ne pouvant pas la tabletter s'il en était insatisfait.

Un processus s'échelonnant sur presque une année complète a été institué. La première phase visait l'apprentissage. Comme la plupart des citoyens, les membres de l'assemblée connaissaient peu de choses des systèmes électoraux au début des activités. Ils ont reçu l'équivalent d'un cours universitaire intensif sur le sujet. On leur a assigné des lectures et ils se sont réunis pendant six fins de semaine lors des premiers mois de 2004. Des présentations et des discussions s'y déroulaient en séance plénière et en petits groupes. La seconde phase était consultative. D'une part, 50 rencontres publiques ont été organisées à travers la province ; n'importe qui pouvait venir s'exprimer sur les systèmes électoraux. D'autre part, un site Web a recueilli plus de 1600 propositions publiques provenant du monde entier. La dernière phase a été celle de la délibération. Les participants se sont réunis pendant six autres fins de semaine, à l'automne. Ils ont considéré trois systèmes : le statu quo, la représentation proportionnelle mixte et le vote unique transférable. La représentation proportionnelle mixte (MMP), telle qu'élaborée par l'assemblée, donne aux électeurs deux votes : un vote dans une composante majoritaire uninominale et un vote pour une liste de candidats qui sert à compenser la faible proportionnalité de la première composante. Le vote unique transférable (STV) est une forme préférentielle de représentation proportionnelle où les électeurs rangent en ordre autant de candidats qu'ils souhaitent dans des districts électoraux qui contiennent plus d'un représentant. Après avoir évalué et débattu de ces trois systèmes, l'assemblée de citoyens a déclaré que le vote unique transférable représentait le meilleur système électoral pour la Colombie-Britannique.

Un référendum a eu lieu le 17 mai 2005, en même temps que l'élection provinciale. Le gouvernement avait précédemment établi deux seuils de succès : 60 % d'appui pour l'ensemble de la province et une majorité d'appui dans 60 % des circonscriptions. La proposition de réforme a raté l'un des deux seuils. Le vote unique transférable a recueilli 58 % d'appui au provincial, avec une majorité dans 97 % des circonscriptions.

L'Assemblée des citoyens sur la réforme électorale de l'Ontario a reproduit presque intégralement le processus de la Colombie-Britannique (<www.citizensassembly.gov.on.ca>). La phase d'apprentissage s'articulait également autour de six fins de semaine à Toronto lors de l'automne 2006. La phase de consultation reposait aussi sur de multiples rencontres publiques et des soumissions écrites. La phase de délibération, au printemps 2007, a encore permis de construire deux systèmes électoraux alternatifs, de débattre et de décider. La principale différence procédurale entre les deux assemblées canadiennes a trait au nombre de participants. En Ontario, l'assemblée était formée de 103 membres, un pour chaque district électoral. L'équilibre hommes-femmes a été atteint en sélectionnant une femme dans une circonscription, un homme dans le comté voisin, et ainsi de suite.

La courte liste de cette assemblée regroupait les mêmes systèmes qu'en Colombie-Britannique : le scrutin majoritaire uninominal (le statu quo), le vote unique transférable et la représentation proportionnelle mixte (les deux alternatives). Toutefois, contrairement à son prédécesseur, l'assemblée ontarienne a choisi un système mixte. Cette proposition de réforme a été l'objet d'un référendum en octobre 2007, en même temps que l'élection provinciale. Le gouvernement avait encore une fois établi un double seuil : 60 % d'appui auprès de l'ensemble de la province, avec une majorité dans 60 % des districts. Aucun des deux seuils n'a été franchi. Seulement 37 % des électeurs se sont prononcés en faveur de ce système électoral et seulement 5 des 107 circonscriptions affichaient une majorité de votes pour le oui.

En ordre chronologique, le Forum civique sur le système électoral des Pays-Bas fut la deuxième assemblée de citoyens à avoir lieu. C'est la seule qui a démarré dans un endroit où prévalait un système proportionnel. Bien qu'inspirée de l'innovation de la Colombie-Britannique, l'assemblée néerlandaise s'est déroulée selon un calendrier d'activités plus serré. L'apprentissage s'est étalé sur trois fins de semaine au printemps 2006 (à La Haye et Zeist). Les 18 consultations publiques ont eu lieu lors de la même saison. Quatre fins de semaine ont été consacrées à la délibération. L'assemblée était composée de 143 individus issus d'un groupe de 1700 personnes qui avaient démontré de l'intérêt à participer parmi un échantillon aléatoire de 50 000 électeurs.

L'assemblée des Pays-Bas a ultimement opté pour une version modifiée du système déjà en vigueur : la proportionnelle avec listes ouvertes. Elle a choisi de modifier le poids accordé aux votes pour des candidats spécifiques ainsi que la formule d'allocation des sièges résiduels. La population n'a pas eu (et n'aura pas) l'occasion de s'exprimer au sujet de cette recommandation, celle-ci n'ayant été soumise qu'au gouvernement. Rien n'indique présentement que les autorités suivront la suggestion de l'assemblée.

Trois assemblées de citoyens, trois propositions de réforme différentes, mais trois échecs. Aucun des systèmes proposés n'a reçu l'aval du public ou est en voie d'être adopté. Cependant, les perspectives ne sont pas entièrement stériles. À preuve, reconnaissant que la proposition de l'assemblée n'a pas bénéficié d'un débat complet, le gouvernement de la Colombie-Britannique a décidé de tenir un nouveau référendum sur le même projet en 2009.

Que nous enseignent ces trois cas ?

Un engagement civique accru ?

Lorsque des personnes se voient offrir l'occasion exceptionnelle d'influencer la politique, certaines d'entre elles seront prêtes à investir leur temps et leurs efforts pour contribuer à la prise de décisions importantes. La force de cette motivation est manifeste dans l'intérêt et le dévouement dont ont fait preuve les participants des trois assemblées pour aborder un sujet aussi aride.

Les organisateurs de la première assemblée de citoyens s'attendaient à des démissions, particulièrement lorsque les participants réaliseraient l'étendue des sacrifices exigés. En plus de la lecture et de l'étude de divers documents, chaque membre devait s'absenter de sa famille pendant au moins 30 jours cumulés pour assister aux rencontres. Malgré tout, une seule personne a abandonné le projet en Colombie-Britannique, à la fin du processus. En Ontario, il n'y a eu aucun abandon. Aux Pays-Bas, le forum civique s'est terminé avec six participants en moins, dont quatre sont partis en raison de circonstances personnelles, et deux ont démissionné au début du processus en constatant que celui-ci était pour eux trop exigeant en termes de temps.

De plus, le taux de présence était pratiquement parfait. Il oscillait autour de 95-99 % pour les trois assemblées. Voici quelques raisons typiquement invoquées pour justifier une absence : célébrer son mariage, subir une opération, enterrer un proche. Un femme qui avait raté une rencontre pour accoucher était de retour dès la rencontre suivante. Un homme a même retardé un pontage coronarien pour ne pas manquer une seule activité.

Dans le cadre unique de ces assemblées, la motivation des participants leur a permis d'acquérir la maîtrise d'un sujet complexe. Des mesures successives des connaissances factuelles à propos des systèmes électoraux confirment que nombre d'entre eux sont devenus très bien informés en la matière. Avant le début des activités de chaque assemblée, les participants avaient énormément de difficultés à identifier des pays utilisant chacune des grandes familles de systèmes électoraux. Cependant, après la phase d'apprentissage, le niveau d'information s'était considérablement amélioré. Désormais, la plupart des participants pouvaient correctement nommer un pays ayant recours à chacun des systèmes. À la fin des procédures, le taux de réussite aux tests de connaissance était quasi parfait.

Des indications anecdotiques confirment aussi que les participants ont acquis une bonne compréhension du sujet. Ils posaient souvent des questions rigoureuses et difficiles aux experts. Les discussions reflétaient généralement un haut niveau d'information. Des débats techniques se poursuivaient après les séances plénières lors des pauses, des repas, des sorties sociales et sur le forum de discussion en ligne. Un membre de l'assemblée de la Colombie-Britannique a même effectué une simulation par ordinateur des résultats électoraux qui auraient été produits par divers systèmes.

Les participants se sont également impliqués dans des activités supplémentaires. Ils ont donné des entrevues aux médias, écrit des lettres ouvertes aux journaux, fait des présentations dans des écoles et devant des groupes communautaires, etc. Un individu a même construit d'énormes panneaux sur sa camionnette et arpenté l'île de Vancouver pour accroître la visibilité de l'assemblée de Colombie-Britannique. Plutôt que des électeurs passifs, ces gens sont devenus des citoyens engagés et passionnés.

Ainsi, les citoyens qui ont eu la chance de participer à des décisions politiques importantes ont pris leur rôle au sérieux et ont travaillé fort pour réaliser leur tâche. Mais ont-ils pris les « bonnes » décisions ?

Des décisions raisonnables ?

Déterminer la valeur d'une décision n'est pas aisé. Quel critère devrait-on utiliser ? Doit-on conclure que les choix des trois assemblées étaient mauvais en raison du fait que les réformes préconisées n'ont pas été instaurées ? Plutôt que d'examiner la réception accordée aux trois propositions, il est préférable d'analyser le processus de prise de décision. Les systèmes électoraux représentent des accommodements différents de principes concurrents et aucun n'est intrinsèquement le meilleur. Chaque système répond mieux à certains objectifs et moins bien à d'autres. La clé est d'identifier celui qui est le plus compatible avec les besoins particuliers à un endroit donné. Les assemblées ont énoncé les conséquences prioritaires qui devaient selon elles être engendrées par leur système électoral idéal. Nous avons évalué si les systèmes choisis concordaient avec les objectifs visés par chacune des assemblées.

Il s'avère que les priorités des trois assemblées comportent des similitudes et des divergences qui permettent d'expliquer qu'elles aient débouché sur trois recommandations différentes. D'un côté, toutes les assemblées accordaient un haut niveau d'importance à la proportionnalité du transfert des votes en sièges ainsi qu'à offrir davantage de choix à l'électeur. Dans ce contexte, il n'est pas surprenant qu'elles aient toutes rejeté le scrutin majoritaire uninominal qui mène à des résultats non proportionnels où peu de partis politiques sont représentés. Il est cohérent qu'elles aient en fait toutes opté pour un système proportionnel. Toutefois, les trois assemblées ont aussi choisi des formes distinctes de scrutin proportionnel, en raison du jeu de leurs autres priorités. D'abord, on comprend la logique de l'assemblée de Colombie-Britannique qui préconise le vote unique transférable alors qu'elle misait sur la représentation locale mais ne craignait pas la complexité. De même, puisque les participants des Pays-Bas ne désiraient pas de représentation locale et appréciaient plutôt la simplicité, il apparaît raisonnable qu'ils aient favorisé la proportionnelle avec listes nationales. Finalement, on peut comprendre que les travaux de l'assemblée de l'Ontario, qui plaçait presque au même niveau la proportionnalité, le choix de l'électeur, la représentation locale et la simplicité aient abouti au système mixte.

La recommandation de chaque assemblée de citoyens a donc été conforme aux objectifs qu'elles poursuivaient.

✦

La plupart des citoyens ne se préoccupent pas de politique. Ils sont peu intéressés, peu attentifs, peu informés et peu impliqués. On pourra argumenter que ceci est parfaitement rationnel dans la vie de tous les jours. Compte tenu que la probabilité qu'un seul vote change le résultat d'une élection est extrêmement faible, il n'est pas avantageux de se démener pour acquérir les connaissances nécessaires à faire un choix politique éclairé.

Mais une assemblée de citoyens n'a rien de commun avec la vie quotidienne. On y offre une occasion sans pareille de jouer un rôle décisif dans la prise de décision politique. Les participants l'ont saisie, même s'ils devaient se pencher sur un sujet peu familier, technique et complexe. D'ailleurs, leur comportement dans le cadre de l'assemblée ne ressemblait ni à leur comportement antérieur ni à celui du citoyen moyen. Ils ont abandonné leur apathie politique habituelle et se sont pleinement investis pour accomplir un bon travail. Ce dévouement s'est traduit par une participation assidue et une acquisition impressionnante de connaissances. En bout de ligne, les assemblées ont proposé des réformes qui reflétaient bien les priorités de chaque groupe.

Ainsi, les citoyens peuvent concevoir des politiques publiques raisonnables. Pour ce faire, cependant, ils ont besoin des incitatifs, des ressources et du soutien appropriés. À ce titre, une assemblée délibérative peut fournir l'occasion et l'infrastructure nécessaires à une implication citoyenne sans précédent.

La Charte est-elle utile ou nuisible ?

Charles Blattberg

Une précision pour commencer : je n'ai absolument rien contre les valeurs contenues dans la Charte canadienne des droits et libertés (1982). Au contraire, son affirmation du respect de l'individu, de même que sa préoccupation pour l'octroi d'un statut spécial aux peuples autochtones, pour le maintien et la valorisation de notre héritage multiculturel et pour l'égalité des sexes, entre autres, me semblent éminemment louables. De toute évidence, mes objections se situent ailleurs, à savoir dans la décision d'exprimer ces valeurs dans le langage des droits. Car je suis d'avis que la Charte, en encourageant ce type de langage tant à l'intérieur qu'à l'extérieur des tribunaux, a causé un grand tort à la politique canadienne. En effet, l'utilisation de ce langage non seulement nuit aux valeurs véhiculées, mais fait qu'il est plus difficile de relever le défi de la diversité, c'est-à-dire de faire en sorte que des personnes parfois très différentes se sentent toutes chez elles dans un même pays.

Commençons avec un puzzle. En tant que signataire de la Déclaration universelle des droits de l'homme des Nations Unies, le Canada affirme, entre autres, que toutes les personnes dans le monde ont droit à un niveau de vie suffisant. Toutefois, il s'agit là d'un droit qui est notablement absent de notre Charte. Malgré cela, l'État canadien redistribue *au moins dix fois plus* de richesse aux pauvres qui habitent le Canada qu'à des étrangers vivant dans l'indigence extrême. Comment cela s'explique-t-il ? Le texte de loi suprême du pays ne reconnaît pas le droit des Canadiens à un niveau de vie suffisant ; or ce droit *est* bel et bien reconnu quand il s'agit de tous les pauvres du monde, mais les Canadiens reçoivent plus d'aide que les étrangers beaucoup plus pauvres.

Cela donne à penser que ce qui motive les politiques publiques canadiennes à l'égard des pauvres tient à autre chose qu'à la possibilité, pour ceux-ci, de se prévaloir de certains droits inscrits dans la charte. Selon moi, il s'agit de quelque chose qui est beaucoup moins abstrait que les droits, à savoir le sentiment que nous, Canadiens et Canadiennes, appartenons à une même communauté politique. Je me soucie du Vancouvérois que je n'ai jamais rencontré et ne rencontrerai jamais, non pas parce qu'il jouit de certains droits, mais parce que je le considère comme un concitoyen, comme une personne avec qui, comme dirait Aristote, je suis lié d'une certaine amitié.

Cette conception de la citoyenneté doit être distinguée de l'idée selon laquelle les Canadiens adhéreraient tous à une certaine théorie de la « société juste », ce qui a incité l'ancien premier ministre Pierre Elliott Trudeau à enchâsser la Charte dans notre constitution. Car les théories, contrairement aux amitiés, ont un caractère abstrait plutôt que particulier, et c'est l'une des raisons pour lesquelles on ne devrait pas s'étonner que les droits conférés par la Charte soient comparables à ceux qui sont énoncés non seulement dans la Déclaration des Nations Unies, mais dans les constitutions de nombreux autres pays. On pourrait se demander si la Charte devrait même être associée à un pays en particulier, et s'il ne vaudrait pas mieux la considérer comme un document fondamentalement cosmopolite. Car après tout, on peut y lire que les droits prescrits s'appliquent non seulement aux citoyens canadiens, mais à « chacun », à « toute personne », à « tous » et au « public ». En revanche, le bien commun qui se trouve au cœur de la communauté politique canadienne est une chose à caractère entièrement particulier, pratique et historique. Aristote, dans une autre déclaration célèbre, affirmait qu'aucune *polis* ne pouvait être si grande que les citoyens ne puissent entendre le coup de clairon les invitant à participer aux discussions de l'*agora*. Selon moi, grâce aux progrès réalisés dans le domaine des médias et des télécommunications, nous, Canadiens, pouvons entendre cet appel depuis un bon bout de temps déjà.

C'est précisément pour cette raison que notre communauté politique est arrivée à instiller en nous le sentiment que nous avons une obligation les uns envers les autres. Je m'explique. Une abstraction est une chose isolée de tous les éléments qui coexistent à l'intérieur d'un contexte donné. Citons ici John Locke: « Les mots deviennent généraux lorsqu'ils sont institués signes d'idées générales; et les idées deviennent générales lorsqu'on en sépare les circonstances du temps, du lieu et de toute autre idée qui peut les déterminer à telle ou telle existence particulière. » Or plus une chose est abstraite, moins nous – du moins ceux et celles d'entre nous qui ne sont pas versés en sciences naturelles – avons tendance à la trouver intéressante. Pensons à la question « Comment ça va ? ». Elle sert à exprimer notre intérêt envers quelqu'un parce qu'elle fait référence aux choses qui préoccupent cette personne dans le contexte de sa vie (pour en savoir davantage sur cette notion de « choses », voir Heidegger). En fait, ces choses font partie de ce tout plus ou moins intégré qui constitue son identité et l'histoire personnelle qui fait d'elle qui elle est. Ainsi, lorsque nous posons la question « Comment ça va? », nous demandons essentiellement à entendre une histoire, et une histoire est la présentation d'un certain ensemble de choses à l'intérieur d'un contexte, donc le contraire d'une abstraction.

Ces considérations sont importantes sur le plan de l'éthique et de la politique, car lorsque ces choses sont des *valeurs* et qu'elles sont formulées de manière abstraite, cela contribue à les rendre moins intéressantes à nos yeux et donc moins susceptibles de nous inciter à y adhérer. Nous connaissons tous bien l'usage que font les militaires des euphémismes abstraits dans le but de nous distancier des horreurs de la guerre: « dommages collatéraux » pour la mort de civils; « frappes chirurgicales » pour des bombardements qui ne ratent prétendument jamais leur cible; le verbe « sécuriser » qui signifie la prise de possession militaire d'un lieu, etc. Ce jargon est efficace parce que l'abstraction désensibilise, ce qui est une autre façon de dire qu'elle dépossède les valeurs véhiculées de leur pouvoir. Comme je ne dispose pas ici de l'espace nécessaire pour développer cette idée plus avant, je me contenterai de mentionner que les anciens rhétoriciens avaient attribué aux descriptions saisissantes et détaillées le nom d'*enargeia*, et c'est exactement à cela que je fais référence lorsque je parle du *pouvoir* qu'a une valeur de nous motiver.

Or que sont les droits sinon des principes abstraits, des concepts isolables que l'on peut présenter sous forme de listes d'items indépendants ? En fait, la Charte n'est rien de plus qu'une liste, dans laquelle les valeurs n'ont pas été intégrées de manière à tisser une sorte de trame narrative.

Les droits qu'elle met de l'avant ne sont même pas indiqués en ordre prioritaire ; on ne nous dit pas, par exemple, que les droits démocratiques énoncés aux articles 3 à 5 sont censés avoir plus de poids que la liberté de circulation mentionnée à l'article 6. La seule indication quelque peu substantielle qu'on trouve dans la Charte sur la façon dont les droits formulés devraient s'appliquer dans leur ensemble est, ironiquement, la déclaration figurant à l'article 1, selon laquelle ces droits peuvent être restreints (« dans des limites qui soient raisonnables ») à condition qu'une telle restriction soit justifiable dans le cadre de ce qui est formulé de façon tout aussi abstraite : « une société libre et démocratique ». Dénuée de quoi que ce soit qui ressemble à une « clause Canada », la Charte nous présente ses valeurs d'une façon totalement plate, qui la prive de tout pouvoir.

Cela ne veut pas dire, bien sûr, que nous renoncions à affirmer nos propres droits, ou ceux qui vont dans le sens des causes auxquelles nous adhérons. Nous mettons ces droits de l'avant, et souvent avec acharnement, dans des contextes antagonistes où nous espérons les voir imposés aux personnes qui refusent de les respecter de la façon dont nous le voudrions. Toutefois, le problème de l'adoption d'une attitude d'affrontement, c'est que cela nuit au bien commun. Si ma première critique de la Charte porte sur les effets affaiblissants du langage abstrait des droits, la deuxième porte sur la nature intrinsèquement antagoniste de ce langage.

Aux États-Unis, la philosophe du droit Mary Ann Glendon a déploré le fait que les droits ont tendance à être invoqués d'une manière qui encourage les parties en litige à adopter des positions absolues, du genre tout ou rien, qui rendent leurs tenants incapables de tout compromis. Quand des gens sont engagés dans une bataille de ce genre, il y a peu de place pour la notion de bien commun. Au Canada, nos échanges sur les droits sont également antagoniques, quoique dans une moindre mesure. Car nous avons tendance à *négocier* nos droits, à les évaluer les uns par rapport aux autres en reconnaissant la difficulté des choix à faire. Nous procédons ainsi parce que nous sommes conscients que lorsque des droits s'affrontent, aucun d'entre eux ne peut, *a priori*, avoir préséance sur les autres. Par conséquent, si les parties en litige demeurent des adversaires – dans la mesure où l'un ne peut gagner que si l'autre perd –, du moins ne luttent-ils pas pour la victoire totale. Chacun espère plutôt appliquer suffisamment de pression sur l'autre pour l'encourager à faire certaines concessions, l'objectif étant d'en arriver à un accommodement raisonnable.

Il faut toutefois reconnaître que la négociation et ses accommodements raisonnables sont différents de la *conversation*. Les personnes qui abordent les conflits en ayant recours à la conversation, si elles sont en désaccord les unes avec les autres, ne sont pas pour autant des adversaires. Car leur objectif n'est pas l'accommodement, mais la réconciliation véritable, et ce résultat ne peut survenir que lorsque les protagonistes en arrivent à une compréhension mutuelle. La réconciliation est donc un idéal beaucoup plus ambitieux. Pour reprendre la métaphore du chez-soi, les accommodements ne sont que des domiciles temporaires, alors que la compréhension fait figure de véritable foyer. Mais il est impossible d'en arriver à une compréhension mutuelle en soupesant les exigences en présence les unes par rapport aux autres. Au contraire, chacune des parties doit tenter du mieux qu'elle peut de *convaincre* l'autre de la meilleure façon d'*intégrer* ou de *réconcilier* les valeurs en présence. Et cela signifie que chaque protagoniste doit écouter l'autre dans l'espoir d'apprendre quelque chose.

Cependant, pour que cela se produise, les parties doivent éviter de formuler leurs positions en termes de droits. Il leur faut expliquer le plus précisément possible en quoi leur interprétation de la question constitue la meilleure façon de réaliser le bien commun. Ainsi, dans le cadre d'un conflit portant sur l'avortement, par exemple, les personnes qui optent pour la conversation n'invoqueront ni le droit des femmes à disposer de leur corps, ni le droit à la vie du fœtus, car elles savent que ce type de propos ne constitue qu'une manière agressive d'affirmer leur indépendance, leur séparation les unes des autres et donc du bien commun. (« Pourquoi devrais-je pouvoir obtenir un avortement ? – Parce que c'est *mon droit !* » « Pourquoi ne devriez-vous pas être autorisée à vous faire avorter ? – Parce que le fœtus, qui est un être *à part entière*, a droit à la vie ! » Et ainsi de suite.)

L'hostilité associée à l'invocation systématique des droits fait également en sorte qu'aucun des interlocuteurs ne pourra se sentir suffisamment en confiance pour écouter l'autre en gardant l'esprit ouvert, attitude essentielle à la conversation. Par conséquent, au lieu d'affirmer des droits, les personnes qui ont un désaccord sur ce sujet pourraient, par exemple, ouvrir une Bible et l'explorer ensemble, et étudier les principaux écrits féministes en la matière. Évidemment, comme le suggèrent ces exemples, la conversation, si elle est nettement moins agressive que la négociation, est également un type de dialogue beaucoup plus ardu, voire fragile. Mais à tout le moins, le résultat final potentiel est directement proportionnel à la difficulté du processus : la réalisation du bien commun plutôt que le compromis.

Ce résultat donne lieu à des lois susceptibles d'être beaucoup plus durables que celles adoptées au terme d'une querelle de droits. Ainsi, la violation de nombreux droits aujourd'hui aux États-Unis en raison de la soi-disant guerre contre la terreur ne devrait étonner personne. Car ceux et celles d'entre nous qui ont tiré les leçons de Weimar, la République allemande qui avait été remplacée par le Troisième Reich, savent que ni les documents constitutionnels, ni les exigences et contrepoids institutionnels ne peuvent préserver nos valeurs dans les périodes difficiles. À part l'héroïsme, qui est par définition très rare, tout ce à quoi nous pouvons réellement nous fier est notre culture politique, dont le pouvoir tient à l'âme même de nos concitoyens. Mais le langage des droits, selon moi, a pour effet de miner ce pouvoir.

Ma troisième critique de la Charte découle de la deuxième. En encourageant les Canadiens à défendre leurs positions en tant qu'adversaires plutôt que simples interlocuteurs en désaccord, la Charte contribue à la fragmentation du pays. Cela se produit de deux façons. La première est attribuable au *multiculturalisme pluraliste* : en affirmant les droits des femmes ainsi que des minorités comme les autochtones, les handicapés et les communautés ethnoculturelles, la Charte encourage leur division, plutôt que leur intégration. Plus précisément, le problème ne réside pas en soi dans la reconnaissance constitutionnelle dont ces groupes bénéficient, mais dans le choix de l'inscrire en employant le langage des droits. Le deuxième chemin vers la fragmentation passe par le *multiculturalisme individualiste*, qui correspond à la version du multiculturalisme à laquelle adhérait Trudeau : il entraîne une fragmentation encore plus grande, car le fait de prôner le respect des individus en termes de droits encourage leur séparation les uns d'avec les autres, avec pour conséquence qu'il devient encore plus difficile pour eux de partager des biens en commun et donc d'appartenir pleinement à une même communauté.

Comme solution de rechange, je propose un *multiculturalisme patriotique*. Ce type de multiculturalisme appelle les citoyens à mettre le bien commun en premier, ce qui nécessite de répondre aux conflits par la conversation avant de recourir à la négociation. Bien que j'accepte que la négociation, ainsi que le langage des droits qui en est le véhicule, a bel et bien sa place dans notre système politique, la question qui se pose est si, en raison de l'influence de la Charte, elle n'a pas pris trop de place. De toute évidence, je réponds par l'affirmative.

✦

J'aimerais conclure en formulant une dernière critique à propos de la Charte, qui ne porte pas tant sur les droits qui y sont énoncés que sur une chose qui n'y figure pas: la Charte ne reconnaît pas la présence, au sein du Canada, de la nation québécoise francophone. La motion récemment adoptée à cet effet par le gouvernement Harper a constitué un pas dans la bonne direction, mais il s'agit là d'une question qui ne sera jamais réglée complètement, à moins que la reconnaissance de cette nation ne soit incluse dans la constitution. En n'incluant pas cette reconnaissance, la Charte a contribué à l'aliénation des Franco-Québécois à l'intérieur même du pays. Et malgré cela, nous, Canadiens anglais, continuons de poser cette sempiternelle (fausse) question: «Que veut le Québec?» Ce n'est pas la communauté politique québécoise qui est en mal de reconnaissance, cette communauté englobant l'ensemble des citoyens du Québec, mais, encore une fois, la communauté nationale des Québécois francophones. Peut-être un jour, lorsque nous, Canadiens anglais, aurons réussi à nous sevrer de notre dépendance au langage des droits, serons-nous alors capables d'écouter les membres de cette communauté en gardant l'esprit ouvert et de comprendre comment, tout comme de nombreux autres Canadiens, ils pourraient arriver à se sentir vraiment chez eux dans notre pays. Mais pour cela, il semble que nous allions d'abord devoir nous débarrasser de la Charte.

Pour aller plus loin:

BLATTBERG, Charles, «Opponents vs. Adversaries in Plato's *Phaedo*», *History of Philosophy Quarterly*, vol. 22, nº 2, avril 2005, p. 109-127.

HEIDEGGER, Martin, «La chose», dans *Essais et conférences*, Paris, Gallimard, 1958.

LOCKE, John, *Essai philosophique concernant l'entendement humain*, Paris, Vrin, 1983.

Peut-on imposer la démocratie ?

Diane Éthier

La démocratie peut-elle être imposée à un pays par des forces étrangères, à la suite de l'occupation militaire de son territoire ? La littérature scientifique ne donne pas de réponse satisfaisante à cette question. À l'instar de Philippe Schmitter, les spécialistes de la politique comparée ont toujours soutenu que « *any regime change tends to be a domestic affair; democracy is a domestic affair* par excellence[1] ». Mais plusieurs d'entre eux ont aussi reconnu l'existence des tentatives d'imposition de la démocratie (TID) par des forces étrangères d'occupation (FEO) au cours de l'Histoire. Aucun n'ayant procédé à une recension et à une évaluation systématiques de ces TID, leurs positions sur le sujet demeurent cependant approximatives et divergentes. Dahl, Schmitter et Stepan considèrent que les seules TID réussies sont celles des Alliés en Allemagne de l'Ouest, au Japon, en Italie et en Autriche, au lendemain de la Seconde Guerre mondiale. Samuel Huntington pense, lui, que les deux premières vagues de démocratisation (1828-1926 ; 1943-1962) sont dues à l'intervention des Britanniques, des Américains ou des Alliés. Quant à Laurence Whitehead, il soutient qu'en 1990, près des deux tiers des démocraties existantes devaient leur origine, au moins en partie, à des actes délibérés d'imposition ou d'intervention de la part d'acteurs externes.

Les spécialistes des relations internationales, pour leur part, se sont intéressés aux interventions militaires étrangères (IME) visant à promou-

1. « Tout changement de régime tend à être une affaire interne ; la démocratie est l'affaire interne par excellence. » (Nous traduisons.)

voir et non à imposer la démocratie. Étant donné que leur définition de la promotion de la démocratie est très large et imprécise, leurs échantillons d'IME très différents et leurs méthodes d'évaluation des impacts de ces IME divergentes, leurs conclusions sont disparates, sinon contradictoires. Certains concluent que les IME ont favorisé la libéralisation ou la démocratisation des systèmes politiques des pays occupés dans 75 % ou 100 % des cas, alors que d'autres établissent leur taux de succès à 25 % ou 38 %.

Ces constats indiquent que dans les deux domaines d'étude les plus susceptibles de répondre à notre question, les TID n'ont été ni définies avec précision, ni recensées et évaluées de manière systématique. Par conséquent, on ne connaît pas leur nombre exact et on ne sait pas dans quelle proportion et pourquoi elles ont été des succès ou des échecs ; on ne peut donc pas se prononcer sur la validité de la théorie endogéniste du changement politique, qui fait consensus parmi la communauté des chercheurs depuis plus de soixante ans.

La littérature en politique comparée

Depuis 1945, quatre questions ont successivement retenu l'attention des spécialistes du changement politique au sein de la politique comparée : quelles sont les caractéristiques essentielles de la démocratie ? Quelles sont les conditions favorables à son développement ? Quelles sont les causes de son émergence ? Quel est l'impact des facteurs et des acteurs externes sur la promotion de la démocratie ?

Les caractéristiques de la démocratie et les conditions de son développement

La démocratie a toujours été associée à la conclusion d'une entente entre les principaux groupes politiques d'une société, en vertu de laquelle ces derniers acceptent de se soumettre à des règles et procédures qui permettent de résoudre leurs différends par la négociation de compromis. La nature de ces règles et procédures a donné lieu à de nombreux débats. Durant les années 1970, la majorité des chercheurs s'est toutefois ralliée à la définition proposée par Joseph Schumpeter :

> […] au vingtième siècle, un système politique est démocratique lorsque ses principaux décideurs sont choisis lors d'élections justes, honnêtes et périodiques, qui autorisent tous les citoyens adultes à voter et qui permettent aux

> candidats d'être en libre compétition pour l'obtention des suffrages. Cette définition englobe les deux dimensions qui selon Robert Dahl caractérisent une polyarchie, *i.e.* la participation et la contestation. Elle implique également la reconnaissance effective des libertés civiles et politiques – libertés d'expression, de publication et d'association – qui sont nécessaires au débat politique et à la conduite d'une campagne électorale. (Huntington, 1991)

Les typologies de régimes politiques ont été par la suite construites en fonction de cet idéal-type, les *régimes autoritaires* étant associés à ceux qui violent systématiquement ces règles et procédures, et les différentes catégories de *régimes hybrides* à ceux qui les respectent dans des proportions variables.

Durant les deux premières décennies de l'après-guerre, concurremment à la seconde vague de démocratisations (1943-1962) et au mouvement de décolonisation, de très nombreux chercheurs se sont intéressés aux conditions qui déterminent le développement de la démocratie. Certains ont mis l'accent sur l'attitude des élites, soit leur propension à adopter les valeurs d'une culture civique (pragmatisme, tolérance, flexibilité, modération, etc.) ; d'autres sur la nature inclusive des institutions politiques héritées du colonialisme ou le caractère pacifique du processus d'accession à l'indépendance. La plupart ont insisté sur la capacité des élites à promouvoir la modernisation du système économique et une redistribution plus égalitaire des revenus, deux conditions essentielles à l'émergence de classes moyennes, plus modérées au plan idéologique que les classes inférieures, et donc capables de négocier avec les classes supérieures des compromis acceptables pour l'ensemble de la population. L'instauration et la stabilité de régimes autoritaires performants en matière de modernisation économique et sociale, tant en Asie de l'Est, qu'en Amérique latine et en Europe du Sud, au cours des années 1950 et 1960, a toutefois suscité une remise en question de ces théories entre 1965 et 1975. Moore, Rustow et Dahl ont tour à tour reproché à ces explications de confondre les causes de la stabilité des démocraties avec celles de leur émergence.

Les causes de l'émergence des démocraties

Selon ces auteurs, les principales causes des transitions de l'autoritarisme à la démocratie (TD) sont de nature psycho-politique. Toute TD est initiée par une lutte à caractère économique, social et (ou) politique entre certaines élites. L'issue de cette lutte est toujours incertaine, mais elle ne conduit à l'instauration de la démocratie que si les protagonistes décident de s'entendre sur un certain nombre de règles et de procédures qui permettent la résolution de leurs différends par la négociation de compromis. D'autres groupes peuvent être associés à cette entente, mais celle-ci est toujours négociée ultimement par un nombre restreint de leaders. O'Donnell et Schmitter se sont inspirés dans une large mesure de cette théorie pour expliquer la troisième vague de TD (1973-1995). Selon leur analyse, toute TD est impulsée par une crise du régime autoritaire, c'est-à-dire par un conflit entre les décideurs réformistes (*blandos*), qui jugent que les coûts du statu quo sont plus élevés que ceux d'une TD, et les décideurs conservateurs (*duros*), qui font l'évaluation inverse. L'issue de ce conflit, toujours incertaine, dépend de l'évolution des calculs stratégiques des deux parties. Cette évolution est largement déterminée par la capacité des réformistes d'obtenir des forces modérées de l'opposition leur aval à une entente politique qui satisfait les principales revendications des conservateurs.

Les dimensions internationales des processus de démocratisation

Si les spécialistes de la politique comparée ont plutôt évoqué qu'analysé les TID, ils ont accordé une large attention aux autres dimensions internationales des processus de démocratisation, après la fin de la guerre froide. Leurs travaux portent sur les mécanismes intangibles de diffusion des valeurs libérales et démocratiques auprès des élites des pays autoritaires ou en transition : l'effet de démonstration des succès des démocraties existantes ou d'une TD dans un pays voisin ; la socialisation de ces élites aux valeurs occidentales, dans le cadre de leur participation à des réseaux transnationaux ou à des organisations internationales (OI). Ils traitent également des stratégies de promotion de la démocratie qui n'impliquent pas, comme les TID, une violation de la souveraineté des États : incitatifs, leviers, conditionnalité. Dans l'ensemble, ces recherches confirment la validité de la théorie endogéniste de la transitologie. Elles démontrent que les facteurs internes, notamment psycho-politiques, demeurent les déterminants décisifs des TD. La seule exception – relative – à cette règle, est la conditionnalité des élargissements de l'Union européenne. Selon plusieurs études, celle-ci est en mesure de convaincre un pays candidat d'instaurer la démocratie, mais à la condition que les partis politiques au pouvoir, en raison de leurs calculs d'intérêt, de leur idéologie et de leur cohésion interne, soient résolus à respecter les prescriptions de Bruxelles.

La littérature en relations internationales

Après la fin de la guerre froide, les théoriciens des relations internationales ont aussi accordé une large attention à la diffusion des valeurs libérales et démocratiques par les OI et les organisations non gouvernementales (ONG) occidentales, ainsi qu'aux stratégies non coercitives de promotion de la démocratie des gouvernements, des OI et des ONG. Leurs études – notamment celles des constructivistes – concluent, à l'inverse de celles des comparativistes, que ces mécanismes et ces stratégies ont contribué de manière importante au succès des TD, en particulier en Europe de l'est et du sud-est, en transformant la culture des élites partisanes. Une très vaste littérature a également été consacrée aux nouvelles opérations de *peace enforcement*, de *nation building*, et d'ingérence humanitaire impliquant des forces militaires et civiles de plusieurs États, OI et ONG, sous l'égide ou non de l'Organisation des Nations Unies. Le fait que plusieurs de ces opérations visaient, implicitement ou explicitement, à promouvoir les valeurs et les institutions démocratiques a incité plusieurs chercheurs à évaluer dans une perspective plus large les impacts politiques des interventions militaires étrangères (IME) depuis 1900, 1945 ou 1990. Pour au moins trois raisons, ces travaux ne permettent pas cependant de répondre à notre question de départ.

Premièrement, plusieurs chercheurs discutent du bien-fondé de ces IME plutôt que de leurs résultats. Leur préoccupation centrale n'est pas de chercher à savoir si l'on peut imposer la démocratie, mais bien si on le doit. En général, les intellectuels libéraux sont contre ces interventions, qu'ils jugent contraires au droit international fondé sur la souveraineté des États, alors que les néoconservateurs y sont favorables, parce que la démocratie est, selon eux, un droit fondamental de tous les peuples et qu'elle est le principal facteur de pacification et de stabilité des relations internationales.

Deuxièmement, ceux qui s'intéressent aux résultats des IME construisent leurs échantillons à l'aide de diverses banques de données qui recensent tous les mouvements terrestres, navals et aériens de l'armée américaine ou des armées de plusieurs pays au cours de périodes postérieures à 1900. Bien que la plupart circonscrivent leur sélection des IME à celles qui ont impliqué l'utilisation de troupes terrestres, l'éventail de ces dernières demeure très large. Il englobe autant des interventions visant à mettre fin à une guerre civile (Liban), à repousser un envahisseur (Guerre du Golfe), à empêcher un parti pro communiste de prendre le pouvoir (Grenade), à porter secours à une population civile en détresse (Somalie), à éliminer un dictateur ennemi (Panama, République dominicaine) que des interventions combinant un ou plusieurs de ces objectifs et l'établissement d'un régime démocratique (Bosnie, Kosovo, Afghanistan, Irak). Comment dès lors prouver que toutes les IME sélectionnées cherchaient, sinon à imposer la démocratie, du moins à la promouvoir? La majorité des auteurs résolvent ce problème en se concentrant sur les interventions militaires américaines parce que, selon eux, contrairement aux IME d'autres puissances comme le Royaume-Uni ou la France, celles-ci n'ont jamais été motivées uniquement par des intérêts stratégiques égoïstes. Elles ont presque toujours été inspirées par le dessein libéral (*the Grand Strategy*) des États-Unis selon lequel l'internationalisation de la démocratie est la meilleure garantie de la paix, et donc de leur sécurité, principal objectif de leur politique étrangère. Les auteurs fondent cette prétention sur l'analyse des discours officiels des présidents successifs. Quelle que soit la validité de cet argument, il demeure que l'objectif des auteurs n'est pas d'évaluer les résultats des TID, mais ceux d'un ensemble disparate d'IME soi-disant motivées par la promotion de la démocratie. La meilleure preuve en est que les cas d'imposition réussie de la démocratie les plus souvent cités par les comparativistes (Allemagne de l'Ouest, Japon, Autriche et Italie) sont généralement absents de leurs échantillons.

Troisième et dernière grande lacune du corpus, la plupart des auteurs évaluent l'impact politique des IME sans tenir compte des actions réalisées par les FEO en vue d'instaurer la démocratie. Ils comparent le degré de libéralisation des régimes politiques des pays cibles, avant et après l'intervention des troupes étrangères, à l'aide principalement de la banque de données Polity II, III et IV. Celle-ci évalue, année après année, l'évolution des régimes politiques du globe depuis 1800. Elle attribue une valeur numérique à différentes caractéristiques institutionnelles de l'autoritarisme et de la démocratie, ce qui lui permet de construire deux indices composites (AUTOC et DEMOC). Ces derniers sont élaborés à l'aide de six indicateurs qui mesurent l'ouverture et la compétitivité du processus de recrutement des membres de l'exécutif, les contraintes auxquelles est soumise l'autorité gouvernementale et la compétitivité de la participation politique. Les régimes sont ensuite classés sur une échelle de -10 (monarchie héréditaire) à +10 (démocratie consolidée), en soustrayant la valeur de l'indice AUTOC de celle de l'indice DEMOC. Cependant, d'autres variables, telles que la durabilité, la stabilité, l'interruption et la transition du régime sont également considérées, de telle sorte que l'indice Polity ne mesure pas uniquement les caractéristiques autoritaires ou démocratiques des régimes politiques. Dans l'ensemble, ces recherches concluent que l'impact politique des IME prises en compte, principalement celle des Américains entre 1945 et 1995, a été mitigé, car seule une minorité de régimes politiques (de 23 % à 38 % selon les études) ont vu leur indice Polity augmenté de quelques points, après l'intervention des troupes étrangères. Les recherches, beaucoup moins nombreuses, qui analysent le scénario des IME sélectionnées, sont beaucoup plus optimistes, mais les critères sur lesquels elles se fondent pour mesurer le succès de ces IME sont très flous.

Analyse exploratoire des TID

Comment définir les tentatives d'imposition de la démocratie ?

Les TID ne peuvent pas être définies sans tenir compte des théories sur l'origine de la démocratie. Celles-ci, nous l'avons vu, soutiennent qu'une transition de l'autoritarisme à la démocratie (TD) ne peut être initiée sans un affaiblissement ou une crise du régime autoritaire (RA) provoquée par un conflit en son sein même et (ou) avec certains groupes de la société. Cette transition aboutit à l'instauration de la démocratie si les protagonistes décident de s'entendre sur un ensemble de règles et de procédures constitutionnelles leur permettant de résoudre leurs différends par la négociation de compromis. Les TID diffèrent des TD à deux égards. Premièrement, soit le RA est renversé par les FEO, soit celles-ci interviennent pour mettre fin à une guerre civile, dans un contexte où l'État n'existe plus. Deuxièmement, les FEO imposent une nouvelle constitution aux acteurs de l'intérieur qui sont les plus favorables aux valeurs libérales occidentales. Les partis ou groupes hostiles à ces valeurs, comme les communistes, les fascistes ou les intégristes musulmans, sont non seulement exclus de cette entente, mais réprimés ou marginalisés. L'imposition de la constitution signifie qu'elle est dictée unilatéralement par les FEO, comme en Allemagne de l'Ouest et au Japon, ou négociée entre les FEO et les groupes politiques cooptés, comme en Malaisie (1955-1957), à Singapour (1956-1958) et en Bosnie (1995). Les TID constituent donc une catégorie spécifique d'IME : celles lors desquelles les représentants militaires et/ou civils de la ou des puissances occupantes jouent un rôle décisif dans l'élaboration de la constitution fondatrice d'un nouveau régime politique. Comme l'a souligné Stepan (1986, p. 65), lorsque les FEO n'interviennent pas dans le processus de restauration d'une ancienne constitution démocratique ou d'élaboration d'une nouvelle constitution démocratique, comme ce fut le cas dans la plupart des pays ouest-européens, après la défaite et la fin de l'occupation nazie, on ne peut parler d'imposition de la démocratie par des acteurs externes. Ce critère déterminant des TID est totalement ignoré par les études sur les IME. Plusieurs qualifient à tort de «*democracy by force*» ou de «*democracy at the point of bayonets*» des interventions lors desquelles les FEO n'ont joué aucun rôle direct et coercitif dans la mise en place d'un nouveau régime politique (Panama, Haïti, Somalie, Grenade, République dominicaine).

À l'instar de toutes les IME ou de toutes les stratégies non coercitives de promotion de la démocratie, les TID sont toujours motivées par diverses considérations égoïstes de nature économique, stratégique et politique. Mais ce sont les seules interventions par des acteurs externes, dont on peut dire avec certitude qu'un de leurs principaux objectifs était l'instauration de la démocratie.

Comment mesurer le succès ou l'échec des TID ?

Le premier et principal critère qui permet de mesurer le succès ou l'échec des TID est le degré de correspondance du régime politique établi par les FEO avec la définition consensuelle d'une démocratie moderne ou polyarchique. Notre projet de recherche porte uniquement sur les TID postérieures à 1945 parce qu'il est impossible d'évaluer les TID du XIXe siècle et de la première moitié du XXe siècle à l'aide de cette définition. Il faut donc vérifier dans quelle mesure la constitution imposée – et la façon dont elle a été appliquée en pratique – favorise « la tenue d'élections périodiques, libres et honnêtes, qui permettent à tous les citoyens adultes de choisir les principaux décideurs politiques, et aux partis de compétitionner pour l'obtention de leurs suffrages, grâce au respect effectif des libertés d'expression et d'association ».

Une telle vérification exige nécessairement d'analyser le texte et la mise en œuvre des constitutions imposées par les FEO à l'aide des documents juridiques et des sources secondaires pertinentes. L'indice Polity peut difficilement être utilisé, car il est basé sur des critères relativement différents de ceux auxquels réfère la définition d'une démocratie polyarchique. Par contre, les rapports de Freedom House sur la liberté dans le monde et ceux de la Commission européenne sur l'avancement des réformes politiques dans les pays candidats peuvent être très utiles pour l'évaluation des TID postérieures à 1978 ou 1990. La tâche peut sembler herculéenne à première vue. Mais il n'en est rien. Plus nous progressons dans notre recherche, plus nous estimons que le nombre des TID postérieures à 1945 est de 12 à 15 tout au plus.

Une fois cette vérification faite, on peut classifier les régimes établis par les FEO en s'inspirant des typologies de régimes politiques construites en fonction de l'idéal-type d'une démocratie polyarchique. On considérera comme un succès une TID qui aura donné naissance à un régime qui va au-delà de cette définition (démocratie libérale) ou qui la respecte pleinement (démocratie électorale) ; comme un demi-succès, une TID qui aura conduit à l'établissement d'un régime partiellement conforme à cette définition (régime hybride ou semi-démocratie) ; comme un échec une TID qui se sera soldée par le maintien d'un régime qui viole largement ou complètement cette définition (régime autoritaire).

Les deux autres critères à considérer sont la longévité et la stabilité des démocraties libérales, des démocraties électorales et des semi-démocraties instaurées par les FEO. Leur durée est un indicateur significatif mais non suffisant. Il faut également vérifier si ces régimes ont été en mesure d'éviter ou de surmonter la crise ou la paralysie de leurs institutions et une dérive autoritaire de ces dernières, sans une nouvelle intervention des FEO, qui dans la plupart des pays concernés ont conservé des bases militaires pendant plusieurs années, sinon jusqu'à maintenant.

Les cas étudiés jusqu'à présent démontrent que les TID des Britanniques à Ceylan (1948), en Malaisie (1948) et à Singapour (1955) ont été des échecs. Les régimes semi-autonomes et semi-autoritaires instaurés par les autorités coloniales ont été vivement contestés par les forces politiques intérieures et leur longévité a été très brève. Par contre, les TID des Alliés en Allemagne de l'Ouest et au Japon ont été des succès. Les institutions démocratiques imposées par les occupants ont acquis au fil du temps une forte légitimité au sein des partis et de la population, ce qui a contribué à leur stabilité et à leur consolidation. Les TID des Britanniques en Malaisie (1955-1957) et à Singapour (1956-1958) ont, elles, été des succès relatifs, parce qu'elles ont conduit à l'établissement de régimes semi-démocratiques stables et durables. Enfin, la TID de l'OTAN, de l'UE et de l'ONU en Bosnie a été un demi-succès, ou un demi-échec, parce qu'elle a conduit à l'instauration d'un régime semi-démocratique instable, dysfonctionnel et fragile, en raison de la persistance des animosités entre ethnies croates, bosniaques et serbes.

Comment expliquer les résultats des TID ?

Au stade actuel de notre recherche, nous ne pouvons répondre à cette question que par des hypothèses inspirées des onze cas étudiés jusqu'à maintenant. Ceux-ci suggèrent que la longévité et la stabilité des régimes politiques issus des TID dépendent principalement de la nature de la constitution imposée par les FEO et de l'attitude des acteurs nationaux à son égard. Seules les constitutions qui reconnaissent une pleine souveraineté au pays et qui respectent largement les règles de la démocratie sont acceptées.

Cela étant dit, ce n'est pas l'attachement des élites aux valeurs démocratiques qui explique leur adhésion à ces constitutions. En Allemagne et au Japon, après la défaite et quinze ans de fascisme, la culture politique était caractérisée par la résignation et l'apathie, et non par la reconnaissance de la supériorité des valeurs libérales occidentales. En Malaisie et à Singapour, la principale préoccupation des élites n'était pas la démocratie, mais l'accession à l'indépendance et la reconnaissance des droits de la majorité malaise, dans le premier cas, ou l'établissement d'un régime socialiste modéré, dans le second cas. En Bosnie, au sortir d'une guerre civile meurtrière, les différentes ethnies souhaitaient avant tout une protection de leur sécurité, de leurs territoires et de leurs droits. C'est plutôt la capacité des constitutions imposées par les FEO de refléter les préoccupations et les demandes des différentes élites qui expliquent l'adhésion à ces dernières. La légitimation de la Loi fondamentale allemande de 1949 est largement due au fait qu'elle établissait un régime fédéral, conformément au désir de tous les partis politiques. Celle de la constitution japonaise de 1946 est due au fait qu'elle établissait un régime de monarchie constitutionnelle qui préservait l'institution impériale, un principe sacré pour la majorité de la classe politique. La légitimité de la constitution malaise de 1957 découle du fait qu'elle a établi un système de partage du pouvoir politique et économique au prorata de l'importance démographique des Malais, des Chinois et des Indiens. La faible légitimité de la constitution de la Bosnie-Herzégovine, issue des accords de Dayton (1995), est liée au fait qu'elle ne satisfait pas les revendications des trois principaux groupes ethniques. La comparaison de ces différents cas démontre qu'un autre facteur important détermine la légitimation des constitutions imposées par les FEO : le degré de cohésion nationale de chaque société, soit l'existence parmi les élites d'un sentiment commun d'appartenance nationale. La Bosnie-Herzégovine est le seul de nos cas où ce sentiment n'existait pas. Selon Rustow, ce facteur est une condition préalable à toute TD réussie. Il semble qu'il soit tout aussi important dans le cas des TID.

✦

Si les hypothèses avancées pour expliquer le résultat des TID restent à vérifier, plusieurs constats indiscutables se dégagent de notre recherche. Depuis 1945, le nombre des TID a été beaucoup plus limité que celui des TD. Nous en avons recensé 14, et il est fort douteux que plus de cinq cas s'ajoutent à cette liste d'ici la fin de notre investigation. La très grande majorité (11 sur 14) ont eu lieu entre 1945 et 1958, concurremment aux débuts de la guerre froide et au mouvement de décolonisation. Les trois autres TID sont intervenues après 1995, dans le contexte de la suprématie triomphante des États-Unis, après l'effondrement de l'empire soviétique. Le bilan des TID est mitigé. Quatre d'entre elles seulement ont été des succès : les démocraties durables instaurées par les Alliés en Allemagne de l'Ouest, en Autriche, au Japon et en Italie. Quatre encore se sont soldées par des demi-succès, ou des demi-échecs : celles des Britanniques, en Malaisie et à Singapour, entre 1955 et 1958, ont conduit à l'établissement de régimes semi-démocratiques très stables ; celles des Américains aux Philippines (1945) et des Américains appuyés par l'OTAN, l'UE et l'ONU en Bosnie (1995), ont abouti à la mise en place de régimes semi-démocratiques instables et dysfonctionnels. Les six autres TID ont été des échecs avérés (les Britanniques en Birmanie, au Ceylan, en Malaisie et à Singapour entre 1945 et 1955) ou semblent *a priori* avoir été des échecs, l'analyse de ces cas demeurant à faire (les Américains et leurs alliés en Afghanistan et en Irak). Ces constats tendent à corroborer la présomption de Schmitter et Stepan selon laquelle les tentatives réussies d'imposition de la démocratie par des FEO ont été des cas d'exception, circonscrits à la période immédiate de l'après-guerre. Même si on tient compte des TID qui ont été des demi-succès, leur nombre n'est pas suffisant pour remettre en cause la théorie consensuelle du changement politique selon laquelle la démocratie est « l'affaire intérieure par excellence ».

Pour aller plus loin :

Huntington, Samuel, *The Third Wave. Democratization in the Late Twentieth Century*, Norman, University of Oklahoma Press, 1991.

Schmitter, Philippe, « The Influence of the International Context upon the Choice of National Institutions and Policies in New Democracies », dans Whitehead, L. (dir.), *The International Dimensions of Democracy*, Oxford, Oxford University Press, 2001, p. 26-55.

Stepan, Alfred, « Paths Toward Redemocratization : Theoretical and Comparative Considerations » dans O'Donnell, G., P. Schmitter et L. Whitehead (dir.), *Transitions from Authoritarian Rule. Comparative Perspectives*, Baltimore, John Hopkins University Press, 1986, p. 64-85.

Quelles sont les formes de la démocratie en Amérique latine ?

Graciela Ducatenzeiler

Dans les années 1980, après un XXe siècle turbulent, l'Amérique latine retrouve la démocratie. Au tournant du XXIe siècle, de nombreux pays élisent des gouvernements de gauche : un mouvement singulier et frappant connu comme celui de la « nouvelle gauche latino-américaine ». Cette expression recouvre des formes politiques très variées ; nous démontrerons dans ce chapitre combien les chemins de la consolidation démocratique adoptés par les pays concernés – l'Argentine, la Bolivie, le Chili, l'Équateur, l'Uruguay et le Venezuela – sont différents les uns des autres.

Les nouveaux régimes politiques en Amérique latine

Sauf dans quelques cas, comme au Chili, au Costa Rica et en Uruguay, les expériences démocratiques ont été l'exception plus que la règle, dans un XXe siècle qui a surtout favorisé les divers scénarios de l'autoritarisme – oligarchique, populiste et militaire. Apparu en Amérique latine dans les années 1930, le populisme est sans conteste le régime politique qui a le plus marqué la période. Régime anti-oligarchique et nationaliste, il a permis l'intégration des secteurs populaires au système politique à travers des pratiques clientélistes et corporatistes. Le populisme est une façon de faire de la politique caractérisée par la présence de dirigeants charismatiques qui mobilisent des secteurs désorganisés de la société civile ou qui cooptent des secteurs préalablement organisés, sans la médiation de partis politiques. Getúlio Vargas au Brésil, Lázaro Cárdenas au Mexique et Juan Perón en Argentine sont les dirigeants populistes les plus connus. Nés pendant la crise des années 1930 ou à la veille de la Seconde Guerre mondiale, leurs régimes sont à l'origine d'un État interventionniste, qui met en place des politiques économiques protectionnistes. Ils sont aussi à l'origine d'un processus d'industrialisation connu sous le nom d'industrialisation par substitution des importations (ISI). Cette forme d'industrialisation consistait à produire sur place les produits qui étaient traditionnellement importés des pays dits développés. Elle a été possible grâce à l'épargne interne générée par le secteur exportateur, soit les oligarchies productrices des matières premières qui s'échangeaient dans le marché externe. Le conflit entre le nationalisme populiste et le libéralisme des secteurs exportateurs a marqué une grande partie du XXe siècle et a été largement responsable des coups d'État qui se produisirent à répétition. Si les dictatures militaires des années 1960 et 1970 ne réussissent pas à en finir avec les régimes populistes, la crise de la dette de 1980 s'en charge. Cette crise marque l'épuisement de l'industrialisation par substitution des importations et la fin de l'État interventionniste. Le consensus de Washington met en place les réformes structurelles qui permettront le tournant vers une économie qui privilégie le marché. Libéralisme économique et démocratie, réunis pour la première fois dans l'histoire du continent, semblent donner raison, non seulement à Francis Fukuyama, dont la théorie de la «fin de l'histoire» prédit un destin démocratique à l'humanité toute entière, mais aussi aux théories des années 1960 qui assuraient que la modernisation mènerait l'Amérique latine à rejoindre l'Occident. Une fois les militaires rentrés dans les casernes et avec l'instauration du libéralisme économique et politique, l'«Extrême Occident» semble rejoindre l'Occident. Pourtant, les réformes économiques néolibérales ont provoqué une contestation populaire qui sera à l'origine des nouveaux régimes politiques et qui remettra une fois de plus en question ces prédictions.

En effet, les démocraties latino-américaines ont émergé à partir de la défaite des régimes autoritaires de la région, et leur consolidation a eu lieu pendant le processus de libéralisation économique (privatisations, ouverture et dérégulation de l'économie). Cependant, à l'exception du Chili, les pays latino-américains n'ont pas réussi à établir de solides institutions de marché ni, très souvent, à construire de solides institutions politiques. La performance économique des pays de la région a été variable. Mais, en général, la libéralisation économique s'est traduite par une creusement des inégalités sociales. Cela est vrai même dans les pays où les réformes ont été relativement réussies, dans le sens où elles ont permis une forte dose de croissance. La qualité des démocraties varie aussi dans les différents pays de la région. Dans certains cas, les institutions de base de la démocratie sont bien établies, l'État de droit est substantiel et il y a une participation civique considérable, mais ce n'est certes pas encore le cas majoritaire.

Malgré les différences qui les distinguent, des gouvernements de gauche de divers types sont aujourd'hui au pouvoir dans la majorité des pays latino-américains. Ils sont désignés comme appartenant à la « gauche » car leurs programmes partagent au moins deux éléments communs : la réduction de la pauvreté et des inégalités sociales et l'utilisation de l'État comme moyen d'atteindre cet objectif. Pourtant, les différences entre ces gouvernements sont souvent très importantes.

D'un côté, les gouvernements du Chili et de l'Uruguay, comme les gouvernements socialistes en Europe, acceptent l'économie de marché et la démocratie libérale. À l'opposé, les gouvernements du Venezuela et de la Bolivie refusent à la fois l'économie de marché et la démocratie libérale. Ils consentent néanmoins à une forme très étatique et très protégée de capitalisme ainsi qu'à adopter quelques aspects de la démocratie, comme le principe selon lequel le gouvernement doit être élu et l'opposition doit avoir le droit de participer aux élections. Toutefois, ils en rejettent d'autres, comme la séparation des pouvoirs, et regardent avec méfiance les activités de l'opposition. Cependant, les partisans d'une gauche à parti unique de style cubain sont minoritaires.

La majeure partie de la littérature sur la question s'interroge sur la relation entre ces nouvelles gauches et la démocratie. Quelques auteurs interprètent l'émergence des gauches latino-américaines comme une remise en cause des réformes structurelles orientées vers le marché. D'autres mettent l'accent sur l'influence grandissante des groupes traditionnellement marginalisés de la société civile. Selon cette perspective, la gauche représente une nouvelle forme de démocratie fondée sur une meilleure représentation aussi bien des pauvres que des groupes autochtones. Enfin, pour certains auteurs, les mouvements de gauche mobilisent des secteurs défavorisés et désorganisés de la société et s'en servent comme soutiens politiques grâce à des pratiques populistes et corporatistes. Selon ce point de vue, quelques-uns de ces nouveaux régimes traduisent la réémergence, sous une nouvelle forme, du populisme traditionnel.

Il est de plus en plus évident que ce qu'on appelle la gauche latino-américaine est un phénomène multiforme, et qui n'implique pas nécessairement le renforcement de la démocratie. Plusieurs qualifications ont été proposées pour le comprendre : gauche civique, respectueuse de la démocratie, et gauche radicale, prête à passer outre les institutions démocratiques ; gauche populiste et gauche social-démocrate, la première personnaliste et clientéliste, la seconde soucieuse des institutions comme le parlement et les partis ; vieille gauche, puisant ses racines dans la tradition marxiste ou socialiste, et nouvelle gauche, plus proche des populismes qui ont accompagné la période d'industrialisation de type ISI.

Comme on l'a indiqué, nous appelons ici « de gauche » tous ces régimes dont les discours et dont les politiques publiques ont pour objectif la diminution des inégalités et de la pauvreté. En partant de cette définition, les gouvernements de l'Argentine, de la Bolivie, du Brésil, du Chili, de l'Équateur et du Venezuela sont des gouvernements de gauche. Cependant, ils diffèrent fortement dans leurs relations avec les secteurs qu'ils prétendent représenter et avec la société civile en général. Leur capacité à mettre en œuvre des politiques destinées à diminuer les inégalités et la pauvreté, c'est-à-dire leur capacité étatique, varie aussi fortement.

Société civile et capacité étatique dans l'explication des nouveaux régimes politiques

Nous proposons un cadre d'analyse des différentes trajectoires de l'évolution des systèmes politiques latino-américains depuis les réformes structurelles de libéralisation économique des années 1980 et 1990. Cette analyse permet de décrire les régimes politiques qui sont en train de se consolider en Amérique latine à travers l'interaction entre deux variables : le type d'organisation de la société civile, et la capacité étatique. Historiquement, l'Amérique latine s'est caractérisée par des sociétés civiles faibles et par des États dont la capacité d'action politique et économique était tout aussi faible. Cependant, le continent n'est pas homogène, et on trouve différentes formes de combinaison entre ces deux variables.

Une société civile est forte là où 1) la majeure partie des intérêts et des valeurs de la société, ceux des secteurs populaires compris, sont organisés et mobilisés ; 2) les associations sont relativement autonomes de l'État ; 3) la société civile opère avec un haut niveau d'autorégulation, et accepte de faire des compromis en fonction des règles démocratiques. Nous parlons donc d'organisation, d'autonomie face à l'État et de respect des règles du jeu démocratique.

En Amérique latine, la société civile est souvent organisée, très active et mobilisée et représente des secteurs très variés. Les organisations de classe, celles des patrons et des salariés, ont toujours eu une place importante dans la société civile et ont joué un rôle dans la stabilité ou l'instabilité des différents gouvernements. Néanmoins, les sociétés civiles latino-américaines se sont le plus souvent caractérisées par leur faiblesse, étant donné leur incapacité à fonctionner dans le cadre de règles démocratiques. Souvent, les acteurs de la société civile sont devenus des appuis importants de gouvernements populistes et autoritaires et le patronat s'est fréquemment substitué aux partis de droite, fragiles ou inexistants. Les associations ouvrières ainsi que les associations patronales ont souvent été à l'origine de l'instabilité politique. Leur influence ne s'est pas limitée au secteur économique : ces groupes n'ont pas seulement fait pression sur les investissements, les prix, les salaires, l'emploi et les conditions de travail ; ils ont aussi appuyé des coups d'État et, dans quelques cas, des régimes populistes civils ou militaires. Par exemple, le coup d'État de 1966 en Argentine, contre un gouvernement civil, a été aussi bien appuyé par les associations patronales que par les syndicats ; le coup d'État de 1964 au Brésil et celui de 1973 au Chili ont été appuyés par les associations patronales.

Les organisations de la société civile peuvent être classifiées en deux catégories : subordonnées ou autonomes. Les organisations subordonnées sont le produit de la volonté étatique ou se voient, d'une manière ou d'une autre, cooptées par l'État. Les organisations autonomes sont créées par leurs membres dans le but de défendre leurs intérêts dans les conflits qui les opposent à d'autres organisations ou à l'État. Elles peuvent respecter les règles démocratiques, ou non. Dans ce cas, elles peuvent, par exemple, faire appel aux militaires, ou faire usage de différentes formes de violence. Cette classification s'applique à toutes les organisations de la société civile.

Un État est efficace dans la mesure où ses politiques obtiennent les résultats escomptés. Cela implique un faible degré de corruption ainsi qu'une bureaucratie et un système judiciaire indépendants du gouvernement, en d'autres termes, dépolitisés. La capacité de l'État peut être mesurée principalement à trois niveaux: sa capacité à recueillir des impôts, sa capacité de régulation – c'est-à-dire d'assurer l'État de droit, à régler le marché économique et les institutions politiques – et sa capacité distributive, soit sa capacité à investir dans le bien-être de la société, dans l'éducation, la santé et d'autres politiques sociales.

Toutes ces conditions doivent être réunies afin que l'articulation entre l'État et la société soit le résultat de la combinaison de la mobilisation citoyenne et de la responsabilité du gouvernement qui caractérisent les démocraties républicaines.

Nous soutenons qu'après la transition du protectionnisme économique au libéralisme, les régimes politiques latino-américains se développent en suivant trois grandes tendances. La première, fondée sur l'institutionnalisation de critères dahliens de la démocratie, avec un degré relativement élevé de participation civique, ressemble au républicanisme classique. Robert Dahl est un politologue américain à qui l'on doit la définition la plus utilisée de la démocratie politique. Il la définit comme un système de gouvernement qui remplit les conditions suivantes: 1) l'existence d'une compétition entre les individus et les groupes pour tous les postes gouvernementaux, à intervalles réguliers et qui exclut l'utilisation de la force; 2) un haut niveau de participation politique dans le choix de dirigeants à travers des élections libres; et 3) un niveau de libertés civiles et politiques suffisamment élevé pour assurer l'intégrité de la participation et de la compétition politique. L'Uruguay et le Chili nous semblent être les cas qui se rapprochent le plus de ces critères.

La deuxième tendance se caractérise par l'articulation entre une société fragmentée et un État «bifrontal». Dans ces sociétés où il existe de fortes inégalités socioéconomiques, deux pôles dotés de modèles d'organisation et de mobilisation différents se sont formés à partir du processus de libéralisation économique. D'un côté, on trouve les vainqueurs de la libéralisation et les groupes qui ont pu maintenir leur autonomie et leur capacité d'action. De l'autre côté, on trouve les groupes plus désorganisés, en général les perdants de la libéralisation, c'est-à-dire les groupes plus démunis, qui vivent dans l'insécurité et dont les méthodes typiques de faire la politique sont le clientélisme, le corporatisme ou la violence quand ils ne se réfugient pas dans l'apathie. Ce modèle bifrontal est caractéristique de l'Argentine et, en partie, du Brésil et du Mexique (où cependant la gauche n'a pas emporté les élections), et il représente, par rapport à la première tendance, un régime politique à deux vitesses où se combinent en doses différentes républicanisme et populisme.

Finalement, un troisième cas de figure est celui de la consolidation de régimes populistes d'un nouveau type qui peuvent contenir quelques aspects de la démocratie dahlienne. Dans les États en question, les taux d'inclusion et de contestation peuvent être élevés et les droits politiques peuvent être respectés. Cependant, ces éléments sont moins institutionnalisés que dans les régimes républicains qui disposent également d'un État de droit beaucoup plus solide. Le Venezuela et l'Équateur correspondent à cette troisième forme de régime politique qui ressemble, dans un certain sens, aux régimes populistes classiques de l'Amérique latine.

Ces trois types de régimes politiques peuvent être expliqués par les caractéristiques de leur société civile et de leur capacité étatique.

Dans les régimes que nous avons qualifié de républicains, les associations, aussi bien dans la sphère du travail que du capital, sont autonomes par rapport à l'État et respectent dans leurs actions les règles du jeu démocratique. La capacité étatique, elle, est relativement élevée. Le Chili et l'Uruguay (ce dernier à une bonne distance du premier) sont les pays de l'Amérique latine qui remplissent le mieux ces conditions. En effet, à l'autonomie et à l'autorégulation des associations s'ajoute une très haute performance de l'État en termes de capacité extractive, de transparence et de capacité distributive.

Dans les régimes à deux vitesses, on trouve des associations autonomes et des associations subordonnées, ou bien des associations autonomes respectueuses des règles du jeu ainsi que d'autres qui ne les respectent pas. En ce qui concerne la capacité étatique, elle est plus faible que dans le cas précédent. L'Argentine et le Brésil se trouvent dans cette catégorie. Il s'agit de régimes politiques qui sont le résultat de sociétés civiles plus polarisées que dans les régimes républicains classiques. Ces sociétés sont fragmentées entre un pôle « civique » et un pôle marginal et désorganisé. Certains secteurs sont autonomes et d'autres sont subordonnés à l'État. Au Brésil, les inégalités sociales sont les plus fortes de l'Amérique latine, ce qui se traduit par un taux très élevé de marginalité sociale, où la survie dépend de l'intervention directe de l'État. En Argentine, la marginalité est clairement le résultat des politiques économiques initiées dans les années 1990. Des mouvements de marginaux, les « piqueteros » et les « cartoneros » se sont formés à partir de cette période et dépendent aussi de subventions de l'État qui empruntent souvent des voies de distribution clientélistes. D'autre part, l'État possède de moindres capacités institutionnelles que dans les régimes précédents. Même si les comportements du Brésil et de l'Argentine ne sont pas les mêmes, ils se situent à un niveau moyen pour les indicateurs de leur capacité étatique parmi les pays de l'Amérique latine.

La nouvelle forme de populisme en Amérique latine est le produit d'une société civile encore plus faible, où les secteurs marginaux et désorganisés sont plus importants que dans les démocraties à deux vitesses. Les secteurs plus autonomes ont un degré relativement faible d'autorégulation et sont peu intégrés aux normes civiques et démocratiques. C'est dans ce contexte qu'émerge une situation prétorienne dans laquelle les régimes populistes reposent sur des États avec différents niveaux de capacité. Quand l'État est fort, le régime populiste peut se consolider et peut encore prendre une tangente autoritaire. Quand l'État est faible, le régime peut rester instable et la relation conflictuelle avec la société peut s'intensifier. En Bolivie, en Équateur et au Venezuela, les régimes populistes sont ceux qui ont les plus bas niveaux de capacité étatique dans les trois indicateurs que nous avons sélectionnés. Un autre élément important dans ce type de régime est que les gouvernements ont très souvent à leur tête des présidents sans parti, dont l'accès au pouvoir est alimenté par l'insatisfaction des secteurs marginalisés, c'est-à-dire par les principaux perdants des réformes économiques.

✦

Les régimes politiques émergents en Amérique latine ne sont pas nécessairement républicains ou autoritaires (ou démocratiques et autoritaires) ; ils ne sont pas homogènes, et les processus de démocratisation qui se sont amorcés pendant les années 1980 ont mené à l'institutionnalisation de nouvelles formes de régime politique. Malgré leurs différences, l'Argentine, la Bolivie, le Brésil, le Chili, l'Équateur, l'Uruguay et le Venezuela ont en commun de figurer dans la liste des pays de la « nouvelle gauche ».

Ils ont tous comme priorité la lutte contre la pauvreté. Cependant, il apparaît souvent que ni les États dont les gouvernements se réclament de cet objectif, ni les mouvements qui portent les régimes n'ont la force ou les ressources institutionnelles nécessaires pour le remplir.

Pour aller plus loin :

Armony, Victor, « The Left's Discourse in Latin America : The Nationalist and Populist Ideological Streams » ; Cameron, Maxwell, « Why did Peru and Mexico not Join Latin America's Left Turn ?... Or Did They ? » ; Roberts, Kenneth, « From the "End of Politics" to a New "left Turn" Populism, Social Democracy and Social Mouvements in Latin America », communications présentées au colloque *Amérique latine : Nouvelles gauches ? Nouvelles démocraties ?*, RÉAL-CÉRIUM, Université de Montréal, 29-30 mars 2007.

Castaneda, Jorge G., « Latin America's Left Turn », *Foreign Affairs*, mai-juin 2006.

Waisman, Carlos, « State Capacity and Political Regimes in South America », communication présentée au congrès de l'*American Political Studies Association*, Philadelphie, 29 août-1er septembre 2006.

La résistance est-elle futile ?

Augustin Simard

Il n'est pas facile de dire depuis quand la résistance a bonne presse. Non pas le « rebelle », le virtuose de la résistance, que la pureté de sa conscience (Thoreau) ou sa détermination à user de tous les moyens (Meinhof) placent à distance du commun des mortels. Mais les figures multiples d'une désobéissance ordinaire, accessible, en un mot : « citoyenne ». La chose mérite d'être soulignée : alors que les représentations historiques du résistant sont élitistes, confinées à l'héroïsme individuel, ses incarnations contemporaines nous paraissent étrangement familières. Il n'est plus nécessaire d'avoir fréquenté le Quartier Latin en 1968 ou de sillonner les collines du Chiapas, puisque Seattle, Québec, Montebello ou le presbytère de l'Église paroissiale offriraient un spectacle similaire : celui de la diffusion d'un « droit de résistance » aux pouvoirs publics et sa mise en œuvre plus ou moins spontanée.

Il y aurait bien des nuances à introduire ici. D'abord, parce qu'il faut bien sûr se garder d'identifier l'action « manifestante » à la « résistance », même si des recoupements peuvent parfois exister. Ensuite, parce que la catégorie même de « résistance » demeure un peu amorphe et appelle des distinctions bien établies (notamment entre rébellion et désobéissance civile). Enfin, parce que, sur le plan empirique, chaque acte de résistance paraît mobiliser des répertoires spécifiques. Sans esquiver entièrement ces difficultés, il s'agira ici de se demander ce que signifie la banalisation de la résistance, sa « démocratisation », son entrée dans le quotidien de gens ordinaires.

Que cette banalisation soit réelle ou qu'elle tienne de l'illusion n'importe guère. Le fait décisif, c'est plutôt que l'exercice de la résistance soit bel et bien posé comme un droit qu'il revient à chacun de saisir et de mettre en œuvre. La prétention à résister aux pouvoirs publics ne demanderait, en ce sens, ni habilitation ni compétence juridique, mais quelque chose comme une vertu civique : c'est l'affaire du citoyen lambda, pour peu que les circonstances l'y obligent. En toute rigueur, c'est donc moins à un droit au sens positif que l'on a affaire qu'à une juridicité, qui résiste à tout effort pour la circonscrire. Tenter de qualifier un peu cette étrange juridicité nous conduira, mine de rien, au fondement même de la démocratie constitutionnelle.

Soft law et résistance

Les conditions qui ont permis ce retour du droit (revendiqué) de résistance sont de plusieurs ordres. Elles ont cependant toutes partie liée avec ce qu'on appelle le pluralisme juridique – terme un peu vague par lequel on désigne la multiplication des sous-systèmes juridiques et leur déterritorialisation progressive. Par opposition au modèle classique de l'État légal, suivant lequel le droit (statutaire, positif) est toujours édicté par l'État, et l'État toujours organisé et légitimé par le droit (État de droit, *rule of law*), le pluralisme juridique décrit une situation où cette relation exclusive État/droit se délite.

Il s'agit bien sûr de modèles abstraits, qui visent à mettre en ordre la réalité, souvent très confuse, du droit. Mais en tant que modèle justement, ils possèdent une certaine charge normative, ils reflètent des aspirations. Alors si l'État légal incarnait l'idéal des juristes du XIXe siècle, avec son système déductif, sa clarté, sa régularité et sa prévisibilité, le pluralisme juridique prêche, quant à lui, pour une plus grande flexibilité du droit, une proximité avec ses usagers, un souci de respecter les modèles normatifs développés spontanément par les agents sociaux. En délaissant le modèle « impérial » de la loi, on lâche la bride à des modes alternatifs de régulation et de règlement des conflits. D'où un amalgame d'ancien et de nouveau que l'on a appelé le *soft law*, où les règles de l'antique *lex mercatoria* (le droit des marchands) croisent les codes de conduites des entreprises multinationales, les dispositions des traités internationaux et les « protocoles » qui lient de façon plus ou moins formelle les États signataires.

À l'instar de l'État légal, le modèle du pluralisme juridique est autant descriptif que normatif : en cherchant à décrire ce qui est, il oriente immanquablement la conduite des acteurs (les professionnels du droit, leur clientèle et, enfin, le simple quidam). En ce sens, il a un impact considérable sur la vie politique, qu'il constitue, comme il le prétend, une description exacte de la réalité ou non. Voilà un élément qu'il semble essentiel de souligner : d'une façon tout à fait remarquable, le pluralisme juridique a rendu accessible le langage du droit, il a libéré des « effets de droits » que ne recouvre plus le droit étatique classique. Le langage du droit, autrefois l'apanage des juristes en complet-cravate, peut alors devenir celui du militant, du citoyen lésé ou mécontent, de celui qui saura trouver dans le *soft law* des points d'appui pour ses demandes. Certes, les articulations de ce « discours juridique de résistance », comme l'appelle C. Pompeu, n'ont pas la même solidité que le droit étatique qu'elles affrontent parfois. Mais il est indéniable que la résistance peut désormais disposer des ressources morales liées au fait d'avoir, comme on dit, « le droit de son côté ». Ce qui tend à disparaître, du coup, c'est un certain type de résistance illustré par la figure d'Antigone. Au sein de l'État légal, le citoyen ne pouvait résister à une loi injuste que dans son for intérieur ; sous le régime du pluralisme juridique, il pourra désormais lutter sur le terrain même du droit.

Constitutions et révolutions

Parmi les amalgames d'ancien et de nouveau auxquels donne lieu le pluralisme juridique, l'un des plus frappants est donc la résurgence du *jus resistentiae* – le droit de résistance. Une enquête approfondie montrerait que le droit de résistance, la tentative pour en cerner les contours, a couru en filigrane de toute la théorie politique occidentale. Mais elle montrerait aussi que cette préoccupation pour le droit de résistance a connu une brève éclipse aux XIXe et XXe siècles, une éclipse correspondant à l'avènement du constitutionnalisme démocratique. C'est en ce sens que le juriste Kurt Wollzendorf parlait en 1916 d'un « retournement » (ou d'une « conversion ») du droit de résistance qui se serait opéré, à la fin du XVIIIe siècle, au profit de l'État constitutionnel représentatif. C'est le propre de ce type d'État que d'absorber le droit de résistance et de l'instituer sous la forme d'une constitution *formelle*, c'est-à-dire sous la forme d'une procédure permettant de transformer l'ensemble de ce qu'on appelait alors les « lois politiques », celles qui fixent l'organisation et la distribution des pouvoirs publics.

L'État constitutionnel implique en effet, par sa dénomination même, l'existence d'un « pouvoir constituant », originaire et absolu, capable d'instituer les autres pouvoirs (dits « constitués ») et de définir leurs compétences. Voilà un postulat qui, pour sembler très théorique, a néanmoins donné leur impulsion aux révolutions américaines et françaises, et qui continue aujourd'hui encore d'organiser la plupart des constitutions du globe. Le droit de résistance en vient ainsi à se résorber dans une constitution dont la propriété essentielle est d'ouvrir – ou mieux : d'aménager – la possibilité de sa propre transformation. Plutôt que de s'opposer frontalement à l'ordre public en place, le droit de résistance s'exercera à travers lui, puisque l'ordre public a désormais la faculté de se corriger et de s'amender lui-même. À strictement parler, il n'y a de « droit » à la résistance que lorsque la régularité de cette procédure d'autocorrection, ouverte et équitable, est mise à mal. Dès lors que la constitution se bloque et se fait « oppressive », la résistance redevient non seulement « le plus élémentaire des droits », mais aussi « le plus sacré des devoirs ».

Les révolutionnaires de la fin du XVIIIe siècle, en Amérique et en Europe, ont bien senti ce lien intime entre constitution et droit de résistance. Chez les modérés comme chez les radicaux, la valeur d'une constitution est jugée à sa capacité à rendre superflu le droit de résistance. C'est pourquoi, en même temps que l'on admet l'existence *de facto* d'un droit de résistance – à l'article 2 de la Déclaration des droits de l'homme de 1789, par exemple – on n'envisage guère sa mise en œuvre autrement que par le truchement de la constitution. En forçant le trait, on dira que l'organisation des pouvoirs n'a d'autre fin que d'assurer à chaque citoyen la possibilité de « résister » sur une base régulière, d'exercer ce droit naturel au moyen de l'élection de représentants, de la critique publique et de la participation à l'élaboration de la volonté politique. Comme le rappelait Jean-Joseph Mounier, l'un des rédacteurs de la Déclaration de 1789, « une bonne constitution n'impose jamais au peuple la nécessité de l'insurrection, et la rend impossible tant qu'elle n'est pas nécessaire. [Elle] ne laiss[e] cette ressource que lorsqu'elle est absolument indispensable.» En tant que procédure de création/modification de l'ordre public, la constitution reconnaît l'existence d'un droit élémentaire à résister à l'oppression («remède terrible», écrit Mounier), un droit qu'elle cherche justement à garantir et à formaliser en s'y substituant. Dès lors, il n'y a plus de place pour un droit de résistance autonome, inscrit dans le texte de la constitution, puisque c'est la constitution dans son ensemble qui en est le dépositaire. La conversion du droit de résistance en droit constitutionnel paraît alors parfaite. Seule peut la renverser une corruption de la constitution, chaque citoyen récupérant alors son droit à résister.

Peut-être les constituants du XVIIIe siècle ont-ils poussé trop loin l'idée voulant qu'une constitution ne soit rien d'autre que la conversion d'un droit de résistance élémentaire. C'est pourtant sur cette mystérieuse opération d'alchimie que repose le développement des principes constitutionnels modernes ainsi que leurs multiples incarnations. Voilà qui jette une lumière singulière sur l'actuelle résurgence d'un droit de résistance diffus, lié au pluralisme juridique. En absorbant le droit de résistance dans une procédure «constituante», le constitutionnalisme moderne a déployé l'horizon d'autocompréhension des régimes modernes. La résurgence du droit de résistance inaugure-t-elle à cet égard une ère postconstitutionnelle? Une ère dans laquelle, comme on se plaît parfois à le rêver, les individus et les groupes *grassroots* disposeront d'un répertoire normatif riche et hétérogène, leur permettant d'articuler leurs demandes et de s'opposer aux décisions publiques qu'ils ressentiront comme oppressives?

Attrait du nouveau, retour de l'ancien

À vrai dire, c'est plutôt d'une ère *pré*-constitutionnelle qu'il faudrait parler ici. Ce petit voyage dans le temps nous autorise en effet à renverser la perspective: c'est moins la résurgence du droit de résistance qui doit surprendre, que son invraisemblable «conversion», l'espace de deux siècles. Aussi, ceux qui revendiquent le droit à résister aux juridictions étatiques au nom de normes *soft* sont moins à la page qu'ils ne le pensent. Comme le pluralisme juridique qui croise l'archaïsme et l'hypermoderne, ils renouent sans le savoir avec le vieux droit de résistance chrétien, dont la scène inaugurale est la comparution des apôtres devant le Sanhédrin.

> Après qu'ils les eurent amenés en présence du Sanhédrin, le souverain sacrificateur les interrogea en ces termes : Ne vous avons-nous pas défendu expressément d'enseigner en ce nom-là ? Et voici, vous avez rempli Jérusalem de votre enseignement, et vous voulez faire retomber sur nous le sang de cet homme ! Pierre et les apôtres répondirent : *Il faut obéir à Dieu plutôt qu'aux hommes* (*Actes* 5, 27-29, je souligne).

Voilà, dans leur plus simple expression, les conditions du droit de résistance. Pour qu'un acte de résistance puisse relever du droit, il faut qu'une distinction soit posée – ou, à tout le moins, qu'elle soit ressentie par les protagonistes – entre, d'une part, la loi positive, loi temporelle et politique, et, d'autre part, une légitimité supra-légale, issue d'un commandement moral supérieur au droit positif (volonté de Dieu, Justice, humanité, etc.). Ce dualisme légalité/légitimité n'est pourtant pas aussi subversif qu'il le paraît. Dès l'origine, il s'est trouvé imbriqué dans une économie de la résignation et de l'obéissance aux pouvoirs en place. C'est ainsi que l'on peut lire chez Paul (*Romains* 13, 1-2) :

> Que toute personne soit soumise aux autorités supérieures ; car il n'y a point d'autorité qui ne vienne de Dieu, et les autorités qui existent ont été instituées de Dieu. C'est pourquoi celui qui s'oppose à l'autorité résiste à l'ordre que Dieu a établi, et ceux qui résistent attireront une condamnation sur eux-mêmes.

Même si ce sont des princes païens qui l'exercent, la domination politique a sa place dans le grand plan de la Providence divine. Sous le masque du souverain temporel, tout inique qu'il soit, ce n'est toujours qu'à Dieu seul que le chrétien obéit. Dans cette économie de la soumission, le droit de résistance représente donc, très littéralement, l'exception qui confirme la règle (c'est-à-dire l'obéissance à Dieu). Il n'intervient que lorsque le pouvoir temporel va manifestement à l'encontre de la volonté de Dieu, lorsque la soumission aux autorités exige de renier sa foi.

Le droit de résistance apparaît donc sous la forme d'un conflit de loyautés – et il n'en va pas autrement à l'ère du pluralisme juridique mondialisé, les individus participant simultanément d'une multiplicité de sous-systèmes juridiques autonomes, parmi lesquels le système étatique n'est souvent pas le plus important. Tirant son origine de la tension entre les deux cités dont participe le chrétien, le droit de résistance est forcément marqué par un déficit d'institutionnalisation. Il n'a pas de domicile fixe.

Une part importante de la pensée politique, depuis le haut Moyen Âge jusqu'à la fin du xviiie siècle, s'est efforcée de circonscrire ce droit amorphe, découlant de la condition du chrétien dans la cité politique, et pour le rendre mieux assuré. On trouve ici un corpus impressionnant, allant du grand traité systématique au pamphlet le plus obscur. Sans craindre de forcer un peu le trait, il est possible d'identifier deux grands pans à cette réflexion multiséculaire. Sur l'un, il s'est agi de savoir à quelles conditions le chrétien doit désobéir, et donc de déterminer sous quels traits se présente un pouvoir qui heurte la volonté divine. S'ouvre ainsi une vaste recherche des critères permettant de reconnaître le mauvais régime ou la tyrannie. Avec comme conséquence le développement d'une doctrine juridique du tyrannicide : renverser le tyran et s'en débarrasser s'avère en effet une manière particulièrement efficace de mettre en œuvre le « droit de résistance » établi par l'apôtre Pierre et de résoudre le conflit de loyautés que suscite le fait d'être soumis simultanément à la juridiction politique et à la Loi divine. Introduite au milieu du xiie siècle par Jean de Salisbury dans son *Policraticus* et relayée à quelques siècles d'intervalle par les calvinistes français et par les radicaux anglais, cette justification légale de la mise à mort du tyran connaît une sorte d'apothéose le 16 janvier 1793, lorsque la Convention nationale vote la mort de Louis XVI.

Sur un autre plan, la tentative pour circonscrire le droit de résistance a donné lieu à un effort pour qualifier le sujet susceptible d'exercer ledit droit. Si le droit de résistance découle d'une tension indépassable entre la légalité positive et la justice éternelle, il n'en reste pas moins que l'on parviendra à l'institutionnaliser en déterminant de façon exclusive *qui* peut le mettre en œuvre : le corps de la noblesse, un Sénat, l'ensemble des officiers du royaume, une assemblée extraordinaire, etc. Ce qui est décisif ici, c'est l'opération par laquelle le droit de résistance devient une compétence attribuée à un agent précis et soumise à une marche à suivre, une « procédure ». On reconnaît ici l'origine d'un organe typique de nos démocraties libérales : un corps représentatif chargé d'exprimer le consentement au pouvoir. Voilà un lent travail de formalisation qui va aboutir, notamment chez John Locke à la fin du xviie siècle, à l'idée voulant que le peuple seul est dépositaire du droit de résistance. Seul le peuple peut décider à quel moment le pouvoir viole sa mission et outrepasse les conditions de sa légitimité.

Mais cette solution ne peut être que transitoire. Car contrairement à un corps de nobles, par exemple, le peuple n'a pas d'existence positive, massive et assurée. En faisant de lui le sujet chargé de mettre en œuvre le droit de résistance, Locke nous lègue une énigme abyssale : qui est le peuple ? Question à laquelle on ne peut apporter de réponse définitive puisqu'elle concerne rien de moins que la pure généralité sociale. En ce sens, le peuple ne peut être autre chose qu'une construction ou une « fiction », qui doit être matérialisée d'une façon ou d'une autre. C'était précisément l'ambition du constitutionnalisme que de développer les dispositifs grâce auxquels cette généralité peut prendre corps.

✦

Ce que suggère ce petit exercice de pensée politique, c'est que nous nous trouvons à une période charnière, et il n'est pas sûr que les notions héritées du constitutionnalisme des siècles précédents puissent encore servir de balises. La résurgence du droit de résistance met en effet à rude épreuve une prétention, voire une identification, sur laquelle s'est érigé l'édifice du constitutionnalisme démocratique depuis la fin du XVIIIe : l'absorption du droit de résistance dans une constitution, les deux termes devenant mutuellement exclusifs (il y a *ou bien* constitution, *ou bien* droit de résistance).

On aurait tort pour autant de croire que le puissant Léviathan est tombé sous les coups d'une militance mondialisée, qui parvient à s'opposer aux juridictions étatiques – avec une belle inventivité – en faisant valoir les dispositions de tel ou tel traité, la jurisprudence de telle ou telle instance internationale, ou les principes d'humanité les plus élémentaires. Le nouveau « conflit de loyautés », mis en scène par quelques militants de Gênes, Nice et Seattle, n'est sans doute qu'un symptôme, un témoin de plus, propre à nous renseigner sur l'état de décomposition dans lequel se trouvent aujourd'hui les fondations du constitutionnalisme. Et si l'on voulait trouver les agents catalyseurs d'une telle décomposition, il faudrait regarder surtout du côté des politiques, des philosophes friands de normativité et des juristes soucieux d'assurer l'hégémonie de leur discipline. Car, faut-il le rappeler, bien avant l'apparition d'une nouvelle militance, le droit de résistance a fait un retour dans plusieurs constitutions libérales adoptées après 1945, sapant ainsi de façon plus ou moins consciente les prémisses du constitutionnalisme démocratique.

Pour aller plus loin :

MOUNIER, Jean-Joseph, *Considérations sur les gouvernements et principalement sur celui qui convient à la France*, Paris, Ph.-D. Pierres, 1789.

POMPEU, Casanovas, « Pluralisme politico-juridique : citoyenneté et évolution technologique », *Erytheis*, nº 1, mai 2005, <http://www.erytheis.net/>.

WOLZENDORFF, Kurt, *Staatsrecht und Naturrecht in der Lehre vom Widerstandsrecht des Volkes gegen rechtswidridge Ausübung der Staatsgewalt*, Breslau, Marcus, 1916.

5

Faut-il vraiment se battre ?

Quo vadis bellum ?

Michel Fortmann

On peut relire aujourd'hui, avec un brin de nostalgie, certaines des prophéties les plus radicales sur l'avenir de la guerre formulées au tournant des années 1990. À l'instar de la « fin de l'histoire » que suggérait Francis Fukuyama en 1989, l'obsolescence des conflits armés semble, en effet, avoir été annoncée prématurément. Le retour à la compétition multipolaire et aux guerres d'antan ne s'est, par contre, pas non plus matérialisé, pas plus d'ailleurs qu'un « conflit des civilisations » ou « l'anarchie montante » prédite par Robert Kaplan. L'environnement stratégique de ce début de millénaire ne semble pas vouloir se laisser enfermer dans les formules, aussi élégantes soient-elles. La fin de la première décennie du XXIe siècle nous permet cependant, à 18 ans de distance, de mieux distinguer que nos prédécesseurs certains des traits et des tendances qui caractérisent les conflits armés post-guerre froide. L'objet de cet essai est d'en présenter un inventaire succinct.

Une diminution significative de la violence internationale

La réduction significative de la fréquence des conflits armés depuis la fin de la guerre froide est maintenant un fait reconnu par tous les instituts de polémologie. Le nombre de guerres est ainsi passé de 40 par année, en 1989, à moins de 20 en 2005, soit une diminution de 50 % en 15 ans. Spécifiquement, la présence des guerres interétatiques a fortement diminué, surtout si l'on tient compte de la taille croissante de la communauté internationale.

La proportion de sociétés qui connaissent la guerre a aussi chuté de façon draconienne depuis 1990, passant de 50/159 (31 % des États à l'époque) à 15/192 en 2007 (7,8 % des États aujourd'hui). Le nombre annuel de conflits dans le monde (15) a atteint, à cette date, son plus bas niveau depuis 1970. L'ampleur des confrontations armées depuis plus de deux décennies est d'ailleurs demeurée modeste et leur impact ne soutient pas la comparaison avec les grands conflits du passé. Une mesure, parmi d'autres, de l'intensité des conflits serait le nombre de victimes des guerres. De ce point de vue, il est frappant de constater, d'après les données les plus récentes, que les guerres font de moins en moins de morts (20 000 personnes en 2002). Malgré les nombreux conflits ethniques qui ont caractérisé la période 1990-2000, le nombre de victimes des affrontements armés a rarement dépassé 100 000 par année. Par comparaison, la guerre de Corée (1950-1953) et la guerre civile en Chine (1946-1949) n'ont pas fait moins de 700 000 morts par an, au début des années 1950. La diminution marquée, sinon la disparition, de certains types de conflits, comme les guerres interétatiques, et leur baisse d'intensité constitue, de ce point de vue, un phénomène sans précédent qui a amené Evan Luard à avancer que : « Compte tenu de l'ampleur et de la fréquence des guerres en Occident durant les siècles passés, cela constitue un changement spectaculaire, peut-être l'une des discontinuités les plus frappantes de l'histoire de la guerre. »

La fin des armées de masse

Avant même la fin de la guerre froide, la guerre conventionnelle moderne a également entamé une période de transformation unique dans l'histoire militaire contemporaine. Le modèle de la guerre industrielle, tel que nous le connaissons depuis le début du siècle passé, est en effet tombé en désuétude, même si certaines de ses caractéristiques ont survécu jusqu'à nos jours. La conscription demeure, ainsi, une tradition dans beaucoup de pays. L'organisation et l'équipement des armées conventionnelles, avec leurs chars et leur parc d'artillerie, ont survécu dans plusieurs cas jusqu'à la fin de la guerre froide. Personne n'avancerait cependant qu'une nouvelle version de la Première ou de la Seconde Guerre mondiale pourrait avoir lieu aujourd'hui. Un affrontement massif opposant des sociétés complètement mobilisées pour la guerre pendant plusieurs années est difficile à envisager à notre époque, autant pour des raisons techniques que pour des raisons purement sociologiques. Les populations des sociétés industrialisées consentiraient-elles aux mêmes sacrifices que leurs ancêtres ? La notion de « nation en armes » a-t-elle encore un sens dans le contexte des sociétés cosmopolites postmodernes ? L'arme nucléaire, parce qu'elle rend n'importe quel pays vulnérable, nie par ailleurs toute possibilité de mobilisation industrielle à long terme. N'oublions pas non plus que les armes conventionnelles toujours plus létales et précises qui sont mises au point depuis la Seconde Guerre mondiale interdisent le champ de bataille à l'amateur ou au conscrit, quel que soit son patriotisme. La guerre industrielle moderne est de plus en plus l'affaire du professionnel-technicien, et de moins en moins celle du citoyen-soldat.

Les armées de masse disparaissent donc, peu à peu, depuis quelques décennies. Les États-Unis voient ainsi la taille relative de leurs forces armées par rapport à la population diminuer des deux tiers de 1955 à 2003, passant de 1,6 % à 0,5 % durant cette période. Celle des forces britanniques diminue, en termes relatifs, des trois quarts durant la même période (de 1,6 % à 0,4 %). Un constat similaire pourrait être fait pour la France, l'Allemagne et même l'URSS / Russie. En 1990, le nombre d'hommes qui se trouvent sous les armes en Europe et en Amérique du Nord représente moins de 1 % de la population ; ce pourcentage tombe à moins de 0,4 % en 2003. Les grandes armées capables de déployer plus d'une centaine de milliers d'hommes sont donc rares et, en 2006, il n'y a plus guère que la Chine qui dispose d'une armée de plus de deux millions d'hommes. En fait, seuls quatre pays au monde déploient des forces armées de plus d'un million de soldats (Chine, États-Unis, Inde et Corée du Nord). Faut-il s'étonner, alors, que la France ait eu de la difficulté à déployer plus de 14 000 hommes lors de la guerre du Golfe en 1990 ? À cette occasion, une coalition, formée d'une dizaine d'États et comptant trois des cinq membres permanents du Conseil de sécurité, a réussi à déployer un demi-million d'hommes au Koweït, ceci ne représentant, il faut le préciser, que la moitié des forces que la seule Allemagne a employées en septembre 1940 contre la Pologne… L'invasion de l'Irak en 2003, quant à elle, a requis une force encore plus réduite (263 000 hommes). Cela souligne, à nouveau, que la taille des armées régulières des États les plus puissants ne cesse de diminuer, alors que leur efficacité augmente.

De la Révolution dans les affaires militaires à la Transformation

Les changements que connaissent les armées d'aujourd'hui vont cependant au-delà de la disparition des armées de masse. Depuis les années 1970, en effet, on assiste à une mutation technologique profonde. Celle-ci, que l'on peut appeler la révolution technétronique, a pour origine les progrès considérables qui se sont produits dans les techniques de reconnaissance, de communication et de l'électronique. De façon très schématique, les moyens de reconnaissance les plus avancés, et en particulier les systèmes imageurs optiques, infrarouges ou radars (spatiaux ou aéroportés), permettent aux armées modernes, comme celle des États-Unis, de dissiper en partie ce que Clausewitz appelait le « brouillard de la guerre ». Des plates-formes, comme le système aéroporté de détection AWACS ou le radar interarmes de surveillance JSTAR, sont à même, théoriquement, de « voir » dans la profondeur du champ de bataille, de jour comme de nuit, par beau ou mauvais temps, les moindres faits et gestes d'un ennemi armé de façon conventionnelle. Ces données, transmises souvent en temps réel aux différents niveaux de commandement, permettent aux forces disponibles de cibler avec grande précision les forces de l'adversaire et de les détruire avant même qu'elles ne soient engagées. Deux outils complètent cette capacité de reconnaissance des forces armées modernes : la mise en réseau des unités, quelle que soit leur arme d'appartenance, et la précision croissante des systèmes d'armes (missiles, artillerie, bombes). Idéalement, une force militaire interarmes peut ainsi agir à distance comme un seul système d'armes extrêmement précis. Il est remarquable de constater, de ce point de vue, que si seulement 10 % des bombes employées durant la première guerre du Golfe (1990) méritaient le qualificatif d'armes de précision (*smart weapons*), plus de 70 % des munitions utilisées durant l'opération *Iraqi Freedom,* en 2003, entrent dans cette catégorie. Ce que les militaires américains appellent la Révolution dans les affaires militaires, ou la « Transformation », implique non seulement l'intégration croissante des trois armées (air-terre-mer) au sein d'un même système de reconnaissance et de frappe, mais aussi la restructuration des forces en un ensemble plus petit, mais plus létal. À titre d'illustration, si les États-Unis ont eu besoin d'un demi-million d'hommes et d'une dizaine de divisions pour l'emporter contre l'Irak en 1991, ils n'ont employé que deux divisions et 250 000 hommes dans le cadre de leur intervention en 2003.

Une nouvelle façon de faire la guerre ?

La révolution militarotechnique actuelle et la réduction significative des effectifs militaires qui lui est associée a, bien sûr, influencé la façon dont les stratèges conçoivent l'usage de la force, donnant naissance à ce que Martin Shaw a appelé le nouveau type de guerre « à l'occidentale » (*new Western way of war*). Compte tenu des menaces à la fois plus diversifiées mais aussi moins directes qui caractérisent aujourd'hui la scène internationale (terrorisme, États voyous, crises humanitaires), les forces militaires des États industrialisés, quoique réduites, seraient plus en mesure de surveiller globalement leur environnement stratégique et d'intervenir partout dans le monde sur demande, un peu comme une force de police internationale. Les nouvelles technologies devraient faciliter des interventions rapides et efficaces, minimisant ainsi leurs coûts politiques et économiques. Par-dessus tout, les opérations militaires devraient se dérouler discrètement, « à distance » et l'on veillerait à limiter autant que possible les pertes et les dommages collatéraux, surtout en ce qui concerne les populations civiles. La précision accrue des frappes aériennes serait particulièrement utile dans ce cadre. Un théoricien américain, John Warden, avance ainsi que le vieux rêve des tenants de la puissance aérienne est maintenant réalisable. Les moyens de reconnaissance modernes permettraient de viser un ennemi « à la tête » et de l'abattre avant même qu'il puisse mobiliser ses forces. La révolution dans les affaires militaires permettrait donc d'effectuer des opérations brèves, « propres » et peu coûteuses, tout en gérant les risques politiques et en contrôlant l'aspect médiatique des conflits – dimension qui prend de plus en plus d'importance aujourd'hui.

Le retour des petites guerres

L'ironie de la situation actuelle réside dans le fait que le nouveau modèle de guerre « à l'occidentale » – ou « à l'américaine », si l'on préfère – a été mis en échec immédiatement après avoir obtenu ses plus grands succès au printemps 2003. L'Afghanistan et l'Irak sont ainsi rapidement devenus le théâtre de confrontations qui rappellent plus l'Antiquité que le

XXIe siècle. La guérilla et le terrorisme sont en effet aussi vieux que la guerre elle-même. Aussi loin que l'on remonte dans l'histoire, des groupes humains ont existé qui, faute de moyens et ne pouvant affronter leurs ennemis à découvert, ont dû recourir à des méthodes de combat particulières, notamment les coups de main, les embuscades, les assassinats, les attentats, mais aussi les massacres ou le terrorisme. Le contexte de ces « petites guerres » est presque toujours le même. Une armée « occupante », une société ou un territoire « occupé » et un ou plusieurs groupes réfractaires qui ont recours à la violence politique. Les méthodes employées par des groupes comme les talibans ou Al-Qaeda ne constituent donc pas une nouvelle forme de guerre, mais bien un type de combat qui existe en parallèle à la guerre conventionnelle depuis fort longtemps, au même titre que les opérations spéciales ou le terrorisme. Il s'agit probablement d'une des ironies de notre époque qu'il est plus facile de détruire un pays (ou de l'envahir) que de l'occuper. Il est vrai que les puissances occidentales n'ont pas montré beaucoup de compétence pour lutter contre la « petite guerre » et, depuis 1945, les efforts des forces armées pour éliminer les guérillas et les terroristes ont débouché sur une longue liste de fiascos, et cela se confirme en Irak aujourd'hui. Quels sont les facteurs qui expliquent ces échecs ? Quatre points méritent d'être rappelés.

Premièrement, il existe presque toujours un rapport de forces très asymétrique entre une armée occupant un pays et la population de ce dernier. Comment une armée de quelques dizaines ou même quelques centaines de milliers d'hommes – considérés comme des étrangers et des envahisseurs – peut-elle faire régner l'ordre à long terme dans un pays de plusieurs dizaines de millions d'habitants ? Aucune armée au monde n'a résolu ce casse-tête.

Deuxièmement, compte tenu de cette asymétrie, une poignée d'insurgés qui peut se fondre dans la masse de la population détient une capacité de nuisance sans commune mesure avec sa taille.

Psychologiquement, par ailleurs, le rapport de forces, *a priori* défavorable aux insurgés, joue en leur faveur aux yeux de tous les publics témoins du conflit. Palestiniens ou Hezbollah contre Israéliens, Vietcong contre GI, jihadistes contre Américains sont tous perçus comme des faibles luttant contre le fort, des David contre des Goliath.

Finalement, les guérilleros ont l'avantage du temps. Ils n'ont nulle part où aller. Ils sont chez eux, alors que les forces occupantes doivent justifier quotidiennement leur présence. Comme l'a dit Kissinger il y a fort longtemps, les forces de l'ordre perdent par le simple fait qu'elles ne gagnent pas. Les insurgés gagnent aussi longtemps qu'ils ne perdent pas.

Les guerres du troisième type

Un second type de conflits, qui a donné beaucoup de fil à retordre aux armées occidentales depuis 1990, a été surnommé guerre « du troisième type » par Kal Holsti. De quoi s'agit-il ? Plusieurs traits particuliers la distinguent des autres genres de guerre.

Ces conflits se déroulent en général dans le contexte d'un État faible ou en voie d'effondrement. Spécifiquement, le gouvernement ne détient plus le monopole de la force armée et ne contrôle plus la totalité de son territoire ni ses frontières. Il n'assure plus non plus ses fonctions régaliennes (sécurité, défense, justice). En fait, la notion de gouvernance est souvent pervertie : corruption, patrimonialisme, clientélisme sont la norme. Bref, l'État se médiévalise et un système de pouvoirs concurrents voit le jour. Chefs locaux, gangs, trafiquants, entrepreneurs politiques s'installent dans les interstices du système politique.

Dans ce contexte, la violence ou la menace d'user de la violence devient un moyen privilégié pour assurer la survie économique des entités qui composent le système politique fragmenté de ces « États ». En effet, la réunion des moyens nécessaires pour faire la guerre dans le contexte d'un État faible n'est pas coûteuse. Les armes sont primitives, et les soldats – surtout lorsqu'il s'agit d'enfants – sont faciles à enrôler. Ces armées au rabais deviennent donc très rentables soit pour terroriser une population et la rançonner ou pour exploiter certaines des ressources que renferme un territoire. Même l'aide humanitaire devient une proie facile pour ces pouvoirs qui composent un État « en faillite ». Comme le note Herfried Münkler : « Les nouvelles guerres sont très lucratives pour beaucoup de leurs participants car, à court terme, l'usage de la force rapporte plus qu'elle ne leur coûte. Et les coûts à plus long terme sont payés par d'autres. »

En devenant une activité économique rentable, la guerre se transforme donc en un « mode de vie » pour une partie de la population. Elle devient endémique, un phénomène récurrent caractérisé par des périodes de latence et des phases de flambées brutales.

Dans ce type de guerre, la majorité des victimes sont civiles, ce qui a été maintes fois noté. Le contrôle du territoire passe en effet par le contrôle des populations, et la terreur est sans doute la méthode la plus courante pour atteindre cet objectif. La cruauté médiatisée fait donc partie de l'arsenal des guerres du troisième type. Ces dernières sont donc, en général, humainement coûteuses, entraînant dans leur sillage un ensemble d'excès qui se répercutent à l'échelle internationale (massacres, viols systématiques, pillages, vagues de réfugiés, *spill-over* dans les pays voisins).

Comment appréhender les guerres du troisième type ? Certains y voient non le produit d'une transformation, mais plutôt une régression de la guerre vers des pratiques qui avaient cours à l'époque médiévale. D'autres les définissent plus comme une pathologie de l'État dans le monde en développement que comme des conflits internationaux. Quoi qu'il en soit, elles représentent bien une des formes actuelles du phénomène guerre et constituent donc, avec les nouvelles guérillas, un des problèmes principaux auxquels les institutions militaires actuelles ont à faire face.

Quo vadis bellum ? Le dilemme des armées d'aujourd'hui

Les paragraphes précédents résument succinctement les défis auxquels les États industrialisés, confrontés aux multiples mutations du phénomène guerre, ont à faire face : gérer la restructuration des armées de type industriel dans le sillage de l'après-guerre froide, adapter les hommes et les matériels à une révolution technique sans précédent depuis l'invention de l'arme atomique ; faire face aux conditions très spécifiques des guerres de basse intensité (y compris le terrorisme) et des conflits du « troisième type ». En outre, la perspective d'une guerre conventionnelle entre grandes puissances n'est pas tout à fait exclue dans un environnement où la compétition stratégique et les motifs de crise graves subsistent dans plusieurs régions du monde. Il ne faudrait pas oublier non plus que, malgré des réductions radicales depuis 1990, les arsenaux stratégiques hérités de la guerre froide demeurent abondamment pourvus et continuent à faire planer le risque d'un affrontement nucléaire. Les événements des dernières années nous rappellent également que l'arme nucléaire conserve son attrait pour plusieurs États, comme l'Inde, le Pakistan, l'Iran, Israël et d'autres, autant en Asie qu'au Moyen-Orient. La question de la dissuasion, qu'elle se pose globalement ou pour une région donnée, demeure donc d'une grande actualité. Dans la mesure où tous les types de conflits (guerres de basse intensité, crises humanitaires, confrontations conventionnelles et même échanges nucléaires) demeurent possibles, les stratèges d'aujourd'hui sont confrontés à une situation unique dans l'histoire de la guerre. Comment se préparer militairement dans un contexte aussi fluide ? C'est probablement le principal casse-tête que les études stratégiques auront à résoudre dans les années à venir.

Pour aller plus loin :

Fukuyama, Francis, *La fin de l'histoire et le dernier homme*, Paris, Flammarion, 1992.

Huntington, Samuel, *Le choc des civilisations*, Paris, Odile Jacob, 2000.

Kaplan, Robert, « The Coming Anarchy. How scarcity, crime, overpopulation, tribalism, and disease are rapidly destroying the social fabric of our planet », *The Alantic Monthly*, février 1994.

Mondialisation et altermondialisation : dialectique ou dialogue ?

Dominique Caouette

Ce 26 janvier 2008, des centaines d'« altermondialistes » marchent dans les rues de Montréal alors que se tient en Suisse le Forum économique mondial qui réunit à Davos l'élite politique et économique. En plein froid hivernal, ces militants participent comme des milliers d'autres un peu partout dans le monde à l'une des 600 activités organisées pour affirmer et clamer bien haut que plusieurs mondialisations sont possibles, que le citoyen ordinaire a voix au chapitre quand il s'agit des enjeux de la planète et qu'une solidarité existe au-delà des frontières nationales.

S'il existe en science politique une problématique contemporaine dont la signification ne fait pas consensus, c'est bien la mondialisation et sa contrepartie, l'altermondialisation. Pour certains historiens, tels Hopkins, il est plus productif d'appréhender la mondialisation dans la durée et d'éviter l'impasse conceptuelle qui consisterait à l'analyser seulement en fonction de l'État-nation, qui lui est bien postérieur, puisqu'il n'apparaît qu'au XVIIe siècle dans la foulée des traités de Westphalie. Depuis, l'État-nation agit tel un écran de fumée ou encore une diva analytique, occupant l'avant-scène et faisant oublier qu'au-dessus et en deçà de l'État national, une multitude d'échanges et de processus sociaux, culturels, économiques et politiques ont continué à se produire et à coexister.

En fait, l'État national n'a jamais su ni pu complètement contrôler les échanges transfrontaliers de toutes sortes, que ce soit ceux dirigés par de grands conglomérats internationaux ou encore la panoplie d'activités illicites des organisations criminelles transnationales, de la piraterie maritime au piratage de DVD, de la traite des personnes au trafic d'organes ou encore au lucratif marché de la drogue. De plus, pour bien des groupes autochtones, tels ceux que l'on retrouve à la triple frontière Chine, Laos et Vietnam, l'État national n'a pas vraiment de sens et encore aujourd'hui ces groupes franchissent quotidiennement ses frontières non seulement aux postes officiels, mais à travers tout un réseau de points d'échange. Cette situation se répète aux quatre coins de la planète où les liens culturels restent bien plus significatifs et réels que ceux nationaux. De la même façon, de plus en plus d'individus se mobilisent de manière transnationale autour de valeurs et de normes partagées (paix, droits de la personne, développement durable, justice sociale, égalité des sexes, etc.).

Force est donc de constater que dans l'ombre de l'État-nation, les dynamiques transnationales opérant à partir d'une logique autre que nationale sont toujours présentes. Aujourd'hui, le politologue doit explorer les possibilités et les défis d'une analyse à niveaux multiples. Certains chercheurs, comme Ulrich Beck, proposent d'ailleurs de passer à un cosmopolitisme méthodologique, c'est-à-dire de penser les dynamiques actuelles non plus selon un nationalisme méthodologique, mais de modifier radicalement l'unité d'analyse et la méthodologie utilisée. Bref, tenter de saisir l'énigme de la mondialisation et de son pendant altermondialiste implique le recours à une nouvelle démarche conceptuelle et méthodologique.

La mondialisation, ou les mondialisations ?

La première étape d'une réflexion sur la mondialisation devrait être d'en identifier les composantes. La notion souffre d'un tel cas d'élasticité conceptuelle que l'on peut s'interroger à bon droit sur la valeur heuristique de cette idée, ou suggérer qu'il serait plus juste d'utiliser le pluriel. Tentons tout de même d'en définir certains contours. Le premier constat, c'est que la forme présente de la mondialisation se démarque de celle des autres périodes historiques. Ce qui marque la phase actuelle, c'est la compression de l'espace et du temps (instantanéité des échanges électroniques de toutes sortes, diffusion d'information en continu, spéculation sur les marchés internationaux à n'importe quelle heure du jour, coûts réduits des transports qui permettent à de plus en plus de personnes de voyager de par le monde, vitesse stupéfiante de la circulation des produits culturels). Cette accélération des flux internationaux est sans équivalent dans l'histoire.

Une deuxième dimension, sans doute la mieux connue, est l'extension et l'universalisation des marchés et des échanges. Pour s'en rendre compte, on n'a qu'à penser à l'intégration des marchés, et ce, autant dans l'agroalimentaire que dans la production d'équipements électroniques. On peut aussi évoquer l'importance grandissante des produits en provenance de l'Asie, notamment de la Chine, ou encore celle des flux de travailleurs migrants. La multiplication des accords de libre-échange constitue certainement un autre indicateur de l'intégration des économies nationales à une économie mondialisée. Ce n'est pas par hasard si c'est cette composante que l'on associe le plus souvent à l'idée de mondialisation.

Un troisième élément de la mondialisation contemporaine est la mise en place d'un discours normatif global organisé autour de certaines normes dites universelles. Celles-ci ne sont évidemment pas neutres et beaucoup ont souligné leurs origines et leurs liens avec l'Occident, et en particulier avec le libéralisme. On peut penser entre autres aux droits humains individuels, à la liberté de la presse et d'expression, à la tenue d'élections libres, à la libre concurrence, à la compétitivité, etc. La particularité du moment, c'est que ces normes visent l'ensemble des individus atomisés et définis comme sujets historiques, et non plus un groupe ou une collectivité spécifique. Les grandes religions, qui ont elles aussi des prétentions universelles, ne sont pas nécessairement liées à un seul mode d'organisation politique et économique. Aujourd'hui, la mise en place de ces normes est perçue par certains comme une nouvelle forme de pouvoir associé à une organisation économique (le capitalisme) et politique (la démocratie libérale) spécifique, assimilable à un nouvel « empire » (voir l'ouvrage du même titre de M. Hardt et A. Negri).

Enfin, le quatrième élément qui définit les contours de la mondialisation actuelle est celui des identités. Phénomène devenu particulièrement évident au sortir de la guerre froide, la multiplication des identités est de plus en plus présente. D'une part, émergent des identités de plus en plus locales, définies selon divers critères comme le clan, l'ethnie, le groupe linguistique ou la tribu, quand, d'autre part, apparaissent des identités proprement transnationales. C'est notamment le cas des diasporas et des migrants qui ont aujourd'hui un rôle et un poids politique et économique toujours croissants. Ceux-ci agissent non plus en fonction d'une seule identité nationale, mais à partir de diverses identités. Par exemple, un néo-Québécois d'origine salvadorienne peut participer tout autant au débat au Québec sur les accommodements raisonnables qu'il peut soutenir et financer un candidat ou une formation politique dans sa localité d'origine. Soudainement libérée du carcan de la confrontation Est-Ouest, l'identité est plus que jamais une dimension importante de la mondialisation.

L'altermondialisation : multitudes, mouvements et éthique

Face au discours sur la mondialisation, particulièrement celui qui émane des tenants de l'extension des marchés et des défenseurs de normes libérales individuelles, on assiste à la montée d'un contre-discours et de pratiques sociales dites alternatives. Pour certains, on peut y voir la continuation de ce que Karl Polanyi désignait par l'idée d'un double mouvement dans l'histoire des sociétés modernes : pour limiter les excès de l'expansion continuelle du marché, excès qui menacent l'existence même de la société, un contre-mouvement force la mise en place de mécanismes d'ajustement et de mesures sociales. L'altermondialisation serait aujourd'hui ce contre-mouvement qui permettrait de donner un visage humain à la mondialisation des marchés et de l'économie, et en assurerait la pérennité.

D'autres voient plutôt en l'altermondialisation une vision tout autre de la mondialisation fondée sur l'idée de multitudes, de pluralités et de diversité. Encore plus difficile à définir que la mondialisation, cette autre mondialisation serait une mouvance sociale beaucoup moins bien définie, d'où le recours à différentes terminologies souvent inspirantes, mais difficiles à saisir ou à opérationnaliser : constellation d'oppositions, multitudes, ou encore résistance intergalactique (pour reprendre une expression des Zapatistes). Encore en gestation et profondément horizontaliste (par opposition au verticalisme de l'organisation des grands conglomérats ou des partis et organisations associés à la gauche marxiste), l'altermondialisation reste définie par ses pratiques (actions directes et concrètes) plutôt que par des axes organisationnels et un programme politique précis. Cette dispersion et cette imprécision expliquent tout autant la fascination de plus en plus grande non seulement des militants de toutes sortes qui s'en réclament mais aussi des politologues, sociologues, philosophes et même des économistes qui tentent d'en comprendre les contours et les pratiques.

Pour mieux saisir la réalité de l'altermondialisation, il est préférable d'en examiner les éléments plutôt que prétendre englober ou capturer l'ensemble du phénomène. Le premier élément, le mieux connu, est sans doute la dimension militante d'action collective. Présenté succinctement, ce militantisme transnational peut être défini comme l'action collective menée dans différents États par des mouvements sociaux, des réseaux de la société civile et par des individus.

Quel événement ou moment historique marque l'émergence et la croissance accélérée de la militance transnationale? En fait, il serait futile de n'en chercher qu'un seul. Dès les années 1980, avec la mise en place de programmes d'ajustements structurels et la prise en charge de la gestion macroéconomique étatique par le FMI et la Banque mondiale, on commence à percevoir un tournant dans les pratiques et le discours de la solidarité internationale. Se dessinent alors quelques grandes caractéristiques de l'altermondialisme : l'insistance sur l'inclusion, l'équité et la participation et la dissidence directe dans la rue et non plus à travers des partis politiques ou des institutions étatiques. Le soulèvement zapatiste de janvier 1994 et son appel à une résistance transcontinentale au néolibéralisme global ont aussi eu une importance particulière. Par la suite, les forums et les rassemblements organisés en parallèle aux rencontres de l'Organisation mondiale du commerce sont devenus des moments privilégiés d'expression de la dissidence. D'abord à Genève en 1998, puis l'année suivante lors de la « bataille de Seattle », une multitude d'acteurs de la société civile se sont rencontrés et ont manifesté. Les rencontres ministérielles qui ont suivi (Doha 2001, Cancun 2003, et Hong Kong 2005), les sommets du G-8, les réunions du FMI et de la Banque mondiale sont ainsi devenus autant d'occasions importantes pour les mouvements sociaux transnationaux de se rassembler et d'agir collectivement pour protester contre des modes de décisions jugés non démocratiques et exclusifs. Pour de nombreux participants, la libéralisation de l'économie et du commerce telle que la concevrait l'OMC ou telle qu'on en débat à Davos constitue un enjeu global qui requiert une mobilisation citoyenne transfrontalière afin de transformer l'orientation de l'économie néolibérale en un système qui soit fondé sur des valeurs telles que la justice sociale, l'équité et la durabilité.

L'altermondialisme a depuis 2001 un espace de rassemblement emblématique, le Forum social mondial (FSM). Conçu initialement comme la réponse sociale au Forum économique de Davos, le FSM est devenu aux yeux de beaucoup le moment privilégié d'expression et d'affirmation qu'« un autre monde est possible ». Depuis, de manière quasi annuelle, quatre fois à Porto Alegre, mais aussi à Mumbai, à Nairobi, et en 2009 à Belem, des milliers d'altermondialistes autoproclamés se rassemblent pour partager leurs expériences, leurs analyses et leur conviction qu'il existe des alternatives à la mondialisation actuelle, et envisager un ensemble hétéroclite de nouvelles pratiques sociales, politiques, économiques et culturelles comme les éléments d'un vaste effort collectif de conceptualisation de l'ordre mondial. L'expérience se poursuit à d'autres échelles : en 2007, le Québec tenait son premier Forum social tout juste après le premier rassemblement américain, à Atlanta.

Le FSM et ses variantes régionales et locales constituent un point de ralliement pour l'expression des discours critiques face à la mondialisation, et un terrain fertile de réflexion sur un certain nombre de propositions dites alternatives comme la taxe Tobin sur les mouvements de capitaux, la réforme des institutions internationales et des règles du commerce mondial, le commerce équitable, la non-brevetabilité du vivant, la simplicité volontaire, le développement durable et la souveraineté alimentaire.

En même temps, plusieurs observateurs se demandent si le FSM ne risque pas de devenir à plus ou moins long terme un rituel obligé, quelques jours pendant lesquels un autre monde est imaginé, un peu à la manière des grands rassemblements religieux et des pèlerinages. Il n'en reste pas moins qu'au-delà du caractère possiblement ritualisé de l'exercice, le Forum est un espace important de réflexion et d'identification.

Cette dimension est importante, car elle laisse entrevoir la mise en place d'une solidarité transnationale basée non plus seulement sur une cause ou une problématique du Sud spécifique, mais plutôt sur des identités partagées et plurielles. D'ailleurs, certains grands mouvements sociaux, tels la Marche mondiale des femmes, le mouvement pour la souveraineté alimentaire ou le mouvement pour la paix, fonctionnent sur des registres identitaires autres que national, religieux ou partisan. Reste à savoir jusqu'à quel point cette forme d'identité partagée est véritablement enracinée dans une pratique politique et sociale qui puisse dépasser les autres réflexes identitaires.

Dialectique ou dialogue ? Nouveaux contours de l'analyse politique

En quoi la mondialisation et l'altermondialisation constituent-elles de véritables problématiques d'analyse politique? Deux grands terrains théoriques semblent ici indiqués: la sociologie politique et l'étude des relations internationales. Jugé par plusieurs chercheurs, dont Thomas Risse, comme la rencontre fortuite de ces deux agendas de recherche, l'étude des relations transnationales a remis au programme l'étude du rôle des acteurs non étatiques et la place déterminante des normes au sein des relations internationales. L'étude des normes internationales, des acteurs non étatiques et des phénomènes associés à la mondialisation a bénéficié de la montée du constructivisme et des analyses postpositivistes.

Longtemps isolées des débats épistémologiques au sein des relations internationales, les approches constructivistes sont aujourd'hui au cœur des questionnements théoriques sur la signification de la mondialisation et de l'altermondialisation. D'une part, son insistance sur le rôle de l'intersubjectivité, c'est-à-dire l'importance de la co-constitution de la réalité comme produit de l'interaction sociale, semble particulièrement pertinente pour saisir la mise en place du discours altermondialiste. D'autre part, le constructivisme permet d'identifier toute une série de pratiques alternatives et de normes en tant que composantes de ce mouvement multiforme, pluriel et éclaté. Que ce soit le rôle grandissant des normes internationales, des idées telles la justice sociale, le commerce équitable ou encore le développement durable, il s'agit bien là de constructions discursives et narratives.

Sur le plan méthodologique, l'étude de la mondialisation et encore plus de l'altermondialisation présente une série de défis. Le premier est lié à l'unité d'analyse: faut-il favoriser une approche systémique comme celle proposée par l'école du système-monde, appréhendant ainsi l'ensemble du monde capitaliste? Ou faut-il plutôt multiplier les niveaux d'analyse et observer leur interaction pour tenter de comprendre des phénomènes transnationaux comme les migrations, les changements climatiques, la production alimentaire, le crime organisé, ou encore les nouveaux enjeux de santé? Doit-on dépasser le statocentrisme et envisager la possibilité que l'individu ait une importance de plus en plus significative mais aussi prendre en compte les différentes formes d'organisations supranationales (traités, organisations multilatérales, ONGI ou réseaux de militants transnationaux) ? Pour James Rosenau, cet écartèlement de l'analyse statocentrique peut être illustré par l'idée de « fragmégration », qui implique qu'il faille maintenant tenir compte dans nos analyses à la fois des processus de fragmentation et des processus globaux d'intégration (économique, politique, culturelle, etc.). C'est à l'intérieur de ce processus dialectique, qu'il me semble que l'on peut voir se dessiner les avenues les plus prometteuses pour une compréhension originale de la mondialisation et de l'altermondialisation.

Il serait farfelu de prétendre comprendre, par exemple, les migrations internationales et le rôle des diasporas à partir d'une vision exclusivement transnationale qui ne considérerait pas les politiques des États concernés. Sans rendre désuète l'étude des relations interétatiques, l'analyse des relations transnationales ouvre la porte à une compréhension plus nuancée et plus complète du monde actuel. Plutôt que de parler d'une contamination des relations interétatiques par les relations transnationales, il semble plus fructueux d'accepter la superposition de ces deux réalités. De même, il pourra être plus productif d'entreprendre l'étude de la mondialisation et de l'altermondialisation à partir d'une analyse des enjeux (*issue-based analysis*).

Dernier défi à l'étude des processus mondiaux contemporains, la construction identitaire est au cœur de nombreux questionnements théoriques. Pour certains, il est possible d'imaginer l'émergence éventuelle d'une citoyenneté transnationale ou postnationale. Plutôt qu'une telle transposition, qui impose une logique en partie calquée du modèle national, il peut être plus productif d'envisager la multiplication des appartenances et des loyautés subjectives. Ainsi, l'identité nationale (par exemple québécoise) serait de plus en plus inscrite à l'intérieur d'une variété d'identités tout autant subjectives que multiformes.

Il est bien sûr trop tôt pour prétendre voir les signes de la mise en place d'une identité cosmopolite ou d'une démocratie cosmopolitique. Il reste que, tel qu'il s'opère dans l'étude des dynamiques transnationales associées à la mondialisation ou à l'altermondialisation, le renouvellement des concepts et des méthodologies traditionnelles des relations internationales et de la politique comparée semble être une démarche heuristique féconde.

Pour aller plus loin :

Beck, Ulrich, *Pouvoir et contrepouvoir à l'ère de la mondialisation*, Paris, Flammarion, 2003.

Hardt, Michael et Antonio Negri, *Empire*, Paris, Exils, 2000.

Hopkins, A. G. (dir.), (2002) *Globalization in World History*, Londres, Pimlico, 2002.

Risse-Kappen, Thomas (dir.), *Bringing Transnational Relations Back In : Non-State Actors, Domestic Structures and International Institutions*, Cambridge, Cambridge University Press, 1995.

Rosenau, James, *Distant Proximities : Dynamics Beyond Globalization*, Princeton, Princeton University Press, 2003.

Des logiques qui tuent : pourquoi tant de violence en politique ?

Marie-Joëlle Zahar

Le champ des relations internationales est né dans les cendres de la Première Guerre mondiale. « Plus jamais », disaient alors les internationalistes. Près d'un siècle plus tard, malgré l'accumulation des connaissances sur la guerre, ses causes et ses conséquences, la violence demeure un phénomène récurrent. Ce chapitre fait un survol de l'état de nos connaissances sur la violence, ses mutations, ses logiques, et son utilisation tant dans les relations internes qu'internationales. Est-il toujours vrai que la guerre est la continuation de la politique par d'autres moyens ou bien, la violence a-t-elle aujourd'hui d'autres logiques ? Y a-t-il vraiment césure entre « anciennes » et « nouvelles » guerres, comme l'affirme Mary Kaldor ? La nature spectaculaire du terrorisme international et les horreurs des guerres civiles attirent nos regards sur les groupes armés non étatiques. Mais qu'en est-il du rôle des États dans la perpétuation de la violence ? Enfin, si la recherche de l'élusive paix perpétuelle kantienne demeure le Graal des relations internationales, où en sommes-nous dans notre compréhension de la résolution des conflits et de la transformation des pratiques de contestation violentes ?

Violence et politique : définir un objet de recherche

La relation entre violence et politique remonte à la nuit des temps. Deux exemples suffiront à illustrer cette affirmation : l'histoire biblique de l'Exode relate la révolte des esclaves juifs contre un Dieu-roi arbitraire et tyrannique, Pharaon ; dans *La guerre du Péloponnèse*, devenu un classique des relations internationales, l'historien grec Thucydide relate la lutte fratricide que se sont livrées Athènes et Sparte au Ve siècle avant J.-C.

Non seulement violence et politique sont-elles intimement liées, mais le lien entre les deux est complexe et multiforme. La violence peut émaner des dirigeants ou des dirigés. Elle peut être locale, nationale ou internationale. Elle peut également viser au maintien ou au renversement de l'ordre établi. Si le champ de la politique comparée s'intéresse tout particulièrement à la violence au sein de l'État, ce sont les relations internationales qui ciblent les interactions violentes entre États et entre acteurs non étatiques internationaux. Bien que nous ne nous étendrons pas sur ce phénomène pour l'instant, notons l'émergence de problématiques internationales qui lient de plus en plus les facettes nationales et internationales du phénomène. Pensons, par exemple, aux guerres civiles, au trafic des drogues, à la criminalité transnationale et, bien sûr, au terrorisme si présent dans les discours politiques et médiatiques de l'après 11 septembre 2001.

Alors que les intellectuels se réjouissaient au tournant des années 1990 de la fin de l'Histoire et de l'obsolescence de la guerre, la violence est aujourd'hui omniprésente dans le monde. Il est donc normal que les politologues se penchent sur le phénomène et essayent d'en appréhender les logiques, d'en dessiner les contours et de trouver, sinon des remèdes, du moins des palliatifs.

Pourquoi les hommes se rebellent-ils ?

Dans leurs efforts pour cerner le phénomène, les politologues ont initialement procédé en opérant une distinction entre violence nationale et violence internationale. La politique comparée, qui s'est penchée sur le volet national, s'est attelée à comprendre les causes et les mécanismes de cette violence. Si nous ne pouvons pas, dans un texte introductif, rendre compte de la richesse de toutes les contributions théoriques, il faut toutefois mentionner quelques notions centrales qui ont fortement influencé les travaux dans le domaine.

Pour ce qui concerne les causes, nous soulignerons l'apport des travaux de Ted Robert Gurr sur la « privation relative », ce sentiment d'un groupe de citoyens d'avoir été spoliés, non pas parce que leur quotidien n'a pas connu d'améliorations, mais parce que lesdites améliorations n'ont pas répondu à leurs attentes. Ce genre de recherches a surtout permis de comprendre le fait que les plus démunis sont rarement ceux qui se révoltent : les classes moyennes sont souvent le ferment du changement national. Également importants sont les travaux qui mettent l'accent sur le rôle de l'État. Plutôt que de voir en ce dernier un souverain affable, plusieurs analystes s'interrogent sur l'impact des politiques étatiques discriminatoires à l'égard de certaines communautés ou groupes en son sein. Qu'elles soient politiques, économiques ou sociales, ces pratiques discriminatoires mettent à mal le contrat social ; elles contribuent également à monter différents groupes (privilégiés ou laissés pour compte) les uns contre les autres.

Cette grille de lecture nous permet, entre autres, de mieux comprendre les violences qui ont secoué le Kenya, au début 2008, et d'en apprécier à la fois les fondements politiques et les expressions communautaires. Malgré leur diversité, ces pratiques relèvent d'une logique commune : maintenir les privilèges des élites au pouvoir. Lorsque les moyens politiques (comme l'exclusion et la fraude électorale) et économiques (le contrôle des instruments de régulation ou la redistribution asymétriques des ressources) ne suffisent plus, il n'est pas rare de voir les gouvernements avoir recours à des mesures de répression pour se maintenir au pouvoir. De l'avis de nombreux analystes, l'expression ultime de cette violence, le génocide rwandais de 1994, est la tentative désespérée d'élites en perte de vitesse, de temps et d'options pour se débarrasser, une fois pour toutes, des groupes d'opposition qui menaçaient leur suprématie. Une telle lecture peut, en effet, rendre compte d'un aspect souvent négligé du génocide rwandais : le massacre de milliers de Hutus modérés qui ne cadre pas avec l'interprétation purement ethnique que certains font de ce terrible épisode de l'histoire contemporaine.

Nous signalerons également, sur le plan des mécanismes, les recherches sur la mobilisation, notamment la contribution de Mancur Olson dont les travaux sur le dilemme de l'action collective ont démontré la difficulté de transformer des frustrations individuelles en actes politiques collectifs, dans la mesure où chaque individu a tendance à éviter de courir des risques en s'engageant dans une action politique, s'il est convaincu de pouvoir bénéficier des acquis qui seront obtenus par la mobilisation de ses congénères. Ces études ont notamment permis de mieux comprendre les conditions dans lesquelles des frustrations se transforment en actes. À noter dans ce même ordre d'idée, le rôle des entrepreneurs, des hommes et femmes politiques ou publics qui exploitent les frustrations de certains groupes de la société et les canalisent de manière à atteindre des objectifs déterminés. Ainsi a-t-on été en mesure de mieux appréhender l'importance d'un Slobodan Milošević dans le réveil du nationalisme serbe en ex-Yougoslavie.

Pourquoi les États se font-ils la guerre ?

Deuxième volet de la recherche sur la violence politique, le champ de la polémologie s'intéresse particulièrement à l'étude de la guerre interétatique. Mues à l'origine, on l'a dit, par l'indignation suscitée par les séquelles humaines et matérielles de la Première Guerre mondiale, les relations internationales ont un objet précis : comprendre le pourquoi de la guerre afin de mieux l'éviter. Évoquons ici certaines contributions incontournables de la recherche en relations internationales.

Les travaux de Hans Morgenthau et de Kenneth Waltz, qui s'interrogent sur les causes de la guerre, font partie de ces références importantes. Si Morgenthau démontre dans *Politics among Nations* que les États sont mus par un désir de puissance qui infuse les relations interétatiques d'une conflictualité constante, c'est Waltz qui, le premier, argumentera que cette conflictualité est en fait conditionnée par l'anarchie du système international – soit le fait qu'en l'absence de toute autorité supra-étatique, les États souverains refusent de se faire dicter leur conduite et adoptent une attitude méfiante et défensive les uns envers les autres. Cette analyse dite « systémique » des causes de la guerre a profondément marqué le champ des relations internationales. Elle est pourtant contestée par de multiples recherches qui situent les causes de la guerre ailleurs, dans les caractéristiques des États (la nature des régimes par exemple) ou dans celles des sociétés (militaristes ou pacifiques), ou encore dans les caractéristiques individuelles des décideurs (leurs valeurs, leurs idées, leurs processus décisionnels mais également leurs caractéristiques psychologiques).

Le corpus scientifique sur les causes de la guerre a d'ailleurs permis un effort de synthèse et de cumul des connaissances. Les analystes cherchent désormais à comprendre l'interaction de différents facteurs dans l'éruption des conflits internationaux. À titre d'exemple, il serait erroné d'expliquer la Seconde Guerre mondiale en invoquant uniquement la personnalité d'Adolf Hitler. Il faut également tenir compte de la paralysie de la Société des Nations qui contribua à valider l'expansionnisme de l'Allemagne nazie. Il faut, par ailleurs, saisir le rôle joué par les évolutions au sein des différentes puissances concernées : la montée du fascisme en Allemagne et en Italie, l'isolationnisme américain, ainsi que les logiques internes qui sous-tendent la politique d'apaisement de la France et de la Grande-Bretagne. Faisant leur le principe que Joseph Nye décrit comme celui d'une « logique de l'entonnoir », les polémologues ne répondent plus seulement à la question « pourquoi la guerre a-t-elle eu lieu ? », mais également à celle, plus importante en termes de développement de politiques, « à quel moment est-elle devenue inévitable ? ».

Les chercheurs se sont penchés sur les mécanismes de la violence interétatique, décelant ainsi des dynamiques pernicieuses d'interaction conflictuelle. On pense particulièrement au fameux dilemme de sécurité associé aux travaux de Waltz sur le rôle de l'anarchie dans le système international. Dans un monde sans souverain où la force militaire demeure l'instrument de choix pour la poursuite des objectifs nationaux, les États se retrouvent dans l'obligation d'accumuler les moyens de se défendre. Ce faisant, ils risquent d'insécuriser d'autres États qui, incapables d'en discerner le but défensif, voient plutôt dans cette accumulation militaire des intentions belliqueuses. Se sentant menacés, ces États s'arment à leur tour provoquant l'inquiétude de l'État même qui a provoqué leur choix. La boucle est ainsi bouclée, d'incertitude en armement, il se crée une spirale d'insécurité qui augmente la possibilité d'un conflit. Ce dilemme de sécurité se traduit, dans les faits, par le mécanisme d'équilibre des puissances où les États réagissent à la menace de l'une de deux manières : soit en s'armant en conséquence, soit en recherchant des alliés qui puissent dissuader de toute action offensive l'État menaçant. L'équilibre ainsi atteint serait un gage de paix (comprise comme l'absence de conflit armé), chacun des adversaires potentiels jugeant trop incertaine l'issue d'un conflit armé pour en prendre le risque et en assumer les coûts. Les chercheurs ont ainsi interprété la guerre froide comme une situation d'équilibre entre deux superpuissances qui auraient réussi à s'armer et à se constituer des réseaux d'alliés, ce qui rendrait toute confrontation directe trop hasardeuse pour être entreprise. Le développement et l'acquisition d'armes nucléaires auraient notamment pesé lourd dans la balance.

Quid de la violence contemporaine ?

Le vent d'optimisme qui s'était levé avec la fin de la guerre froide n'aura pas soufflé longtemps. L'invasion du Koweït par l'Irak, le 2 août 1990, inaugurera une décennie aussi sanglante, sinon plus que celle qui l'avait précédée. Bosnie, Somalie, Rwanda, Libéria, Sierra Leone, Ouganda, République démocratique du Congo… les guerres civiles égrènent leur sinistre chapelet et rappellent à la mémoire des horreurs que l'on croyait à tout jamais dépassées : nettoyage ethnique, crimes de masse, génocide. Et le tournant du XXIe siècle renchérit en mettant le terrorisme d'inspiration islamiste à l'agenda international (attaques du 11 septembre 2001, invasion de l'Afghanistan, attaques de juillet 2005 à Londres, etc.) et en réactivant les débats sur l'arme nucléaire, rendus plus critiques par la nature des régimes (Iran-Irak-Corée du Nord) qui cherchent à se l'approprier.

Au regard de ces développements, certains analystes parlent d'une césure dans la logique de la violence politique. Pour Mary Kaldor, les guerres de l'après-guerre froide sont « nouvelles » parce qu'elles ne répondent plus à la logique stratégique de l'utilisation de la force selon laquelle la guerre serait la continuation de la politique par d'autres moyens, un outil dûment calibré que l'on manierait pour renverser le gouvernement, s'approprier le pouvoir ou faire sécession. Les nouvelles guerres se situent à l'intersection entre mondialisation et privatisation, elles sont simultanément locales, nationales et transnationales. Particularistes, organisées autour d'identités exclusives, elles visent souvent l'enrichissement personnel des seigneurs de la guerre, s'articulent autour d'une criminalité organisée, et se repaissent de la faiblesse de l'État.

Cette opinion est contestée par d'autres analystes qui, comme Stathis Kalyvas, y voient une lecture faussée de la violence politique contemporaine. Ces critiques remettent en question le récit politique qui parle de « la guerre » comme d'un phénomène cohérent et unique, négligeant de fait la possibilité qu'un conflit national puisse donner lieu à des règlements de compte locaux et s'articuler avec des logiques tribales, familiales, régionales ou encore personnelles. On pourrait ainsi lire toute la violence en Afghanistan à travers le prisme du conflit entre le gouvernement Karzai et les talibans sans reconnaître les rivalités profondes entre divers seigneurs de la guerre dispersés aux quatre coins du pays et qui, pour de multiples raisons, ont choisi aujourd'hui de s'allier à un camp ou à l'autre.

Par ailleurs, les conflits de l'après-guerre froide posent de multiples défis logistiques aux analystes qui cherchent à obtenir de l'information. Ceux-ci auront alors tendance à adopter la solution de facilité qui consiste à recueillir leurs informations là où la cueillette en est la plus aisée – dans les grands centres urbains –, favorisant ainsi une lecture particulière du conflit aux dépens des perspectives en provenance de lieux plus reculés où l'emprise du gouvernement serait moins forte et la cohérence du « récit national » plus fortement mise à l'épreuve. Autre source potentielle de distorsion: la tendance actuelle à décrire les acteurs non étatiques armés – insurgés, rebelles, seigneurs de la guerre et terroristes – comme des criminels dépourvus de toute légitimité populaire, mus par des intérêts individuels étroits, et incapables de rationalité et de compromis. En d'autres termes, il s'agirait d'individus avec qui transiger est impossible; seule demeure la solution militaire pour s'en débarrasser. C'est ainsi que les mouvements islamistes Hamas et Hezbollah ont été désignés comme des « groupes terroristes » avec lesquels aucun dialogue n'est permis, nonobstant le fait que l'un et l'autre peuvent se réclamer d'un large appui populaire dans les rangs palestiniens et libanais respectivement. Cette tendance se répercute également dans les discours et analyses des « États voyous » qu'il faudrait simplement mettre au pas.

Mettre la violence politique « hors-la-loi »: perspectives sur la résolution des conflits

Malgré de longues décennies de recherche sur la question, la violence politique est endémique dans le monde où nous vivons. Les chercheurs s'accordent aujourd'hui à suivre deux pistes de réflexion quant aux modalités de transformation des conflits. Les recherches menées tant en politique comparée qu'en relations internationales semblent converger sur ces deux points: 1) les différentes manifestations de la violence politique peuvent de moins en moins faire l'objet de catégorisations définitives car la plupart d'entre elles se situent à l'intersection entre le local et le global; 2) les États et sociétés démocratiques semblent plus à même d'éviter les conflagrations armées.

Comment donc faire pour instaurer la paix civile et la concorde internationale ? Réponse immédiate : démocratiser. Si les démocraties sont plus capables de gérer la contestation interne et les conflits externes sans pour autant permettre l'explosion de manifestations violentes, il semblerait que nous ayons ici la voie toute tracée pour la gestion des conflits. Encore faut-il reconnaître qu'il y a une marge entre la théorie et la pratique. Tant les entreprises de renversement de régimes (invasion américaine de l'Irak en 2003) que les multiples opérations de *nation-building* (Bosnie-Herzégovine, Kosovo, Timor oriental) montrent les limites de l'imposition externe des normes et pratiques démocratiques. Analystes et praticiens se penchent actuellement sur les leçons de ces « expériences ratées » dans l'espoir de mieux comprendre comment transformer les sociétés et pour répondre à la question qui hante aujourd'hui la communauté internationale : Y a-t-il là un rôle pour les intervenants externes soucieux d'aider ou les interventions étrangères sont-elles vouées à l'échec et pourquoi ?

Mais pour comprendre les échecs, les succès et les ratés de l'intervention internationale en faveur de la construction de la paix, encore faut-il pouvoir différencier paix et absence de conflit. Car si le but avoué des recherches sur la violence politique vise à la compréhension et, éventuellement, à l'éradication de la violence, il n'est pas là question d'éliminer le conflit mais de le transformer afin qu'il s'exprime sans recours aux armes. C'est ici que se situe le futur des recherches sur la violence politique, dans un ambitieux programme de recherche sur la contestation politique dont les tenants, à l'instar des auteurs de *Dynamics of Contention*, veulent transcender les manifestations particulières de la contestation pour déceler les tendances générales, les particularités locales et les multiples logiques sous-jacentes et formuler ainsi des généralisations contingentes, des explications plus historicisées et des applications pratiques plus adéquates.

Les auteurs qui appartiennent à cette école visent ainsi à comprendre non pas uniquement les formes pacifiques mais également celles violentes de contestation, de manière à faire ressortir les similitudes et les différences entre ces deux modes de compétition politique. Les concepteurs de ce programme de recherche veulent cartographier les différentes manifestations de la contestation, allant des mouvements sociaux jusqu'aux révolutions. Dans un monde où la violence politique internationale n'est plus clairement démarquée de la violence politique nationale, il y a lieu de s'interroger sur la possibilité d'étendre leur champ d'action afin de construire un véritable savoir cumulatif sur la violence politique, fléau des États et de la société internationale.

Pour aller plus loin :

GURR, Ted Robert, *Why Men Rebel*, Princeton, Princeton University Press, 1970.

KALDOR, Mary, *New and Old Wars : Organized Violence in a Global Era*, Stanford University Press, 1999.

KALYVAS, Stathis, *The Logic of Violence in Civil War*, Cambridge University Press, 2006.

MORGENTHAU, Hans, Kenneth THOMPSON et David CLINTON, *Politics among Nations*, 7e éd., New York, McGraw-Hill, 2005 [1948].

TILLY, Charles, Sydney TARROW et Doug MAC ADAM, *Dynamics of Contention*, Cambridge, Cambridge University Press, 2001.

WALTZ, Kenneth, *Theory of International Politics*, New York, McGraw-Hill, 1979.

Y a-t-il un consensus de Pékin ?

Zhiming Chen

À l'été 1989, peu avant la chute du mur de Berlin, un chercheur américain proche des néoconservateurs du nom de Francis Fukuyama proclame l'arrivée imminente de la fin de l'histoire : la démocratie libérale est en train de gagner la victoire ultime de la guerre des idéologies. Au même moment, l'économiste John Williamson préconise les solutions néolibérales d'un « consensus de Washington » pour orienter les réformes économiques et sociales en Amérique latine et dans d'autres pays du Sud.

La croyance en la victoire absolue de la démocratie libérale est un des fondements idéologiques du gouvernement de George W. Bush. C'est pourquoi les États-Unis ont vivement appuyé les révolutions de couleur : la révolution rose en Géorgie en 2003, la révolution orange en Pologne en 2004, la révolution tulipe au Kirghizistan et la révolution violette en Irak en 2005. Aucune de ces révolutions n'a répondu aux attentes des idéaux démocratiques. De plus, plusieurs élections démocratiques ont eu des résultats mitigés du point de vue de la démocratie, comme celle du Hamas en Palestine (2006) ou de Hugo Chavez au Venezuela (1998). D'un autre côté, les solutions néolibérales prônées par le consensus de Washington ont presque mené à l'effondrement économique en Argentine et ont entraîné des régressions économiques sévères, entre autres en Indonésie, en Russie et en Europe de l'Est.

De nombreux auteurs considèrent la déclaration de la fin de l'histoire de Fukuyama comme une conclusion prématurée. Samuel Huntington a affirmé en 1993 que l'histoire humaine continuera à évoluer dans un « choc des civilisations ». Selon lui, les différences culturelles et religieuses sont devenues les nouvelles sources de conflit après la guerre froide. Le déroulement de l'histoire après la chute du mur de Berlin semble confirmer ce jugement. Le 11 septembre 2001, les guerres en Afghanistan et en Irak peuvent être rapportés à cette analyse.

En réponse au consensus de Washington, Joshua Cooper Ramo, un ancien rédacteur de la revue *Time*, a proposé en 2004 le «consensus de Pékin» comme modèle de développement. Il est convaincu que le développement des pays d'Asie, d'Afrique et d'Amérique latine peut bénéficier du modèle qui a conduit à la formidable croissance économique de la Chine. Comment s'exprime la rivalité de ces deux visions concurrentes?

Les consensus: Pékin contre Washington

Pour Ramo, le consensus de Pékin comporte trois aspects: une foi en l'innovation technologique et l'expérimentation pour trouver des solutions économiques et sociopolitiques; un accent mis sur le développement durable et l'égalité sociale; et une stratégie militaire asymétrique qui garantisse la sécurité et l'autodétermination.

L'expérience de la Chine ne confirme pas les descriptions ci-dessus. Tout d'abord, l'accent sur l'innovation technologique n'est pas une stratégie de développement uniquement chinoise, mais une voie suivie par tous les pays développés. Deuxièmement, la Chine a adopté jusqu'à récemment une politique de développement non durable, avec une priorité absolue accordée au PIB. La conséquence de cette politique est la détérioration sévère de l'environnement chinois: un tiers des rivières et des lacs est contaminé au point que les eaux sont impropres à l'agriculture et à l'industrie. En outre, la pollution de l'air cause environ 400 000 morts par année. Troisièmement, les inégalités se creusent: en parallèle au développement économique, l'écart entre les riches et les pauvres grandit. L'index de Gini chinois a atteint le haut niveau de 44,7 (celui du Canada est de 33,1). Il est évident que la Chine n'a pas développé son économie selon les stratégies préconisées par le consensus de Pékin. Les principes du consensus de Washington expliquent-ils mieux la croissance chinoise?

Dix recommandations économiques composent le consensus de Washington tel que l'a énoncé Williamson. La première est la discipline fiscale, soit un petit déficit des budgets, pouvant être financé sans pression inflationniste. Le déficit des budgets chinois était de 295 milliards de yuans en 2006, soit seulement 1,5 % du PIB, et il diminue encore depuis.

Deuxièmement, le consensus de Washington recommande de réorienter les financements publics vers les domaines les plus profitables. En 2006, la Chine a toutefois dépensé 18 % de son budget dans les domaines de la culture, de l'éducation, de la science et des soins médicaux; elle a aussi dépensé 14 % pour l'administration et 12 % pour la reconstruction financière. Ces domaines ne sont pas des plus profitables.

La troisième recommandation appelle à élargir l'assiette de taxation. Ce que la Chine a bien sûr essayé de faire, mais elle insiste plutôt sur une perception plus efficace des impôts.

Le gouvernement chinois contrôle plus ou moins les taux d'intérêt, contrairement aux prescriptions de la quatrième recommandation de libéralisation financière. En revanche, la politique chinoise de taux de change concurrentiel coïncide parfaitement avec la cinquième recommandation du consensus de Washington. Aujourd'hui, les pays occidentaux pressent la Chine d'apprécier sa devise.

Quant au sixième et septième points, la libéralisation du commerce et l'ouverture à l'investissement direct étranger, la Chine a été une fervente adhérente. Elle a persévéré pendant plus de quinze ans dans ses efforts de négociation pour l'adhésion à l'Organisation mondiale du commerce (OMC), et a réussi à attirer en 2005 72,4 milliards de dollars en investissement étranger direct (IED), le premier rang parmi les pays en développement.

Les politiques chinoises sont cependant en contradiction avec les trois derniers points du consensus de Washington. La privatisation des entreprises publiques est fortement contrôlée et limitée. Contrairement à la logique de dérégulation qui devrait prévaloir, la réforme chinoise a toujours été étroitement régulée par le gouvernement. Il n'existait pas de protection de la propriété privée avant l'adoption d'une loi au printemps 2007.

Il semble évident que ni le consensus de Washington ni le consensus de Pékin ne sont une description exacte de l'expérience chinoise. Sommes-nous face à une chimère chinoise ?

L'économie socialiste de marché

Pour savoir si la Chine est communiste ou capitaliste et pour comprendre la nature de l'économie socialiste de marché en Chine, on doit examiner l'origine des systèmes économique, politique et sociaux modernes et la relation entre le communisme et le capitalisme.

L'évolution des sociétés humaines, selon Marx, suit la progression suivante: primitivisme, esclavagisme, féodalisme, capitalisme, socialisme et communisme. Le socialisme est une étape initiale du communisme, et le communisme est l'étape la plus développée de la société humaine. À l'intérieur du communisme, la société humaine atteindra l'idéal social ultime, qu'exprime l'adage « de chacun selon ses moyens, à chacun selon ses besoins ». En d'autres termes, chaque personne contribue à la société selon ses moyens et capacités; chacun reçoit, indépendamment de ses contributions, de la société, selon ses besoins. Pour Marx, le communisme ne peut se réaliser qu'à l'intérieur d'une société ayant atteint le stade le plus développé du capitalisme. Autrement dit, l'abondance matérielle est nécessaire à l'actualisation de l'idéal communiste.

Lénine était, lui, convaincu que le communisme pouvait se réaliser dans le cadre d'une société à un stade le moins développé du capitalisme, comme en Russie et en Chine à l'époque. La révolution communiste a éclaté pour la première fois en Russie en 1917, et subséquemment en Chine en 1921. Loin de s'approcher de l'idéal marxiste, les régimes mis en œuvre se sont avérés être aux antipodes du principe initial, transformant ainsi l'adage fondateur: « de chacun selon les besoins de l'État, à chacun selon les moyens de l'État ». Cette trahison du principe marxiste a finalement mené à l'implosion de l'Union soviétique et à l'appauvrissement de la Chine. Après le désenchantement du communisme comme idéal politique, la Chine devait chercher une nouvelle voie de développement pour sortir de la pauvreté.

Sous le règne de Mao Zedong, particulièrement pendant le Grand Bond en avant (1958-1962) et la Révolution culturelle (1966-1976), le principe directeur en Chine était: « Mieux vaut la mauvaise herbe socialiste que le bel arbre capitaliste! » Quand Deng Xiaoping a pris le pouvoir après la mort de Mao en 1976, le débat entre le communisme/socialisme et le capitalisme était enflammé et virulent. Confronté à un pays en ruine, Deng a mis en œuvre sa fameuse théorie du chat: « Peu importe que le chat soit noir ou blanc pourvu qu'il attrape les souris », c'est-à-dire, peu importe que le système soit socialiste ou capitaliste pourvu qu'il apporte la richesse.

Selon la théorie marxiste, la Chine a sauté l'étape du capitalisme dans la progression de la société humaine et est passée directement du féodalisme au socialisme. La Chine serait en train de revenir à cette étape cruciale, par le biais de l'économie socialiste de marché !

La terminologie même constitue un compromis pragmatique qui n'a aucun sens en dehors de la Chine, car l'économie de marché a essentiellement été jusqu'à aujourd'hui un phénomène capitaliste. La motivation principale derrière l'adoption de ce terme était d'apaiser les forces conservatrices chinoises qui s'opposaient fortement à un changement de la nature du système politico-économique. Pour Deng Xiaoping, l'économie de marché était une des manières d'organiser l'économie et il ne s'agissait pas du tout d'idéologie, que celle-ci soit capitaliste ou socialiste. En satisfaisant la demande des conservateurs de garder un vestige socialiste, à travers le terme de l'économie socialiste de marché, il a été possible d'initier une transformation économique de la Chine. Aujourd'hui, la plupart des Chinois ne prennent pas la peine de songer à la nature socialiste ou capitaliste du marché ; ils s'occupent avidement de profiter des occasions qu'il offre de gagner de l'argent.

D'un autre côté, le terme d'économie socialiste de marché est un reflet juste de la nature étroitement économique de la réforme chinoise, limitée au système économique, alors que le système politique reste socialiste. La Chine d'aujourd'hui est autant un régime socialiste qu'une économie de marché. En plus, malgré la progression du marché, la propriété en Chine demeure une juxtaposition de trois formes : publique, collective et privée. L'économie socialiste de marché change au gré de la fluctuation de la composition de ces trois formes de propriété, et il reste difficile de définir précisément la nature du système chinois. Dans cette perspective, toutes les tentatives de généralisation de l'expérience chinoise sont, comme le consensus de Pékin, attirées vers l'écueil des descriptions réductrices.

Le processus de Pékin

Il n'y a pas de consensus sur le consensus de Pékin, et la formulation de Joshua Cooper Ramo n'est pas une description exacte de l'expérience de la Chine. Même les décisionnaires chinois ne connaissent pas la direction exacte que prendra la réforme à venir, qui comportera une forte part d'improvisation. En ce sens, il paraît plus juste de parler d'un « processus de Pékin » pour désigner l'ensemble des politiques sociales, économiques et de sécurité qui caractérisent la réforme en Chine.

Du point de vue politique, la Chine est une technocratie dotée d'un leadership collectif à rotation systématique. La plupart des dirigeants chinois haut placés sont des techniciens spécialisés dans les domaines scientifiques ou technologiques. Hu Jintao, le président actuel, a un diplôme en études hydroélectriques, et le premier ministre Wen Jiabao est géologue. Après des décennies de tourmente pour la succession au leadership du pays, la Chine effectue aujourd'hui une rotation systématique dont les règles sont encore provisoires. Ce système n'est certainement pas démocratique, mais la Chine veut appliquer une démocratisation progressive, des villages à la ville, puis à la municipalité, à la province et à la nation. Pour l'instant, les élections démocratiques n'ont lieu qu'à l'échelle du village.

L'adoption de cette démocratisation progressive vise à éviter de déstabiliser la société. Pour le gouvernement chinois, la stabilité sociale est la première priorité et une condition indispensable au développement économique. Pour mieux maintenir sa stabilité, la Chine insiste fortement sur une souveraineté absolue, notamment à cause de son histoire coloniale depuis les guerres de l'opium du XIXe siècle. De plus, la Chine essaie de réguler la croissance de sa population par des politiques de planification familiale. Le nouveau slogan de l'administration chinoise exprime clairement cette insistance sur la stabilité sociale et sur la création d'un milieu favorable au développement économique : « L'harmonie sociale, l'harmonie mondiale ! »

Économiquement, la Chine applique une politique de propriété pluraliste : publique, collective et privée. Le gouvernement chinois est seul propriétaire des terres depuis la révolution communiste. La réforme économique chinoise, commencée dans le domaine de l'agriculture, a introduit un système de « responsabilité de propriété ». Dans ce système, les familles des paysans signent un contrat avec l'État pour obtenir le droit d'usage de la terre pendant cinquante ans, alors que la propriété de la terre reste entre les mains du gouvernement.

La réforme agraire est un exemple du gradualisme de la réforme chinoise, qui vise à éviter les tourmentes des réformes radicales, comme celle de la thérapie de choc en Russie après l'effondrement de l'Union soviétique. L'élément le plus important de ce gradualisme est le principe de la réforme économique sans réforme politique, d'où l'oxymore de l'économie socialiste de marché. Un autre élément du gradualisme est la régulation et la planification de la réforme, exécutées de haut en bas et étroitement contrôlées par le gouvernement central. Le gouvernement chinois conçoit des programmes quinquennaux pour fixer les objectifs socioéconomiques de la réforme. Un des objectifs du 11e programme quinquennal (2006-2010) est de doubler le PIB par habitant entre 2000 et 2010.

En même temps, la Chine continue d'improviser, d'expérimenter et d'exercer un certain pragmatisme dans l'exécution de la réforme. La caractéristique prééminente de la réforme est la méthode de l'essai-erreur, symbolisée par le dicton de Deng Xiaoping: « Traverse la rivière en touchant la pierre. » En règle générale, la Chine expérimente une politique dans une région limitée afin d'en examiner les résultats. Ainsi, les Zones économiques spéciales ont été établies dans quatre lieux, comme en 1980 à Shenzhen, un village de pêche de 2000 habitants qui fait face à Hong Kong. Aujourd'hui, Shenzhen est une ville moderne de plus de douze millions d'habitants et la politique qui y a été expérimentée est appliquée partout en Chine. Le pragmatisme chinois a également abouti à une politique d'« Un pays, deux systèmes » à Hong Kong, Macao et Taiwan, malgré le principe de la souveraineté absolue du gouvernement chinois.

Dans le domaine de la sécurité, la Chine a adopté une stratégie asymétrique pour garantir sa sécurité et son autodétermination. Afin d'atteindre ses objectifs, la Chine exploite l'espace et le cyberespace tout en neutralisant les capacités militaires américaines basées sur l'informatique. La Chine garde aussi une puissance nucléaire stratégique pour dissuader l'intervention des États-Unis dans ses affaires intérieures. La politique chinoise de bon voisinage basée sur le multilatéralisme a créé une atmosphère généralement amicale en périphérie de la Chine, en particulier en Asie du Sud-Est. La Chine est le deuxième créditeur des États-Unis et possède une énorme réserve de devises étrangères, ce qui lui permet de garder les leviers économiques nécessaires à la protection de sa sécurité.

La fin de « la fin de l'histoire » ?

La réforme a permis à la Chine de sortir de la pauvreté environ 400 millions de ses habitants, et les pays en développement s'intéressent de plus en plus au modèle de cette réussite. Le slogan de la réforme du gouvernement vietnamien pourrait provenir des documents chinois : « Stabilité, développement, réforme ! » Ennemie jurée de la Chine dans le passé, l'Inde s'engage aujourd'hui dans un débat : doit-on imiter le dragon ? Et d'autres pays donnent des signes de vouloir imiter le succès chinois : le Brésil, la Thaïlande, la Corée du Nord…

La Chine a aussi influencé certains pays en Afrique. En 2006, 48 dirigeants africains ont participé au Sommet Chine-Afrique organisé par la Chine à Pékin. Après l'échec du développement socioéconomique dans les 50 dernières années, les pays africains sont désenchantés par les politiques néolibérales du consensus de Washington. L'expérience de la Chine offre peut-être une voie alternative de développement. Les pays occidentaux la considèrent néanmoins comme un modèle rétrograde, un défi aux idéologies occidentales, en particulier du point de vue de la démocratie, des droits de la personne, et d'un capitalisme orthodoxe.

Ainsi, James Mann, un expert de la Chine au Centre for strategic international studies, déplorait dans le *Washington Post* du 20 mai 2007 : « La guerre en Irak n'est pas terminée, mais une chose est déjà claire : la Chine a gagné », soulignant la perte de prestige international des États-Unis et les gains chinois en la matière. Nous avons connu un antagonisme des idéologies entre Washington et Moscou pendant la guerre froide ; aurons-nous désormais une rivalité des idées entre Washington et Pékin, et une guerre tiède ? Si la réponse à cette question est positive, on ne pourra plus l'ignorer : c'est bien la fin de « la fin de l'histoire » !

Pour aller plus loin :

Ramo, Joshua Cooper, *The Beijing Consensus*, Londres, The Foreign Policy Center, 2004.

Williamson, John, « What Washington Means by Policy Reform », dans Williamson, John (dir.), *Latin American Readjustment: How Much has Happened*, Washington, Institute for International Economics, 1989.

Table des matières

Achevé d'imprimer
sur les presses de l'imprimerie Gauvin,
Gatineau, Québec, Canada